陪读妈妈

peidu mama

阮永凯　李真真　著

中国文联出版社

目 录

5 /49

项昆按照书中对付女人的"经验"对付他的前妻,却被邵彦好生修理一通,于是他又打起老情人汪萍的主意。

6 /57

"鸿门宴"上陈东前借酒吐真言:"不是说新加坡不好,不能来,也不是说新加坡就是天堂啥人都能来。这里有些人能来,有些人就不能来。"

7 /68

两个情人争斗,为了不致引爆谭玉颖那颗"地雷",项昆只有放弃汪萍。

8 /74

冯小蓉的房东吴贵发搞出种种无赖的事情,张岚将计就计,竟把吴贵发收拾得服服帖帖。

9 /89

男人证服世界,女人证服男人,这个世界最终是女人的。精通此道的谭玉颖费尽心机要让她想对付的男人在游戏结束之前保持糊涂的头脑。

10 /98

为了保护陈萍,张岚在语言学校同四个大男孩进行了一场规模甚大的恶战。刘妍丽也是个惹事的主儿,在美容院弄出事端以致不能再工作下去。

11 / 113

李佑君去集成电路设计公司应聘，因为陪读妈妈的身份被拒。凭着她坚忍的意志，奇迹发生了。

12 / 121

邓茹琳使用学生车卡逃票被抓现行，面临高额罚款她哭了，种种打击让她精神濒临崩溃。

13 / 132

谭玉颖按部就班地实施她的复仇计划，汪萍从成都回来，想找谭玉颖问个明白，为什么要搞垮项昆，这才引出一段催人泪下的故事。

14 / 140

冯小蓉有的是钱，可她患上了"富贵妇科病"，空虚与无聊令她难耐。所以说，世上的穷人可怜，而世上最富有的人可能是世上最可怜的人，这一点不奇怪！

15 / 154

张岚与陈萍朝夕相处生活在一起，纯洁、美好的情感会从很平常的生活中一点一滴地积累起来，并且永远不会从记忆中抹掉。

16 / 163

谭玉颖如愿地从项昆那要到了该她的那五十万，项昆就像被抽了脊髓一般倒了下去。

17 / 169

IQ 没有通过,不能报考排名前三十的学校,张岚决意要回国,李佑君不准。张岚为此绝食三天,两只犟牛相持不下,眼看就要出事儿,张岚的父亲适时赶到。

18 / 188

刘妍丽不顾陈东前的反对,一定要去"捉奸",两代人的性观念发生激烈冲突,其结果是把他们刚刚做上路的生意搅黄了。

19 / 198

动物学的研究表明,发情求偶期的动物都会分泌大量的荷尔蒙,从而使自己在异性面前更具魅力。吴贵发自然不例外,被荷尔蒙燃烧着的他用热烈的目光盯着邓茹琳……

20 / 209

投资黄色光碟再次发财的项昆二下成都,正赶上汪萍的婚宴。项昆当众将汪萍花数千元缝合起来的圣洁撕了个粉碎,致使她无地自容,跳楼自杀。

21 / 225

这一天,邓茹琳与吴贵发登记结婚,随后尽了做妻子的义务。……邓茹琳像是一具没有灵魂的行尸,从杨厝港走回碧山的住所,走在烈日当头的大街上她竟感觉浑身发冷。

22 / 237

吴贵发以肮脏的世界观教育孩子,却每每被张岚驳得体无完肤。"人要是都为自己活着,这世界乱套了。总统把国库搬回家,国防部长带着海陆空三军抢银行,像你这样的还能活吗?"

23 / 247

公司一旦破产,李佑君的就业准证就会被吊销,想回过头申请作为陪读妈妈留在新加坡也已经是不可能的了。面对残酷的现实,坚强的女人禁不住在众人面前落泪。

24 / 260

关于男女之间有没有友情的古老命题不知折磨过多少成熟的男女,此刻也在折磨着李佑君这位自命理性的女人。……异性之间的友情发展到一定的程度都会引起生理的欲望吗?

25 / 273

李佑君是个非常理性的人,什么事情都要追求一个满意的答案才能心安,然而世上浪多事情是不会有答案的,特别是涉及情感的问题。这正是感情能够折磨世人的原因所在。

26 / 283

邓茹琳一步一步走向海里，水面荡起浅浅的涟漪，直到整个人都没进水中，那些涟漪渐渐散开，很快水面又恢复了往常的平静。一个人的生命就这样消失，在人海里荡起一丝涟漪之后就再也找不到一点点曾经存在的痕迹。

27 / 295

李佑君慈爱的双手抚平了陈萍的创伤，却没能抚平自己内心的矛盾。一方面她特别怜爱陈萍，一方面又担心两个孩子整日在一起会引出感情风波。

28 / 306

项昆的话让谭玉颖毛骨悚然，她盯着眼前这个由流氓转变成恶棍的魔鬼，全然不知该如何应对，不知不觉地，她开始发抖。

29 / 318

那次的交杯酒像一个深深的烙印刻在了陈萍的心上。从那一刻起，她突然意识到自己已经成长为一个女人，并且自己在爱一个人，这种爱已经弥漫了她的整个世界。

30 / 330

男人大悲、大喜的时候都会跟烟酒过不去，以至于烟酒产量占 GDP 的比例居高不下。困惑中的陈东前重操戒掉了十多年的陋习,开始寻求烟酒的麻醉作用。

31 / 341

张岚发现,情书中赞美他的用语比奖状上那些呆板的词汇生动太多,于是他把那些情书收藏起来,有朝一日挂出来,比奖状耐人寻味!

32 / 354

临睡前,张岚把收藏的情书集扔出了窗外,春天的风把一页页的纸抛上了天空,多余的牵挂随风飘逝,留下的是一份金子般殷实的情感。

李真真 / 367

我的叔父——阮永凯

1

就在项昆与情人风流痛快之际，由他中介办理的四家人抵达新加坡，可负责接待的陈东前还没联系上，项昆竟把这事儿忘得干干净净！等待与焦虑成了陪读妈妈们初到新加坡的见面礼。

人往高处走，水往低处流，这句传统格言同样适用于经济社会中人们的追求取向。向往出国便是情理之中的事情了。

出国，虽不是改变命运的绝对方式，也不能把它看成幸运女神的眷顾，但它作为发展中国家之发展中人民的一种强烈需求，悄然地、无限地复制开来。求发展的人们利用各种途径出国求学、出国打工，无非是想往高处走一走。然，高处往往会有不胜寒的感觉！

正从北京飞往新加坡的班机上，载着这样一群自备"弹药"走出国门的妇孺。中央五人座的一边坐着张岚，年近十六岁的少年，健壮的体格，机灵的模样，一点儿睡意也没有，正左顾右盼地张望。对新生活的憧憬让他激动不已，梦想中人生的游戏场即将敞开大门。此刻的张岚正琢磨：在新加坡读完中学，去美国念大学，硕士、博士一口气拿下，然后努一把劲，干出一番惊天动地的大事业，把诺贝尔存在瑞士银行的那点儿钱几下子掏空了算！这就是少年的梦想，少年狂！张岚绝顶聪明，一不留神就能成功。

张岚的旁边是母亲李佑君，四十出头，一副淡定从容的神情，配着一架金边眼镜。李佑君想出国可是有年头了。读大学的时候练过卡什比亚没成功，硕士毕业考托福、GRE，有美国大学发的录取信，可签证拿不到，吹了。要说在国内工作顺心吧，也行。作为改革开放后新三届的大学毕业生，在大学工作的，有几个不是教授？可她这个教授的职称前面还带着一个"副"字。并不是因为她的成果不够，也不是因为她带的研究生不多，仅仅是因为她与丈夫同在一个系，事儿就坏在这里。每回赶上评职称、提工资什么的，丈夫张明贤上去了，她就得下来。道理很简单，好处让你们一家人全得了，别人怎么活？群众的眼睛可是雪亮的！如今这把岁数，出国读书已不现实；但就着新加坡开放中小学教育市场的时机，李佑君在学院争取到两年长假，陪儿子去新加坡读中学，一方面让儿子受英式教育，以便考美国的大学，省得像她那样走弯路；另一方面也圆了自己的出国梦。尽管以陪读妈妈的身份混出国门，有点令人不齿，但还能怎么着呢？这把岁数了，就算丢一回人也罢！于是，他们一家怀揣现金去了诚信出国中介公司，问明情况便掏钱，这是诚信公司所遇到第二痛快的一家子。最痛快那位就坐在后面，隔着两排座位的冯小蓉。

　　冯小蓉，三十五六的岁数，雍容华贵的着装已经显示了她的经济实力。大学毕业后给一位福建的乡镇企业家当秘书，然后由秘书晋升成夫人。当今社会，由秘书荣升夫人的大有人在，好在冯小蓉没走弯路，一次性坐上头把交椅——老公大她八岁，之前不曾婚娶。他们婚后育有一子，现年九岁，就是枕在冯小蓉腿上，一人躺了两个座位的徐翰。徐翰他爸的企业越做越大，现在有几千万的资产不在话下。尽管后来冯小蓉花钱去北京读了个 MBA，但是对徐家的事业完全没有意义。徐翰他爸从来不让冯小蓉插手公司，理由不用编：太多的公司都栽在妇人手中，所以聘你当夫人，公司的事儿你就得靠边站，而且越来越少让冯小蓉涉及他的社交圈子。

无所事事的冯小蓉,一天到晚跟徐老总找别扭,别扭找多了,自己也觉得别扭,倒不如走远点,眼不见心不厌,管你去哪里,免了回来找借口的程序,这样大家都自在一点。

有钱人办事就是痛快。原本一家三口是去北京走亲访友的,无意间看到诚信的出国广告,便直接找上门,把两万七往桌子上一拍,"这事你们办吧,办好了没说的,办坏了我找你们。"徐老总一句话,吓得诚信的老板项昆从总经理办公室应声而出,亲自倒茶送水。大国总统访问小国大概也会这般气壮。

与冯小蓉同排就座的是邓茹琳和她的女儿陈萍。生活的磨难过早地夺走了邓茹琳的青春美貌,尽管才四十出头,看上去却有五十光景。她早在四个月前就跟诚信公司联系了。对她来说,这是天大的决定,一点马虎不得。十年前,夫妇二人同时从机床厂下岗,一家三口,一个月只有不到三百的生活补助,日子是怎么过的可想而知。大连下岗的人多,找工作不容易,于是,孩子她爸去山西挖煤,每月定能寄回三五百块补贴日用。然而,私人老板开的小煤窑能吃人,井口不大,但那是吃人的嘴,十几号人下去了,一声不响,全喂了地球。邓茹琳去山西,不见一根遗骨,只得抱着丈夫生前的破衣服,点一把火,就着纸钱,烧得一点灰当骨灰,装在一个黑木盒里,带在身边留作纪念。一个大活人换回六万块钱,六年来补贴女儿上学,已经用得差不多,再这么下去,娘儿俩还怎么活呢?

就是这个时候,邓茹琳看到诚信的广告,咬牙拨了个长途,对方十分钟的长篇讲演用掉了她七块钱。尽管那七块钱让她揪心般的痛,但演说词中的一句话深深地打动了她:"一个月可以挣两三千新币,一年下来能攒两万多,合人民币十万有余。"为此,邓茹琳去了一趟北京,让诚信那几个一煽惑,热情变成了坚定的信念,回家就开始筹划赴新。两万七的中介费、五万的保证金、一万二语言学校的学费等,加一起没有十万不可能成行。全部家底加上孩子她爸的送命钱凑出两万,那套旧房子卖了五万,另外借了三万,邓茹琳带着女儿陈萍奔了北京。

陈萍坐在她妈妈的旁边，靠着另外一条过道。十四岁的女孩，如花蕊初绽，模样吸收了父母双方的遗传优点，眉清目秀、清癯高挑、清纯动人，楚楚宛如林黛玉。这会儿她静静地坐着，清澈见底的大眼睛几乎没有离开过播放航程信息的大屏幕。尽管她说不清、也想不太明白出国的意义，但自小丧父及家庭的贫寒使得她胆小、心重，此刻的心情更多的是不安甚至有一点点畏惧。

刘妍丽母女原本与李佑君母子同排就座，后来她发现机尾有很多空位，于是带着七岁的女儿刘虹到后面每人占一排座儿，睡起了飞机上的卧铺。刘妍丽，三十一二，几分姿色犹存，手脚麻利、性格泼辣，特别是她那张嘴，从不饶人。可当初不知道咋的，嫁了个窝囊废，丈夫在京城属于少数派，老实巴交修车工人一个。刘妍丽想让他出去闯闯，可是用棍子也打不出家门。老婆说什么，他听着，嘴里答应着：干得了的立马去干；干不了的，也不反驳，偷蔫一个人蹲一边抽烟。跟这种人过一辈子，多没劲！于是刘妍丽跟他离了，一不做，二不休，带着女儿出国开开眼，说不定还能混出点名堂。

经济学家说，只要有需求，就会有对应的市场出现。一点儿没错，人们要吃、要穿，于是百货、超市遍地开花；人们要玩、要乐，所以歌城、茶楼到处结果。国人再一次的出国风潮拉开大幕，于是乎，衍生出另一个主题，一个新的商业热点——各种出国中介公司，如雨后春笋纷纷成立，良莠不齐。诚信出国中介公司正是这其中之一。公司位于北京世贸大厦第二十八层，好地方，带八的楼层租金坏不了，一准儿能发！

说说诚信的老板，项昆，三十来岁，小白脸、微胖，走起路来昂首挺胸，步伐不紧不慢，一副阔佬的模样。不知何故，阔佬们差不多是一副相近的模样，这大概是阔佬们常聚一起吃喝玩乐，相同的饮食，相互的交流，雷同的模仿，于是刻画出相近的一个阶层。

不管怎么说,项昆发了,借着发展中的人民对出国强烈的欲望与需求,他把人民的币敛入他的银行卡中——时下,用口袋装钱的人不过只有几个小钱而已。

　　为了证明项昆有钱,除了公司豪华的装饰,便就是那四位漂亮的小姐——其实也是豪华装饰的有机组成部分。办公室主任汪萍,二十四五岁,圆圆的脸,娇小玲珑,典型的南国美女,一副伶牙俐齿的模样。再看秘书谭玉颖,二十刚出头,身材高挑,五官俊俏,青春灵气却又稳重矜持。至于另外两位,一个内勤,一个外务,也是走上街头让男人想回头的一类,至于回没回头,视男人们的意志薄弱程度而定。

　　从业务上说,公司用不着这么多人。可项昆不这么认为,人多才有气势。客户来了,往这儿一坐,舒服;四下一看,气派;男士眼睛一瞟,羡慕;女士眼珠一转,嫉妒。这边有人跟他们谈着,另外几个有事没事抱着文件夹来回走动,显得忙忙碌碌却是有条不紊。所以说,人是多了点,却都还能派上用场。

　　这日下午,汪萍心神不定地在总经理办公室里来回走动。项昆不说一声就没了去向,手机不开。更可疑的是谭玉颖声称去中青旅交认证资料,打她手机也关着。多少回了,净是二人出去同时不开机,这里面肯定有鬼!汪萍这样想着,越发焦虑。半年来,项昆与邵彦打官司闹离婚,汪萍登堂入室,取邵彦而代之。上个月离婚判下来,尽管要分出七十五万给邵彦,但终于有望当家做主,心疼财产之余,汪萍还是挺高兴的。

　　近来,发现项昆与谭玉颖眉来眼去,让汪萍着实放心不下。早点把婚结了,把项昆盯死,到时她就是老板娘,用不着什么理由就可以把谭玉颖那个小狐狸精开掉,剩下那两个都是有男朋友的人,有谭玉颖的前车之鉴,谁还敢放着高收入不要,冒天下之大不韪,与她汪萍作对?可眼前的事儿真让她着急!

　　电话铃响了,汪萍接听,电话那端问:"请问项总在吗?"

汪萍没好气地回答："不在，找他什么事？"

"我是邓茹琳，今天晚上的飞机去新加坡。我想问一下，新加坡那边你们是不是安排好了，不会有什么问题吧？"

听到是客户的电话，汪萍的语气变得好多了："你们就一百个放心吧，我们公司在那边的办事处早替你们安排好了，就等着你们过去。"汪萍流利的答话，显然是重复过无数遍的。

"请别见笑，我是头一回出国，老是觉得心里不踏实。只要安排好了我就放心。不好意思，给你添麻烦了。"说完，邓茹琳那边先放下了电话。

汪萍这才想起来，一直没能和新加坡那边负责接待的陈东前联系上，便推门探身，问坐在一个小隔间里的女职员："陈东前的电话打通没有？"

"没有，从昨天到现在一直没开机。"女职员答道。

"坏了，这边人都要走了，那边还联系不上。"汪萍自言自语，然后吩咐道："一直打，打通为止！"说完汪萍又关上门生气去了。

正如汪萍所料，项昆确实同谭玉颖在一起。二人吃过晚饭，便去了夜总会。一进夜总会，项昆的眼睛就不老实了，四下里打量他称之为"上帝杰作"的雌性直立动物。这些尤物与项昆身边的女人大不相同，个个打扮入时，不是露出肚脐眼十几公分焕发男人的探索欲，就是裙子短得让在座的男士的眼睛跟着时隐时现的内裤一同闪烁。台上，女演员们衣着奇特、开缝巧妙、时隐时露、搔首弄姿，更是让项昆目不暇接。其实这是情理之中的事情，人类发明服装，本意就在于提高性感想象空间。

男人好色是天性，有藏得深的，有藏得浅的，项昆绝对肤浅。只要一进夜总会，他手上的饮料只是信手摆弄的玩物，口水还咽不过来，哪有闲工夫喝别的水。望梅止渴的效果远不如望美止渴。口水咽多了，尿也频繁，只要项昆一起身，谭玉颖就知道他要去哪里。由他去吧！谭玉颖自顾跟着台上二流演员哼唱，高兴时点一把花儿送上去，反正是项昆掏钱。

项昆喜欢站在厕所门口抽烟，看那些时令女性进另一道门，想象着接下来的光景。堂堂一个公司老总，有的是钱，怎么会出此下策？无奈总是有一个正义的影子纠缠于他。每每幻想到与风尘女子凹凸之时，定会有一个铁面警官在脑海浮现，永远是那一张脸，令他胆寒。

事情还要追溯到项昆的大学时代。从河南农村考进北京，穷酸自然不在话下。但真正令同学看不起的，并非他的贫穷，而是他的个性。他最为嫉恨的是那些谈恋爱的男同学。女生数量不少，但不分好坏，是花就会有主，一个为之幻想与奋斗的目标也不给他剩下。总结下来，是因为穷，没有实力与别的雄性一决高低，他只能冷眼看情侣们出双入对。终于一个机会来了，近物实验，真空镀膜，镀的可是纯金！金丝锁在柜子里，老师取出一小段金丝后锁好，钥匙随手放在桌子上。项昆颤抖的手打开了柜子，有生以来第一次看到并触及高度浓缩的货币。随后是警车开到宿舍楼下，正是项昆永生也无法抹去的那张面孔带走了他。那卷沉甸甸的金丝从他的枕心里现身，他只枕了它三夜，做了三夜的噩梦。从那以后，项昆最怕见到警察。

从夜总会出来，项昆开车送谭玉颖回住所。谭玉颖家住西郊，上班在城东，因此项昆出钱为她在附近租了一套房子，以便自己有机会去休息一下，一个月能来一两回他就觉得值得。

项昆停好车跟着上楼，谭玉颖不让："今天你已经够痛快了，还找我干什么？"项昆却搂着谭玉颖，强行上了楼。

就在项昆风流痛快之际，由他介绍的四家人就要抵达新加坡，可负责接待的陈东前还没联系上，项昆竟把这事儿忘得干干净净。即将踏上一方陌生而新奇的土地，等待这四家妇孺的将是怎样的新生活呢？

说话间，飞机来到新加坡的上空开始下降，舱内的照明灯全部打开,空姐检查旅客的安全带是否系好。张岚的激动心情随着海拔的降低而升高。

"我们就要登上月球了! 我得当一回阿姆斯特朗,头一个踏上新加坡。"张岚说着,不顾李佑君的阻挡,从座位下面拉出一个装满书籍、沉重非常的背包,背在身上,不等飞机停下便冲向机舱门口,害得几个空姐跟着张岚跑。

邓茹琳的行李最多,众人帮她提下飞机,出关、取大件行包,然后四位母亲和她们的孩子推着行李车走向出口。冯小蓉没用推车,她的全部家当只有手上拉着的小号皮箱和背着的珍珠鱼皮挎包,其余人的推车上都满载着大包小裹。大家有说有笑地走出来,在出口外停下张望。诚信公司告诉他们,接待站就在出口处,可看了半天,见不到一个前来接应的人,更不用说有所谓的接待站了。极目远眺,偌大一个厅,星星点点开了几处小店,不是换币的就是小商店,一看便知不是接待站。

"昨天下午我还给诚信公司打过电话,他们说已经安排好了,不应该有错。"邓茹琳如是说。

刘妍丽用鼻子哼了一下:"我看那姓项的是个在油锅里炸过十好几遍的老油条,说话没谱。"

李佑君安慰大家,冯小蓉拿出电话拨打项昆的电话,对方没开机。

邓茹琳最先沉不住气:"我们会不会被他们骗了?"

陈萍一下着急起来,抱紧母亲的胳膊,"那怎么办呢?"

"不会的。"冯小蓉用手摸着陈萍的头,安慰着。

刘妍丽眼睛一瞪:"给他十个胆儿,也不敢干这种事儿。一个电话拨回去给公安的朋友,马上把他姓项的逮进去。"

张岚对着发愁的陈萍说:"听见了吗,姓项的要是犯在咱们刘阿姨手里,还不得把他裹了,搁金字塔上晒成木乃伊!"

李佑君把陈萍揽到自己的怀里,对邓茹琳道:"你没把自己吓着，倒把孩子吓成这样。这会儿才六点，可能人还没到。我们到那边坐着等吧。"

众人点头，推着行李车，找到空椅子坐着等待。一等，三个多钟头出去了。

世上的人就是这个时候最好骗！再聪明的人，只要是急着想得到什么，别人说啥就信啥。好比情话多半是假话，可热恋中的人全信，而且还信得那么瓷实。这几位一门心思想出国，诚信公司对他们是满口胡言，几位聪明人信了。诚信公司所说的接待站，不过是陈东前站着，举着牌子接待来人而已。而今天这位陈东前没来，是因为他的手机丢了，卡没办好，三天断了通讯，这个节骨眼上，四家人来了，可怜他们干着急等吧！

刚才的那股兴奋劲全没了，四家人无精打采、东倒西歪地靠在座椅上，刘虹在刘妍丽的怀中睡着了。冯小蓉不时地拨打电话。大厅内的大钟指向九点，电话突然通了。

接电话的是一位职员，她告诉冯小蓉只有等项昆来了才知道是怎么回事，言外之意还得等。大家睁大眼睛盯着冯小蓉，希望的目光随着冯小蓉的话音又渐渐黯淡下来。

漫长的等待、愤怒的抱怨、无助的焦虑混杂在一起。

只有张岚显得最轻松，不想陪着一帮妇孺一起发愁，自己满机场到处溜达。先是去商店瞎逛，找人实习英语。可碰到的人都会华语，没说两句，别人便亮出华语对付他。张岚发现，新加坡的机场实在是大，他们到达的这个机场只是其中一半，坐着机场内部的小火车，他去了另外一边一看，好家伙，又是一个机场！张岚把这个重大发现通知了发愁中的人们，竟然没能引起他们足够的重视。张岚就是这么一种人，只要是找不到对手发脾气，他永远不会一个人坐那儿干生气。

北京时间八点半，项昆已经穿着整齐，谭玉颖却还裹着毛巾被躺在床上。项昆一边收拾自己的东西一边催促，可她就是赖在床上不起。项昆想先走一步，谭玉颖说什么也不准，娇滴滴地放出狠话，使他不敢擅自离开。一夜不归足以让汪萍那口醋坛子冒半天酸气，如果把谭玉颖牵连进去，就更加不好解释了。项昆像热锅上的蚂蚁，着急啊！

"项总，你可是一个公司的老总啊，怎么那么怕她？她还没成你老婆呢。"谭玉颖故意拖延，拿话激项昆。见他没搭理，谭玉颖又说："她在公司能干什么？没人不恨她。你把她放了，我来干，保证比她强十倍。"

项昆敷衍着："有些事你不明白，跟你说不清楚。"

谭玉颖冷笑道："有什么不好说的，我帮你说吧。你们男人一个个都恨不得多踩几只船，哪一个都舍不得放，当不了皇帝也想过一把皇帝瘾。我算是把你们看透了。"

项昆不想争辩，伸手将她从床上拉了起来，赤身裸体的谭玉颖下意识地抓住毛巾被遮羞，项昆胡乱地把她的衣物塞到她怀里，自己走出卧室，说了句："快点，我等你。"然后带上了房门。

谭玉颖慢条斯理地穿戴、洗漱，然后又坐上化妆台。

要说化妆这玩意儿真是神奇。卸了妆的谭玉颖并不很出众，可经她这么一捯饬，俨然美女一个！人说"女为悦己者容"，其实是废话。这句话倒不如说成"女为男容"，从"女"方来说，希望全世界的男人都是悦己者；从"悦己"方来说，希望悦尽全世界的美女。因此，说它是废话也行，说它是公理也行。公理是不必说的，说出来就是废话。

等谭玉颖化完妆，二人吃过早点，开车到停车场，已经九点半过了。从电梯出来，项昆叮嘱谭玉颖晚几分钟再进办公室，自己先行快步走向公司。

项昆刚进门，坐在沙发上沉着脸的汪萍扔下手中报纸迎了上去，小声质问："一整夜去哪里了，手机也没开？"

项昆没理会，径直进了经理室。

汪萍正要回身,见谭玉颖进门。谭玉颖看也不看汪萍一眼,去了自己的隔间。汪萍气冲冲地进了项昆的办公室,另外两个女职员诡秘地相对一笑。

项昆刚在办公桌后的转椅上坐定,汪萍闯进来,双手支在桌上,怒视项昆:"昨天晚上是不是和那小狐狸精在一起?"

项昆一副吃惊的样子:"你想哪去了。我就不能有一点自由活动的时间吗?"

"你够自由的了。老实说,昨天晚上去哪里了?"

项昆很镇定地反问:"去赵总家打牌,不行吗?"

"为什么不开手机?"

"你不是不知道,我打牌的时候不想有人打搅。"

汪萍眼珠一转,问:"赢了,输了?"

"输了。"项昆眼皮一垂,装出失意的样子。

汪萍盯着项昆的眼睛又问:"输了多少?"

"五六百。"

汪萍冷笑道:"鬼都不信!五六百,刚好够开房的钱。"

项昆发怒,吼着:"你还不是我老婆,管这么多烦不烦!"

一声吼,汪萍被喝退坐到沙发上抹眼泪。项昆先是坐在椅子里不语,过了一会儿转到沙发这边,安慰汪萍:"从家里到公司的钱都是你管,明摆着你就是老板娘,还要怎么样?"

汪萍带着委屈,絮絮叨叨地抱怨起来。当初汪萍与项昆厮混是图着钱来的,前后从项昆那里要到四五十万不在话下。钱上满足了,接着不满的是身为二奶,偏房一个!为了能够转正,汪萍把自己与项昆的关系告诉了邵彦,并把藏在电脑里她与项昆合拍的裸照作为佐证。于是她的目的达到了,正房搬走,她便取而代之;于是她认定自己与项昆就是一家,她要为这个家奋斗。不知这算不算真爱,但她知足,这辈子不再为生计担忧就行了。现在的汪萍确实是一心一意为他们的未来打算。

项昆听汪萍唠叨了一阵,不耐烦地站起身道:"我去给你拿毛巾擦擦,说不定有客户要来。"说完拉门出去。

从经理室出来,项昆拉上门,眼睛直盯着谭玉颖。谭玉颖没回头,项昆干咳两声,走向卫生间。

从卫生间拿了一块湿毛巾,项昆正准备进办公室,一位女职员迎了上来:"项总,去新加坡的冯小蓉打电话找您,说那边没人接他们。"

"哎哟,我的妈呀,这事我都忘了!"项昆一惊,如梦初醒。

女职员递上一个本子,"她说打这个手机就行了。"

项昆接过本子,问:"什么时候打来的?"

"有半个多小时了。"

"怎么不早说,这么大的事让你耽误了!"项昆厉声训斥。

女职员委屈地说:"我看您和汪主任进了办公室,就……"

没等她说完,项昆把手上的湿毛巾往隔间围栏上一摔,转身走向放电话的小桌子。拨完号,见那位女职员站在原地没动,正想发作,汪萍从办公室出来,沉着脸,没好气道:"手机不开,谁知道哪儿鬼混去了。"说完,瞟一眼谭玉颖。听到这话,谭玉颖停下手中的活,但马上又表现出若无其事的样子,继续整理那些档案夹。

项昆气不打一处来:"糊涂!你就不会想办法?至少告诉他们陈东前的地址,让他们自己去找。都是些没用的废物!"抬头看一眼钟,继续说道,"十二点有一班回北京的飞机,她们要是耐不住飞回来可就麻烦了!"说完,项昆不再理会办公室里的几只"花瓶",重重地按了几下电话,认真拨起号来。

拨通冯小蓉,知道他们一行还在机场等他的电话,项昆便放心下来,好言安抚了一番,给了陈东前的地址,让他们自己去找人。

2

一见面，陈东前便开口吃人，每家还要加收四五千新币的中介费。四位女士不好惹，加上一个机智少年张岚，更让陈东前难以招架。

新加坡，一个陆地面积只有五百多平方公里的小岛国，小得只有北京一两个区那么大点儿面积。

因为小，所以才好治理，于是乎，短短三十多年的建国历史，就能成为国际大都市，亚洲四小龙之一。说她是龙国，一点不假，这里的居民百分之八十是华人——龙的传人。当权者多数是龙子龙孙，建设者多数是龙子龙孙，龙子龙孙栖息繁衍的岛屿，当然应该是龙国。

初来新加坡的中国人，一点没有出了国的感觉，仿佛是从中国的一个城市走到另一个城市，甚至比到中国某些城市显得更中国化。在新加坡，一口普通话哪都没问题，而去国内很多地方，你跟当地人讲普通话，人家会把你当外星人宰你没商量；在新加坡，所看到的大多是与你一样的黄种面孔，而不像去非洲，你会觉得自己是煤堆上的白菜，太显眼；这里非常干净，露天的桌椅随便坐，保证不会弄脏裤子；新加坡的人口密度全世界最高，但楼宇总被大片绿草地环抱，这么小不点的地方居然会有原始森林！因此，细细研究起来，又会有太多的不一样。

三辆出租车从东南朝西北方向行进，一路风光无限。同来的四家人坐在车内，按照项昆给的地址去找陈东前。刚才的不愉快很快被眼前的景致冲淡，他们的情绪变得高涨，沿路指点各自捕捉到的新奇：奇特的热带植物、草地中的白鹭、跨海大桥、滨海湾的建筑群，各种宗教的教堂和庙宇比比皆是。

出租车来到位于碧山的一片组屋区，在两楼之间的马路上停下。众人下车，司机帮忙卸下行李，冯小蓉分别付过车费。环顾四周，所有的楼底层只有柱子，没有墙，里面设有桌椅供居民休息。从底层的空隙看过去是一片草地，草地间有球场和儿童游乐设施。太阳很大，天气很热，四周少有人走动。

李佑君指指行李："东西先放在这里，你们进去坐会儿，我上楼找到陈东前再来叫你们。"张岚陪着母亲去找人。

这是一个典型的组屋结构，长长的内阳台形成一条走廊，通到各家各户。李佑君和张岚沿着走廊寻来，找到205号，见两扇窄窄的铁栅栏门向外开着，一扇木门向内开，木门上贴着用中英两种文字印着"新加坡环球地产劳务中介公司"的白纸。从门口看进去，显然是住家兼办公室，厅里两张桌子，两条沙发，墙上贴着花花绿绿的纸，两间卧室的门关着，一道门廊后面分明可见居家用的厨具和卫生间。陈东前，身材干瘦，三十多岁，坐在厅里看报纸，见有人来，随口道："Come in please. 是来问工作还是问房间？"

李佑君站在门口："我们找陈东前先生。"

"对喽，我就是。"陈东前怪腔怪调道。

"我们是从中国来的，诚信公司让我们来找您。"李佑君进门往里走，张岚跟在后面。

"项生有讲四个妈妈和四个小孩子要来。"陈东前没有起身，只是把报纸放到了桌上。

"另外六人在楼下等着的。"李佑君回答。

"让他们统统上来。"

李佑君示意张岚下楼叫人，自己坐到了沙发上，打量起墙上的牌子、单子。陈东前重新举起报纸，挡住清癯的面部，却挡不住他干瘦的支架。李佑君对陈东前的傲慢感到不愉快。

其实，陈东前并非要表现傲慢，陪读妈妈们突然到来，让他紧张。每次中国来人，都会为加收费用较量一番，这次他看见张岚大小伙子一个，一副雄赳赳的样子，心里添了些畏惧。所以说，男人要是干巴瘦了，雄性的尊严也会遗失干净。男人太瘦，就像女人太胖一样，自信会被大众的目光摧毁。弱不禁风，谁也不拿你当回事儿；异性只把你当中性，谁会把一尊根雕塑像当男人呢？所以陈东前至今单身。

过了一会儿，张岚出现在门口，李佑君见他一身的负载，赶紧上前帮忙。接着其他人也把行李推进屋，空地占去多半。

陈东前看见这么多行李，吃惊不小，操着新加坡式华语的腔调道："要有知道这样多东西，就不用搬上来。过一阵办好手续就可以去你们各自的房间啦。"

"早吱一屁，省我老少爷们儿这份折腾。"张岚喘着粗气。

陈东前正言厉色道："小孩子是不可以乱乱讲话的啦。"陈东前想以成人的威严镇住张岚，可用温柔的新式华语说出这番话，力度远远不够。

众人抱怨起陈东前没去接机，陈东前解释着，冯小蓉听得不耐烦了："别的以后再说，早点办好手续，早点休息。"

陈东前显出大度的样子，瘦狮子终于要开口吃人了："这个是没有关系的啦，你们先把佣金交给我，我要带你们去看房间。"

"什么是佣金？"刘妍丽问。

"就是你们要给我的服务费啦。"

李佑君不解地问："我们每家交了两万七，还要啥佣金？"

陈东前咧了咧嘴，显出不屑的样子："那个是诚信公司收的，佣

— 15 —

金是我们公司要收。我为你们做事要有收服务费啦。"

邓茹琳紧张地问:"还要收多少钱?"

陈东前起身从柜子里取出一个本子,翻开来一家一家念了起来,每一家这费那费,还要收四五千。

邓茹琳听到自己还要交四千二,睁大了眼睛问:"你说的是人民币还是新币?"

陈东前道:"在新加坡当然是要用新币的啦。"

听了陈东前的这话,大家的表情都严肃起来。由于没有思想准备,一时找不到对策。只听邓茹琳自语:"四千二?乘以五就是两万多!我的妈呀!"说完,往后仰倒在沙发上。

众人围过去扶邓茹琳,陈萍摇着她的双肩哭道:"怎么办呢,我妈有心脏病。"

忙乱之中,陈东前先是不知所措,随后取来一杯水,刘妍丽端着喂邓茹琳。喝下水,舒了口气,邓茹琳的脸色渐渐恢复,随后叹息诉苦起来。

陈东前郑重地说:"没有很多的钱是不可以来新加坡的。每一个到新加坡来的人,第一年都是要吃很多苦头,才可以学会新加坡的游戏规则。没有钱是不可以的。"

邓茹琳眼神发直,喃喃着:"可是诚信公司没说过来以后还要交这么多钱。"

"他们是不要给你们讲的啦,不然少少的人要来新加坡,他们还怎么挣很多的钱呢。"

半天没说话的冯小蓉愤怒地发言了:"姓陈的,你别当我们都是傻子,你说什么就是什么。"然后对吓得不成样子的邓茹琳说:"你先别急,我打电话给诚信公司。"说完,冯小蓉出门。

"邓姐,你别怕,他这儿不成,咱们再想别的辙。"

刘妍丽只是随口安慰邓茹琳,陈东前沉不住气叫了起来:"这样不可以!我们有为你们做事,佣金是要付的啦。"

这边张岚琢磨起来：我就纳闷儿，刚才我说个"吱屁"他听懂了，这会儿也明白什么是"辙"，犄角旮旯儿的北京话他全都明白。不行，我得去问问他。张岚这么想着，便起身，温柔地拉过陈东前，嬉皮笑脸道："陈先生，您过来，过来。我说你，整个一老母鸡上树，不是好鸟，明白吗？"

"小孩子不可以骂人噢！"陈东前叫了起来。

张岚笑嘻嘻地接着说下去："好咧，再告诉你，我想抽你。"

张岚的话尽管温柔，陈东前却下意识想挣脱张岚的手，力气明显不敌张岚。"这里是新加坡，打人不可以！"

张岚一下变得横眉立目："告诉你，我练过。"

"练过又怎么样？"

"给你来一大背胯，能把你这捆柴火棍子抖搂散了。"张岚说完突然一拽他的手臂，猛一转身、猫腰，把陈东前背在了背上，只要他再一弯腰，陈东前就会摔出来。

陈东前趴在张岚背上，急切地向着女人们挥手求救："谁家的孩子，跟这儿撒野，也不管管！"

李佑君赶紧放开邓茹琳，上前去制止张岚。

"妈，你们都听到了吧，这位的北京话让我给挤对出来了。"张岚放下陈东前说道，"由打一进门儿听他说话就觉得别扭，整个儿一假洋鬼子！"

刘妍丽把手中的纸杯捏扁，往地上一摔站起来，"还真是的，打进这间屋开始，我就觉得像是回到了万恶的旧社会，敢情周扒皮偷渡来新加坡了。"

邓茹琳坐直身子道："姓周的，啊不，姓陈的，你们是不是合谋设套儿让我们钻？"

陈东前一脸的尴尬："怎么会啦，我们不可以这个样子的。"

"装什么蒜！会说中国话不会？"刘妍丽喝道。

冯小蓉进门，质问陈东前："你跟诚信公司到底什么关系？"

"合作关系。他们那边招人，我在这边跑腿。"

刘妍丽说道："这就对了，你们合作挣着我们的钱，这边儿的事儿当然该你办！"

"可你们给诚信公司的钱，我一分也没得到。"

"那你凭什么给他干事儿？"李佑君问。

"就凭他姓项的是爷，我得靠着他往这边送人。"

"然后你就来一个宰一个。"刘妍丽抢白道。

接着，大家伙儿你一言、我一语批斗陈东前。陈东前左右招架，应接不暇，最终叫了起来："哟，我说大姐……"

"谁是你大姐？"话被刘妍丽打断。

"那就叫您小姐得了。"

"不成，小姐二字已经有所指了。"

"那叫您什么？"

"就叫大姑吧。"

陈东前被刘妍丽戗得无可奈何地摇头道："得！各位姑奶奶，我是服了你们。我确实从诚信公司那里拿不到一个子儿，你们爱信不信！"

刘妍丽冷笑一声："就是说你从姓项的那儿没能分到一杯羹，打算把我们搁锅里再煮一遍？"

陈东前头摇得就像拨浪鼓："哪能啊！"

李佑君可是有学问的人，坐一边算起账来，然后盯着陈东前问："姓项的一个月往你这边送多少人？"

"也就十个八个吧。"

"就是说一个月你也能赚二十万，怎么不换个大点的排场，安部电话，省得手机丢了影响业务。"

陈东前一副有苦说不出的样子："瞧您说的，哪能挣得了那么老些。"

李佑君认真地分析着："就算八个也有十六七万。"

"可并不是所有人……"陈东前自知说漏嘴，连忙打住。

刘妍丽抢着说："我明白了，你是能敲就敲，敲不着拉倒。"

"可是，大姐……"

刘妍丽呵斥道："谁是你大姐？"

陈东前无奈地申诉着："姑奶奶行了吧！我是实实在在为你们办事儿的！"

邓茹琳道："可我们给过钱了，你找姓项的去要。"

"您这是站着说话不腰疼，他能给吗？"陈东前反驳道。

"行了，你是不是不想管？这可难不住我们。我有一小叔子他二姨子的大表哥，这位就在中国大使馆当参赞。起先我不想有劳他大驾，既然你这儿不安排，就不难为你了。带上东西，咱们去大使馆。"刘妍丽对着众人叫着："还愣着干什么，搬东西啊。"

李佑君明白了刘妍丽的用意，取行李分发给他人，张岚在门口往外传。

陈东前见众人真的搬行李要出门，着急起来，赶紧来了个大降价，一家只收两千新币，照样没能留住这群人精，一大帮人好不热闹，大包小裹搬着，走向走廊另端。

要说陈东前可不傻，雕虫小技就能把他骗了！这就应了咱们前头分析过的那个道理：人要是急于想得到什么，就像这位一门心思想赚一笔，想法从脚后跟儿一直顶到了天灵盖，于是让人一诈唬，信了不是？陈东前追出门，对着众人的背影高声喊道："每家只收一千，再不干我就没办法了。"

冯小蓉停下脚步，被刘妍丽推着往前走。刘妍丽回头大声地说："人民币一千，就当我们为希望工程捐款。"

陈东前这回是真的气着了："你当我是要饭的呀！走就走！"说完，嘭的一声关上门，气愤地回屋。

刘妍丽停步，张岚泄气地放下行李，李佑君也停下看刘妍丽。邓茹琳不解地问："怎么都不走了呢？"

冯小蓉没好语气地反问："往哪儿走？"

"不是说好了去大使馆吗？"

"邓阿姨，也就您没明白了。"张岚想解释。

邓茹琳摸不到头脑："没明白什么？"

冯小蓉说："他们用的是激将法。见好不收，这下谈崩了。"

邓茹琳半信半疑地问刘妍丽："大使馆你没有亲戚？"

刘妍丽苦笑道："下辈子我还真得认这么一门亲戚才行。"

"哎哟，我的妈呀，就剩姓陈的这条单线也断了。"邓茹琳如梦初醒，一下子没了精神，手上的、肩上的提包滑落下来，像泄气的皮球坐到皮箱上，喘起粗气。

有钱的冯小蓉想妥协，快嘴刘妍丽不依，二人竟吵了起来。

外面冯小蓉和刘妍丽争吵，隔着门，陈东前没听见。活该陈东前不留个心眼，关上门再开一小缝往外瞧瞧就能明白的事儿，他不这么做，而是拿起刚刚开通的手机给诚信公司打电话，找项昆要提成。听陈东前把情况说完，项昆便识破了刘妍丽的计谋，说道："别说在新加坡有亲戚，就是有个熟人指个道儿，他们自己就能办，还有我们什么事儿？"对呀，是这个理儿，陈某人怎么就没想到这一层，于是陈东前开门出去要看个究竟，到底是自己太笨，还是项昆小子太滑头。

陈东前从门内出来，沿楼道张望，没有看到人，举起手机："人影子都没一个。"

电话那边项昆道："你到楼下看看，肯定没走远。"

陈东前显得不耐烦地说："别总这么自以为是好不好。"

"听我的没错，下楼看看就明白，我的判断从来不会有错。"

"要是没人怎么说？"陈东前边说边向楼梯走。

"要是真的走了，我就给你提成。"

"此话当真？"陈东前加快了脚步。

走到马路上四下张望着，看不到陪读妈妈和她们的孩子，陈东前举着手机,与项昆争辩起来:"那么一大帮人,带着那么老多行李,不可能藏!现在你说吧,一家多少提成?"

"你小子是不是骗我,隔着太平洋我怎么知道你说的是真是假。"

陈东前气急败坏地叫起来:"项昆,我是彻底把你看扁了。想当初,你穷得连裤衩都买不起的时候,是我给你买的,连你两口子回国的机票也是我给你们出的。现在你风光了,还要从你恩人身上揩油水,你缺德不?大爷我不给你卖命了,自己过来安排这四家人,你要是再找我,那就是你没脸没皮!"说完,陈东前气愤地挂断电话。

一席话把项昆说愣了,上下左右没了抓挠,心说话,没见过陈东前发这么大脾气,今天这是怎么了?其实他相信陈东前的话,只是能赖就赖,这是项昆的本事。莫非他们真的有亲戚?不可能。项昆一下想到了冯小蓉,连带着想起了徐翰他爸——徐总,人家可是真的老总,比他这个小"老总"大得多了。想到这儿,心里一哆嗦。项昆其实很胆小,谁能欺负得了他,他服谁。徐大总裁可是个人物,能像捏臭虫似的把他项昆捏死。项昆这边想着,汪萍在一旁给他水果、同他说话全然没有反应。越想心里越怕,项昆伸手拿起电话。

汪萍抬头,疑惑地问:"给谁打电话?陈东前?"

项昆语气坚定地说:"给他提成。"

汪萍起身惊讶地叫起来:"你疯了,这回给他提了,以后都得提,我们还赚什么钱。"

"女人家懂什么?小不忍则乱大谋。你要知道,冯小蓉可是千万富翁的老婆,出了差错,明天我们就别干了。现在要紧的是让陈东前赶紧找到那几家人,把他们安抚好,以免生出是非来。"说完,项昆硬着头皮又给陈东前拨电话。

项昆被迫同意给陈东前提成,而陈东前摸到了项昆的心理,逼得项昆答应每家五千人民币的提成额。陈东前心里那个高兴劲就别提了，一年多没谈下来的提成，竟借着徐总裁的威名一下就成了。如此一来，以后他这边的工作好做多了，省得每回陪读妈妈们来都像敲诈勒索一样，其实他的心里也不痛快，但是他的付出也得有所得，不然自己又怎么生存呢？

新加坡白天的太阳很大，楼宇间总有长廊相连。陈东前走在长廊的阴凉内，一边按照项昆给的号码拨电话，一边往饮食店的方向走，电话还没打通，远远地看见那四家人在饮食店就餐，心里一阵好笑，心说，项昆啊项昆，你小子聪明一世，糊涂一时，本来猜对了，自己吓唬自己，倒好，提成问题落实了。陈东前满心欢喜，加快脚步向他们走去。

3

　　势利的吴贵发不想把房子租给冯小蓉,当冯小蓉把兜里的钞票一亮,吴贵发看到那么多的钱,眼睛瞪得溜圆,嘴也张开了,一副被吓着的样子。

　　刘妍丽和冯小蓉在楼道里争吵,李佑君把她们劝开。"要吵也不能在这儿吵吧?"一句话,快嘴刘先不吭声了。

　　李佑君接着对冯小蓉说:"在机场那么长时间我们都等过来了,坚持一下,说不定就能彻底胜利。不如先找一个地方把饭吃了再说。"

　　孩子们纷纷喊饿,众人去了饮食摊。

　　李佑君化解了一场内部纠纷。不知为什么,有些人从接触的开始就能给人尊敬感,李佑君就是这样的人,她的神情会给人带来可信赖的敬畏。每一个团结的群体,一定会有一个具备凝聚力的人物,他们的共同之处就是能够抛弃一己之私,为共同的利益着想。

　　这是一处典型的新加坡饮食店。店的里外摆着很多公用桌椅,店内各种旗号的摊位开间一个挨着一个,有福建米粉、潮州肉骨茶、鱼丸面、云吞面、烧腊鸡饭、咖喱饭等等,另外一个摊位是印度人开的。李佑君一行八人把行李放在一边,坐到店外两张相邻的空桌子边等着。

"这么欺负第三世界来的人民!"张岚见没人搭理他们,不禁感叹。要说那些摊位的业主们不想理他们,那是假话,谁不想挣钱呢,何况这么大一帮饥民等着吃饭。可他们有所不知,这正是新加坡文明经商的集中表现。哪像在中国,走出车站,摊主们一拥而上,生拉活扯,气氛确实热烈,却担心被人"分尸"。

坐了一阵,仍不见有人前来服务,于是自个儿进堂,各自巡视。经过摊位时,业主的热情介绍令他们找回了一点花钱就是大爷的良好感觉。

空桌处,只有李佑君和冯小蓉坐在那里。冯小蓉还在生气,李佑君劝她:"别生气了,谁也没想到会出这种事儿。"

冯小蓉余怒未消道:"是啊,什么事情大家商量着办,可她刘妍丽说的话多气人。我们现在是还攥在人家手里,见好不收,最后只能是搬起石头砸自己脚。"

李佑君面带倦意,却很和气地说:"第一回在诚信公司见到你和你先生,就知道你们特有实力。要是你一人来,肯定是依着他姓陈的,省得陪着我们几个受这份罪,操这份心。"

"该争的我也会争,只是要把握好分寸,适可而止。姓陈的让到这个份儿上,我估计也是底线了。"冯小蓉语气有所缓和,谁不爱听好听的呢?

"一千新币不是个小数目。我都难以承受,对邓茹琳来说,一千新币是在挖她的心啊!"

冯小蓉叹了口气:"邓家母女是挺可怜的。在飞机上听她说,他们两口子十年前就下岗了。她男人去山西挖煤,煤矿塌方死在井下。大连找不到工作,不得已卖了房子到新加坡找一条活路。说起来怪可怜的。"

李佑君一副动容的样子,感叹道:"真是命苦!"停了一下,又说,"刘妍丽也是离了婚的。"

冯小蓉吃惊地说:"这我真不知道。"

李佑君回头看身后没人,接着说:"飞机上她闺女告诉我她原来姓陶,叫陶虹,后来父母离婚才改成她妈的姓。"

听到这儿,冯小蓉侧过头,像是触动了她的内心,沉思起来。女人对女人婚姻上的不幸,从来会有本能的同情,特别是自己也是不幸的女人。

张岚端来两碗面,往桌上一放,说道:"两碗鱼丸面六块大洋!我估摸够两只猫吃的,兴许您一人还够。再给点钱,怎么地也得五碗才塞得了我的牙缝。"

李佑君看着两碗面问:"怎么不挑分量足的买?"

张岚用手擦去额头的汗,说:"最好您自个儿去瞧瞧,瞧完了再决定是心疼儿子还是心疼钱。"

李佑君无奈,又给了张岚二十块钱。邓家母女空着手回来,李佑君将一碗面推到陈萍面前:"萍儿,这儿多的一碗,你帮阿姨吃了好吗?"

陈萍连连摆头:"李阿姨,谢谢了,我不饿。"

"这儿的饭这么贵,怎么会多呢?谢谢你的好意,飞机上发的东西还没吃完,这儿带着呢。"邓茹琳边说边从包里掏出几块干粮。

点饭的人陆续回来。刘妍丽指着自己盘子里的东西让大家看:"瞧见没有,这叫烧腊鸡饭。几块鸡,瘦骨伶仃的,还烧成了煳嘎渣儿,长得就像陈东前。"

刘虹拍着她妈提醒道:"妈,他来了。"

刘妍丽抬头见陈东前就在附近朝这边走来,吃了一惊:"哟,坏了,说曹操,曹操到。"

陈东前面带笑模样走来,"是不是又在挤对我呢?"

刘妍丽接着他的话音说道:"哪能啊!正夸您呢,说您长得挺英俊。"

陈东前咧嘴笑着,半信半疑地坐在邻座,说道:"不骂我就谢天谢地了,能说我的好话?"

"这叫实事求是,咱们中国人最讲实事求是,对吧?"刘妍丽应付着。

"您说得没错。我这人除了瘦骨伶仃,还真没什么大毛病。"

众人笑起来,张岚笑得前仰后合,被李佑君捶了一下。这时两个送饭的端了五碗面放在桌上,张岚劝着邓家母女一起吃。见他们要了这么多,陈东前眼睛都瞪大了,李佑君转身,客气地邀请陈东前:"过来一块吃吧。"

"谢了,不用,我自个儿点。"陈东前转身对着里面喊道:"安蒂("阿姨"的意思),烧腊鸡饭一份。"

闻此,众人笑得更甚,陈东前被笑得不自在起来。为了给他解围,李佑君问:"陈先生,你在北京住哪儿?"

"崇外大街,上堂子胡同。"

刘妍丽放下碗,"哟,怪不得瞧着这脸儿熟呢。我也住崇外,金伦大厦后面。"

刘虹抬头问道:"妈,咱们不是住西三旗吗?"

刘妍丽扭头瞪了刘虹一眼:"你懂什么,那会儿还没你呢。"转向陈东前道:"东河漕胡同,你该知道吧?"

陈东前叫起来:"太清楚了,就挨着我们上堂子。"

"可不是嘛。往你们上堂子走的那路口不是有一厕所吗,厕所对过大杂院儿,就是我家。"

陈东前显得有点激动:"搞了半天,咱还是街坊。"

"还真是的,越说越近乎了。"

"怎么不早说?"

刘妍丽也显得兴奋起来:"谁知道地球这么小,到了新加坡还能碰上老熟人。"

陈东前看着其他人,问:"这几位和您什么关系?"

"都是我姐。这是我大姐,家在大连。二姐,也住北京。三姐,

— 26 —

福建过来的。"刘妍丽挨个介绍。

陈东前又问:"怎么都不一个姓?"

刘妍丽咽下一口饭,答道:"表的呗,我跟她们全表,她们各自也全表,所以没有同姓的。"

陈东前像是明白了什么似的,点点头,"噢,这么回事。早说,我给你们全办了,省得给他姓项的交那么多钱。"

"那您可以不收担保费了吧?"

陈东前收起笑容,认真道:"您可有点为难我了。咱们是街坊,不是外人,我也不瞒你们。这边的规矩是担保一回二百新币,找谁都一样。以后要我担保的时候还多着呢,你们俩,"指着李佑君和邓茹琳,"孩子没进政府学校前,每个月延一回签证我得担保。您二位,"指指刘妍丽和冯小蓉,"你们孩子进政府小学,可以拿陪读签证,半年延一回。你们想想,这得担保多少回呀!一千块已经算是批发价了。"

刘妍丽赔着笑脸道:"这不,谁让咱们既是老乡又是街坊。没准以后我们还能帮你往这边介绍些人。"

"瞧您说的,觉得多少合适就给多少吧。"饭送来了,刘妍丽要帮他付钱,陈东前挡住了。

刘妍丽试探地问:"一家二百新币成不成?"

陈东前埋头吃饭,像在思考,过了一阵抬头说:"这和您捐给希望工程的数目差不多吧?"

刘妍丽不好意思地笑笑:"跟您开个玩笑,还认真了。"

"得,你说多少就多少,谁让咱们是街坊来着。"

"够爽快!"刘妍丽兴奋地叫起来,其他人也高兴了。

"等我吃完了就给房东打电话,带你们看房子。"说完,陈东前埋头加速吃饭。

刘妍丽用的是商场上的惯用手法:先同对手套近乎,等他上钩再提条件,对方磨不开面子,只好同意。刘妍丽为自己机智应对、大获全胜而沾沾自喜。而她有所不知,项昆答应提成才是刘妍丽能够顺利攻克堡垒的原因。敌人准备放弃前沿阵地,你就是来个佯攻,照样能够拿下。这胜利的得来还有一个重要的原因,众人绝对猜想不到:陈东前看上了刘妍丽,下一步该他进攻了。从诚信公司那边发过来的资料可以看出,刘妍丽离婚,岁数与他相仿,样子挺不错,又是北京人,是他下手的时候了。陈东前这样想着,顺势让了一把。

吃过饭,陈东前给两个房东打过电话。因为约定的时间还早,陈东前便向来人介绍新加坡租房的情况,他指着周围的楼房道:"这些楼叫'组屋',是普通百姓住的地方。换句话说,是咱们贫下中农住的地方。"

"不错了,到处是草坪,"刘妍丽指着周围的设施道,"有球场、儿童娱乐场,比国内的花园小区强。"

陈东前不以为然地说:"那是你的要求不高,有钱的人住的是公寓。"看了一眼冯小蓉又继续说:"就是你三姐要租的地方,环境比这儿好多了,配套有免费泳池、健身房。"

邓茹琳凑过来问:"有没有小平房,便宜点,能住就行。"

陈东前咧着嘴,摇着头,一副嫌邓茹琳无知的样子,"小平房你可租不起,那是最有钱的人住的地方,人管那儿叫别墅。所以说国度不同,概念也不一样。前几年我陪几位新加坡的朋友到中国农村走了一圈,人家那个羡慕劲儿就别提了,发誓要上咱们中国去当农民。"

张岚见陈东前挤对人,心里老大不高兴,于是接话茬儿:"您带去的人是不是有病,还没康复?"

陈东前瞪了一眼张岚:"小伙子,你不懂,人家羡慕咱们中国的农民家家户户住的是别墅。"

张岚讽刺道:"照您这意思,新加坡再有钱的人就得住牲口棚子。"

"这话真让你说准了！新加坡有赛马场，一头种马价值连城，马的主人真的是跟马住一块儿的。"

张岚刚要开口，被李佑君捅了一下，示意他不要胡说八道。李佑君问："一会儿我们可不可以跟房东讲价？"

陈东前认真地说："当然要讲价了。四百是他的喊价，我估计三百五应该能租到手。"

刘妍丽说："三百五也贵了，能不能再便宜点？"

陈东前信誓旦旦道："我敢向毛主席保证，到哪儿都不会有比三百五更低的。"

"隔着半个地球，向毛主席保证管用吗？"

李佑君见陈东前被张岚顶得有些生气又不好发作的样子，赶紧打圆场："这个我们相信。"然后继续问："要是这里不满意，可不可以另外安排？"

"没问题。只不过我手上有的整套房不多，有空调的又太贵，剩下的你们只有分开租，分头住。"

"和别的人合住，多不方便。"

陈东前瞟一眼说话的邓茹琳，解释道："多住些时候你就知道了。新加坡的房租多贵，像冯小……"看一眼冯小蓉，见她没什么表示，接着说："冯小姐这么有钱的人，一套一起租的，没几个。多数是一家只租一间屋，几家人住一起，到处都是。"

刘妍丽说："我们姐妹凑在一起还行，要不多不方便！"

陈东前点头道："可不，做饭排队、洗澡排队、洗衣服排队，就连上厕所也得排队。"

"要是几家人都拉稀，怎么办？"张岚问道。

大家你看看我，我看看你，谁也不知道怎么回答。李佑君看了看表，站起身："差不多了，我们去看房吧。"

陈东前带着三个女人去看房，留下冯小蓉和孩子们守东西，只有张岚跟去了。

没过多久，看房的人回来，果真讲成了三百五一间。众人七手八脚搬行李，去了他们到新加坡后的第一个落脚之处。

　　这是一个三居室的套房，每个房间不大，厅大一些。厅内除一套拐角组合柜、一条沙发、一张方桌、一个茶几、几把椅子、一部电话外，就没有其他的东西了，显得空空的。里面是厨房，厨房比房间大，冰箱、厨具齐全。厨房内另有一道拉门，通向厕所。各间屋内的陈设也是非常简单。三间屋，总共只有两张单人床，两个单衣柜，小桌子也只有两张，电扇倒有三把。每间屋角立着几个床垫。整套房子闷热得很，张岚放下手中的行李，便对着一把电扇吹起风来。

　　不等三家人把行李放停当，陈东前便催冯小蓉母子去看公寓房。冯小蓉没有邀请，但刘妍丽还是拉着李佑君跟去，理由是去帮着参谋，其实是想看看公寓啥样子。

　　出租车往北开出有三四站地，来到地处杨厝港的公寓楼下，刘妍丽认真研究起来。几栋高层建筑，周围的环境布置比组屋那边是要好一些，楼边一个现代化的泳池添了不少华丽。与组屋相比，最大的不同是公寓楼下有一个门厅，有保安日夜把守。房东还没到，陈东前领众人走过花园，沿长廊来到游泳池边。徐翰脱了鞋，从台阶上踩到水里，高兴地对冯小蓉喊道：“妈，真凉快，你也来泡一泡，舒服极了。”

　　徐翰的话音刚落，一脚踩空，扑到水里。别人还没反应过来，冯小蓉冲下台阶，一把托起徐翰，肩上价值数千元的鱼皮挎包掉进了水里。众人把他们母子拉上岸，徐翰上下都湿透了，咧着嘴望着冯小蓉笑；冯小蓉的裤子基本上湿完了，跺着脚想把水抖干净。李佑君帮徐翰把身上的水拧干，刘妍丽接过冯小蓉手中的提包，往外倒水，大家一阵手忙脚乱。

　　陈东前的手机响起来，房东到了，众人走向门厅。

　　房东吴贵发，一位四五十岁的胖子，在门厅内的木沙发上坐着，看到一身湿漉的徐翰和冯小蓉进门，便把眉头皱得老高。

"不好意思，小孩子不小心掉到水里了。"陈东前解释。

吴贵发挥手示意不必解释，说道："看样子我的屋子是不可以租给中国人，他们只会乱乱来，我怕被别人讲的。"

三个女人对视着，正不知怎么回答，陈东前说："吴先生，不可以乱乱讲话的啦。中国人掉到水里面，你讲他们，如果是美国的小孩子跳到水里，你是不是会说他们很有趣？看他们这个样子，你不同情，还要讲他们，这样不可以的。"

三个女人对视一下，眼中流露出满意的微笑。吴贵发自知理亏，站起身，还是那么一副傲慢的样子。"先喽看看屋子。"于是领人上楼。

别看陈东前干巴瘦一个，有时还挺仗义。尽管他要从来新加坡的陪读妈妈们身上弄些钱出来，他觉得那是他劳动所得，而一旦看到中国同胞们受委屈，他也会蹦出来管管。就像是自己的孩子自己打几下可以，让别人欺负了那可不行！陈东前就是这么一种人，好也好不到哪儿去，坏也不会没边儿。

这是一套精心装修过的房子，厅很大，与厅相隔一道玻璃拉门的厨房不比厅小多少。厅内各种家具、电器齐全。有门通向三个卧室。吴贵发开门进来，伸手从墙上拿下遥控器，打开空调。徐翰一身湿，正想坐到沙发上，被吴贵发拉住，取了一把塑料椅子让他坐。几个人到处走动，冯小蓉只是简单地张望一下，便回身对吴贵发说："房子我租了，租金怎么付？"

"一个月两千块钱，水电费，还有电话费你自己交喽。第一次要交六个月的租金，一下子是一万两千块咧！"

听到这话，陈东前从厨房叫道："吴先生，你该知道，第一次只交两个月租金，为什么要收六个月？"

吴贵发一副傲慢不准备让步的样子："我是担心他们没有钱，会有很多麻烦的。"

陈东前正要开口,冯小蓉拦住了他,坚定地说:"行,可以!"

"冯小姐,不可以!他这套房子只要一千八百块就可以租到,更不用说一下交六个月租金了。"陈东前叫起来。

吴贵发不愉快地嘟囔着:"我通常都是要两千块的。"

"没关系,他这里不租,我马上再给你们联系其他的公寓。"说着,陈东前从兜里摸出手机。李佑君和刘妍丽也劝冯小蓉。

冯小蓉摆了摆手,拉了一把塑料椅子坐下:"今天我累了,不想再走,也没心情多说。"说着,从挎包里取出一叠新币数起来。吴贵发看到那么多钱,眼睛瞪得溜圆,嘴也张开了,一副被吓着的样子。

见吴贵发这副模样,冯小蓉倒觉得解气,心说话,没想吓唬你,还号称见过大世面的人,怎么这样?嘴里却说:"你写个收条吧。其实要是好好说,一下给你一年的租金也没问题。我知道你手头不宽余,听陈先生说,新加坡这几年不景气,你又破了产,把这套好房子租出去,自己在组屋租了一间,就为省点钱。其实我挺同情你的,只是你这个人有点不近情理,以后别这样对待中国人就行了。"

吴贵发愣愣地从身上摸出一个本子,正准备写收条,突然满脸堆笑,对冯小蓉道:"冯小姐很有钱咧,多交半年的房租也是可以的喽?"

陈东前把冯小蓉拿钱的手按住,"还得脸了!冯小姐,就给他两个月的房钱,他爱租不租!"

吴贵发恨恨地望着陈东前,嘴角动了几次没说出话来。

冯小蓉轻轻推开陈东前,把数好的十二张千元新币递给吴贵发,又从自己手上那叠钱中抽出一张给陈东前,"陈先生,这是你的佣金一千块。"

"不用,咱们不是说好了,不收你们的佣金。"

"这是你应该得的,难为你还能为我们中国人说公道话。"冯小蓉坚持要给。

陈东前说什么也不要,"您这话说哪儿去了,我也是中国人,中国人给中国人办事儿不收佣金。"然后转向吴贵发,伸手道:"不过吴先生,你的佣金我是一定要收的啦。"

吴贵发一副心疼的样子,抽出一张纸币给了陈东前。

有言道:有钱就会有气质。不错,冯小蓉只把那叠钞票一亮,吴贵发的气势全没了。吴贵发心想,随兜就能摸出好几大万,银行里不知道存了多少!有钱能使鬼推磨,对还没成鬼的人来说,其震撼力可想而知。历史学家把历史划分成石器时代、青铜时代等等,当今时代应该命名为"货币时代",因为钱之于人,有如水之于鱼,全世界人民都在钱海里扑腾,概莫能外。

4

另外三家人合租了一套条件很差的住房，夜里热得受不了，三家人全睡到厅里的地上。背井离乡的酸楚使女人们哭作一团。然而还有更严峻的问题等着她们。

新加坡地处热带，比邻赤道，四季如夏。这里没有太大的季节变化，白天一般都在三十度以上，少有超过三十五度，夜间气温在二十五六度上下。这好比是文火熬油，不会马上把人烤煳，却随时让人冒点油，热不死也好受不了。三家人租的是没有空调的房子，最初一两个月对北方人来说是不小的考验！

组屋的楼道，路灯彻夜通明。路灯透过窗户照亮了整个厅。三间卧室的门开着，三家各自睡在里面。

微弱的亮光中，张岚光着膀子，提着枕头从第一间门内出来，将枕头放下，躺在了地上。过了会儿，邓茹琳从靠楼道的一间屋出来，在另一边地上铺了张床单，放上枕头躺下。

紧接着，从里面一间屋传出响动，刘妍丽带着刘虹出来。"风水宝地有人占了。"刘妍丽小声咕噜着，找了个合适的位置给刘虹和自己躺下。

陈萍出门，小声地说："妈，我热，睡不着。"

"过来，到妈这边来。"

众人全都起来调整位置。过了一会儿，李佑君出现在门口，压低嗓门道："好家伙，全到这儿集合了。"

"欢迎最后一只烤鸭出炉。"张岚带头鼓掌，众人笑起来。

李佑君转身从屋里拖出一台电扇，放到了合适的地方。于是大家一排在厅里躺下。躺是躺下了，可这么多人凑在一起，左右都是暖气，也好受不到哪儿去。昏暗中，不时有人在动。

刘虹最先坐起来叫道："妈，我还是热，睡不着。"

"睡不着我也没办法。躺下别动，什么也别想，一会儿就能睡着。"

"地上太硬了，不舒服。"

"不舒服也得忍着。"

"您说的，新加坡比中国好多了，其实不是那么回事儿！"

"这不是刚来吗，以后就好了。"刘妍丽哄着刘虹。

"我不信，我要回家，回家找我爸都行。"

刘妍丽本来就热得心烦，听刘虹这么说，气往上顶，训斥道："没良心的，就你爸窝囊相，能让你出国吗？"

"我不想出国，是您想。我想回家。"说着，刘虹呜呜地哭起来。刘妍丽转过身不理她，由她哭去。

过了一会儿，从墙根一侧响起了陈萍的呜咽声。

邓茹琳坐起来问："萍儿，你怎么也哭了。是不是热的？"

陈萍哽咽着："妈，我怕！怕再也回不去，咱们连家都没了。"

"闺女，妈带你出来，是不想你再受妈这份苦。妈的心里也是没着没落的。天底下就没咱娘儿俩安身的地方。"邓茹琳边说边抽泣起来。

"妈，是我不好，又让您伤心了。"陈萍说着，扑到邓茹琳的怀里，哭得更甚。

刘妍丽起身抱起还在哭的刘虹说："妈不好，不该对你厉害。"又对身边的邓茹琳说："邓姐，你们别哭了，再哭我快忍不住了。我跟你还不是差不多,要是我们丫头她爹出息一点儿,我们也不至于住这地方,受这洋罪。"说着,刘妍丽哽咽起来。

李佑君早已坐起来暗暗抹泪。

张岚坐在一边,看女人们哭作一团不知所措,过了一会儿,跪起来用手扶着母亲的肩问:"妈,您怎么也跟着哭呢?"

"想着你爸一人在家挺难的。他连饭都不会做。"

"我爸要在跟前儿就好了。有他在,哪儿有您什么事儿?"张岚感叹道。

"可他就是不爱做饭。我要是不在,光吃泡面。本来胃就不好,要是有个三长两短的怎么是好?"李佑君越说越伤心。

刘妍丽带着哭腔道:"真羡慕你,有个惦记的。我们孤儿寡母,能靠谁呀?"说完,她竟然哭出了声。

张岚再也按捺不住跳了起来,摩拳擦掌,大吼一声:"行了,都别哭了! 有我张岚在,谁敢欺负你们,我先废了他!"

一声吼,众女人停了哭声,抬头看张岚,正好窗外闪电频频,映着张岚结实的身影,显得格外地剽悍。随后雷声大作。

这群"身在异乡为异客"的同路人在这人生"事"不熟的地方,前几天发生的事情可以让他们终生难忘。第二天一早,张岚和刘妍丽便打了起来。

天大亮,太阳从厨房的窗户照入。众人横七竖八地睡在厅的地上。墙上的挂钟指到十点过十分。

电话铃响起,李佑君起身接听。

"Morning,我是陈东前,您是刘小……密斯刘?"

"我不是密斯刘,我是李佑君。密斯刘还睡着呢。"

"冯小姐已经到了,我们等着她带孩子一起去学校办手续。"陈东前在电话里解释。

"我这就叫她们起来。"李佑君挂了电话去推刘妍丽。

刘妍丽起来,拉着睡意蒙眬的刘虹,迈过熟睡中的张岚去梳洗。李佑君坐在沙发上愣神，邓茹琳和陈萍已经醒了坐起，蓬头垢面，一副没睡好的样子。

过了一会儿，刘虹穿戴整齐地从自家的房间出来，手里拿着一只奶瓶喝奶。走过张岚身边时，踢踢他道："张岚哥哥，起来上学了。"见他没动，便蹲下身对着张岚的耳朵说："张岚哥哥，我喜欢你，等我长大了要和你结婚。"

李佑君睁大了眼睛问："虹丫头，你在说什么？"

刘虹认真地重复道："我说长大了要和张岚哥哥结婚。"

屋内传出刘妍丽的声音："那你不跟强子哥结婚了？"

"强子哥在中国，那么老远。张岚哥哥比他强多了，您没瞧见昨天晚上张岚哥哥多神气，帅呆了。"

李佑君一脸不高兴，质问："刘妍丽，你怎么在教你们家的孩子，刚缝上开裆裤就知道找对象，还学会了见异思迁。"

刘妍丽从屋里出来辩解："谁教？电视台的功劳！你瞧那些少儿节目，净是些乱七八糟的东西，母猫也能爱上公狗。"

刘虹摇着张岚问："张岚哥哥，长大了和我结婚行不行？"

张岚把枕头折过来盖着脸："行，明儿就跟你结婚，给你喂奶，再帮你洗尿布。整个就是男保姆！"

刘虹高兴地叫起来："听见没有，张岚哥哥答应了。"说完，拉开张岚的枕头，俯身在他的脸上亲着。

李佑君实在看不下去，叫了起来："天哪！越来越不堪入耳、不堪入目。"

"有什么大惊小怪的，小孩子过家家，自个儿往歪里想，赖谁？"说着，刘妍丽拉起刘虹就往门口走。"走，上学去，不跟他们玩了，让他们臭美去吧。"

李佑君坐在沙发上，气得脸发白，瞪着要出门的刘家母女，张着嘴，说不出话来。

见母亲气成这个样子，张岚坐起来，对正在穿鞋的刘妍丽说：

"刘阿姨,您也一块儿嫁给我算了。"然后唱起来,"带上你的女儿,带上你的嫁妆,赶着马车来。"用手做一挥鞭的姿势,继续道:"一回娶俩妖精,是该我臭美。"

"臭小子,乳臭未干,敢占老娘的便宜!"刘妍丽怒不可遏,扔掉手上的包,转身冲向张岚,被邓茹琳拉住。

张岚霍地站起,雄赳赳的样子,被李佑君往后拉。

"妈,您别拉着我,我不会打她的,好男不跟女斗,免得一会儿赖我戏弄了她。"张岚挣脱着李佑君的手。

"打死你!"刘妍丽举起一把椅子冲向张岚。邓茹琳冲上去抱住刘妍丽,陈萍把椅子拖住,李佑君挡在张岚前面。

"打你是打不过我的,说你也说不过,您这跟耍猴戏似的干什么呀?"张岚推开母亲。

李佑君气得眼泪都流了出来,重重地推了他一下。张岚后仰跌倒在地,李佑君又去拉他。

张岚从地上起来,见母亲落泪,不解地问:"妈,您这是怎么了?刚才她把您气得那样,我帮您解了气,您反倒哭了。"

"我用不着你帮忙,净帮倒忙。"

"我说过,谁要是欺负咱们,我非得治他不可。"

"可刘阿姨不是欺负咱们的人,别跟她过不去。"

听了李佑君母子一番话,刘妍丽不再动粗,坐到另一边的椅子上生气。

李佑君擦去脸上的泪痕说:"咱们大家出门都不容易,内部不团结了,以后遇到难处会难上加难。"

邓茹琳感叹道:"佑君说得多好! 真是这个理儿。妍丽,你就别生气了,怎么说张岚还是孩子,大人大量,别跟小孩计较。"

刘虹冲到张岚面前,又打又踢,嘴里还嚷着:"叫你气我妈,叫你气我妈!"回头对刘妍丽说:"妈,我帮您打回来了。"

陈萍上前来拉刘虹,张岚反倒劝她:"让她打吧,跟挠痒痒似的。"

"回头我二姨带强子哥来新加坡，我让他打你。"

李佑君拉着张岚，道："这事的主要责任在你，说话没轻没重，这么对刘阿姨说话很不礼貌。赶紧赔个不是去！"

张岚赌着气说："每回有点儿啥事儿就是我的错，从小到大您让我给人赔了多少不是！再说今儿一开始又不是我的错，我不赔。是她说您往歪里想，还骂咱们臭美。"

李佑君有点尴尬，笑笑道："都怪我太敏感。这么大孩子不懂事，喜欢你才说要跟你好，根本就不懂结婚是什么。"

张岚嘟着嘴道："行了，别作自我批评了。当老师的就会这套。"然后抬头看看钟，叫道："哟，十一点了，学校快放学了。"

"赶紧去给你刘阿姨赔个不是！"说着李佑君把张岚往刘妍丽那边推。

张岚很不情愿地慢慢挪步走到刘妍丽身边，含糊道："刘阿姨……"

张岚话没出口，刘妍丽突然抓起桌子上的一把水果刀，猛地刺向张岚的肚子。张岚躲闪不及，惨叫一声，捂着肚子倒在了地上。陈萍尖叫起来，李佑君扑向倒地的张岚。

刘妍丽是什么人物！谁惹了她准有好看的，要不怎么收场？就刘妍丽这一下子，引得在场的人大惊失色。当真才到新加坡第二天就闹出人命？只见刘妍丽把刀子扔回桌上，对着躺在地上的张岚叫道："行了，别装了，起来吧！"

张岚麻利地爬了起来，笑着说："配合得不错吧？其实我看清了，您是用刀把捅过来的，要不，早就一脚把刀踢飞了。"

"你就在这儿慢慢地吹吧。丫头，咱们走。"刘妍丽说完，拉着刘虹，拾起地上的挎包出了门。

李佑君才明白过来是怎么回事，身子一软，瘫坐在地上。陈萍上前小心翼翼地用指尖按按张岚的肚皮，这才发现，一场悲剧原来是刘、张二人不经排练就能演得如此逼真的轻喜剧。

张岚把母亲从地上拉起，扶她坐到椅子上，"您儿子刀枪不入，怕什么！"

李佑君惊魂未定："成天和你们这些不三不四的人在一起，我得折寿。"

一场虚惊刚过，有人敲门，张岚拿上钥匙开门。房东郑先生手提两个塑料袋站在门口，笑容可掬地问："可不可以进？"

"请进。"张岚把房东让进屋。

"这些是你们会有用的东西。"房东把塑料袋放在桌上，一样一样地取出东西，几个碗、洗涤剂、洗涤海绵、毛巾等日常用品。这位属于典型的新加坡人，心细、周到、热情。

李佑君上前致谢："我们正说出去买呢。"

"这里买东西很方便。"说着他走到窗前，为他们指点："MRT那边有一间超级市场。"

"MRT"是新加坡的专有名词，说不清是地铁还是城市列车，因为它一会儿地下钻，一会儿地上跑，一会儿又上了高架桥，于是新加坡人冠之以"Mass Rapid Train"的美称，简称"MRT"。

邓茹琳问："菜市在哪儿呢？"

"你问巴刹，在那边。"说着，房东引领他们去了厨房。

从厨房窗口，房东向外指点并介绍周边的环境。两个孩子尾随进来。窗外是个没有围墙的小公园，组屋居民散步纳凉的去处，每一小片楼宇间都会有一个这样的公园。从楼上鸟瞰，园中花草树林别具一格、安排有致，小径在绿草与热带树林中蜿蜒，看上去挺美。房东与他们攀谈起来，大家有说有笑，气氛很是融洽。

送走了房东，李佑君与邓茹琳商量去采购，然后对着里屋喊张岚："Waiter，走，跟我们扛米去。"

张岚坐在自家屋里的小桌子边教陈萍使用手提电脑，听到李佑君的叫声，答应着："听到了，这就来。"

陈萍奇怪地问："你还有个外国名呀？"

"傻帽，这还没听出来？waiter，侍从、仆人的意思。但凡我们家买什么重东西，都要捎上我这个waiter。每次人家把塑料袋往我们这边一递，"张岚站起来表演，"我爸往这边一闪，我妈同时往那边一闪，中间把我亮出来了。最可气的是我爸有时还冲我叫唤：'Waiter，上！'你说，多损！得亏那些卖菜的不懂英语。有一回去买冰箱，我老爸习惯性地冲着我喊了一嗓子：'Waiter，上！'让人售货员听懂了，悄悄跟我说：'你们这位洋老板够狠的，这么大个冰箱让你一人扛，不是一个阶级的就是没有阶级感情。'"

陈萍听得咯咯直笑。李佑君出现在门口："就会瞎编，那冰箱是商场送货上门，有你什么事？"

张岚扭脸见李佑君，不好意思道："嘿，嘿，这不是说着逗乐嘛，得了，Waiter我扛米去！"说着冲出门。

陈萍在后边喊："电脑怎么关呢？"

张岚大声回答："别管它，没人跟它玩了，一会儿它自己就会睡着。"

陈萍盯着电脑看了一阵，没有明白怎么回事，带着疑惑跟出门去。

两家人提着从超市买回的几大包东西走在路边，准备过马路。车辆川流不息，又是红灯，他们停下等候。等了很久，红灯依然不变。烈日当头，又没有庇荫之处，感觉像火烤一般。

张岚眯着眼望着天说："再不走这袋子米就成爆米花了。"

正在焦急之时，从附近的商店里走来一个中年男子，指着电杆上的按钮解释道："过马路一定要按这里才可以，不然一直会是红灯。"来人边说边按亮按钮，然后回自己的商店。

很快就是绿灯，张岚边走边回头大声地叫道："嘿！姓雷的那哥们儿，多谢了！"

陈萍不解地问："你怎么知道他姓雷呢？"

"还用问,新加坡的雷锋。"张岚又在卖关子。

李佑君却接过话茬儿教育张岚:"助人为乐这一点,你应该多向人家学习。"

的确,张岚称之为"雷哥们儿"的人在新加坡不在少数。问路一般都能得到热情的指点,甚至还会领你去了目的地后自己掉头往回走。在新加坡,外地人感觉不到当地人有地域性的自傲感。

就在李佑君为这"雷哥们儿"事件有所感慨之余,她又想起临行前的一幕。一位院领导打电话劝说她不要出国,话可是这么说的:"去新加坡那地方干吗? 早年都是些无业游民下南洋去的地方,国内要是有个二亩地,谁还往那儿跑? 放着北京学校不念,跑那些地方去跟他们瞎掺和个什么劲! 最后弄个土不土、洋不洋的,何必呢!"

这些话让李佑君至今耿耿于怀,想起来,心里不是滋味。

他们提着东西回到家,陈东前、冯小蓉、刘妍丽已经给孩子办好入学手续,先回来了。一阵寒暄后,冯小蓉邀大家出去吃饭,邓茹琳说已经烧水,准备吃炸酱面。

一听有炸酱面吃,陈东前兴奋地叫起来:"这敢情好啊,我可有年头没吃炸酱面了。"

"黄酱我带了不少,你要是喜欢就拿点过去。"说着,邓茹琳提了两袋干酱递给陈东前。

陈东前接过来使劲闻了闻,一副动情的样子道:"这味儿太亲切了,就像回到我们家的胡同。"

刘妍丽说:"这么想家,多回几趟就是了,机票又不贵。"

陈东前感慨道:"难哪! 真难!"

冯小蓉问:"工作丢不开?"

"这倒不是,"陈东前欲言又止,"等你们在外面儿多呆上几个年头,自然就会明白。"

刘妍丽不愉快地说:"你这人说话怎么吞吞吐吐的,着急!"

"有些话说不出口。慢慢儿你就会明白。"

刘妍丽不耐烦地叫道:"怎么着,拿话逗我们是不是? 不知道我是个急脾气? 说,有话赶紧说出来!"

陈东前鼓足勇气,说道:"得嘞! 我就把掏心窝子的话亮给你们听听。"顿了一顿,叹了口气道,"哪里是我不想回去,做的梦净是胡同里那些事儿。可是不能回啊! 当年我来新加坡,街坊可全传开了,陈家大小子出息,去南洋做大发了,老爹老妈脸上多有光! 头几年还行,一个月赚三千多,日子过得也算是有滋有味。前些年我回去过两次,每回都是把省吃俭用攒下的钱花得精光,七大姑八大姨不用说了,就连街坊邻居也不能怠慢。大把大把的票子满世界扔啊,为的是什么?"陈东前扯了扯自己的脸皮继续道,"不就为脸上的这一层皮吗! 谁曾想这几年不景气,我们这些小虾米就失了业。我呢,攒了点钱活到今天不容易,哪还摆得了那么大的谱。这两年回去,跟逃犯似的,等到天黑了才敢回家瞧瞧爹妈,生怕让熟人认出来。都是这张脸皮害的! 所以说回去的有两种人:一种是在外头发大了,衣锦还乡,树碑立传,光宗耀祖;再一种是那项昆之流。我们那位项哥们儿把挣的钱全花在娶媳妇上了,到后来给不出房租钱,让房东撵出来上我那儿对付。最后实在没找到工作,回了国,就连回去的机票钱都是在我这儿蹭的,临走还顺了我三双袜子。不过话说回来,仗着他三寸不烂之舌,外加在这边拿了 PR 得了一身洋皮,不知在哪儿划拉到一百万,办了今天的诚信出国中介,投机倒把坑害百姓,倒也神气潇洒,却把我们这帮患难兄弟忘了。而像我这种不死不活的人是无脸回去见江东父老。"

张岚鼓起掌来,接着便与陈东前你一言我一句地讨论起爱面子与爱国之间的关系问题。

邓茹琳和李佑君端出面来让大家吃,陈东前和张岚边吃边侃。二位侃爷凑一块儿,足够开设一套"曲苑杂谈"的。

吃过面,陈东前带张岚和陈萍去语言学校报到。

新加坡的地界太小，绝大部分私立学校没有校园，包括大专学院也是如此。写字楼里租几间教室，挂上牌就是学校或学院了。所谓的"旅馆学院"就是这么来的。各种私学，良莠参差，那类被誉为"野鸡学院"的也在其中。张岚和陈萍去的"万国语言学校"坐落于市政中心一座商业大厦第二十四层，是一所专门从事英文补习的学校。

　　陈东前带着两家人到语言学校报到，接待他们的是马小姐。马小姐安排张岚和陈萍二人进行分班考试，陈东前带李佑君和邓茹琳去休息室等候，自己抽身走掉。

　　李佑君二人推门进入，休息室内已经有四个中年模样的妇女坐在沙发上。A沈阳人，B和C从成都来，D河南人士。为了打发时间，邓茹琳与她们攀谈起来。哪知这闲聊竟牵出一桩大问题——真正的困难这才实质性地缠上了她们。

　　闲聊中，B和C不无得意地告诉邓茹琳和李佑君，她们压根儿就没有支付一分钱的中介费。

　　"给新加坡大使馆打电话，说我们娃娃想来读中学，他们说小孩先要读语言学校，然后就寄了很多个语言学校的名字和电话给我们。我们打电话给学校，他们就把要办的手续和表格传真给我们，照着办就可以了。"说到这儿，C的眼珠一转，问："你们在北京那么方便的，咋个不去大使馆问一下？"

　　"真有这等好事？"邓茹琳将信将疑地看一眼李佑君。

　　"骗你们咋子嘛！不信去问马小姐就晓得了。"C答道。

　　A来到她俩中间坐下，安慰道："二位大姐别生气，确实是这么回事。我也花了两万八的冤枉钱，到这边才知道上当。刚听说那前儿真的磨不开，心里那个难受劲儿别提了。后来想开了，咋说赖咱自个儿没多少文化，听那帮中介咋白话就咋信了。"

　　邓茹琳刨根问底道："你这意思是说，光是交了学费就没交别的钱了？"

C解释："额外交了一千新币的担保金。你们也要找人担保，这钱还是要交的。"

邓茹琳显出一点释然："担保金我们只给了两百，说明陈东前那人还不算黑。"接着非常痛心地对李佑君说："我们怎么就没想到给大使馆拨一电话呢？"

李佑君脸色不大好看，"咱们那两万七不算白交，他们负责安排工作。有了工作，几个月就能挣回来。"

A叫了起来："咋的？你们还想着工作？孩子没进政府学校，母亲不能打工，这是新加坡的法律。看样子你们和我一样，让人骗到家了。"

李佑君沉着脸说道："不会吧，安排工作是写在合同里的。"

"合同？在中国都不管用，到了新加坡，更是废纸一张。"

邓茹琳惊恐地问："没工作，我们怎么活呢？"

"咋活？他们把钱骗到了手，还管你咋活。要是能工作，我们几个大活人会天天跑这儿守着？你以为是图这里有空调凉快？你们让她们看看咱们吃的都是什么。"说着，A把自己的饭盒打开让邓茹琳看，"这，还剩的有，米饭和鸡杂碎。"然后又去翻开别人的饭盒，"看见没有，还是鸡杂。"

李佑君和邓茹琳吃惊不小。

D解释："外国人不吃动物内脏，都是拿来喂猫喂狗用的，所以特别便宜。"

C说："我老去买的那个老板对我说：'哇，你们家很有钱咧，喂了很多的狗。'整得我以后不敢去他那买了。"

A道："怕什么，我就和人家明说是自己个儿吃。新加坡人挺好的，有时候还不要我的钱，说是卖不完也得扔。"

被人揭了老底，B磨不开面子，解释道："说起来真的有点不好意思。我们这些人在国内已经提前进入了小康，家里请得有保姆，可是到了新加坡就变得寒酸得很。人民币除以五，小了很长一截，

— 45 —

带来的几万块钱几下就没得搞头了。"

听了几个人的话,李佑君的心情愈加沉重,表情更难看。"没工作哪行呢,陈东前应该有办法。"李佑君自言自语。

邓茹琳赞同:"对,去找陈东前! 总不能见死不救吧。"

C一激动,连成都话都带出来了,叫道:"不得行,我们拿的是访问签证,不能工作,没得哪个公司敢用。要是遭发现,五千新币的保证金要遭除脱,公司也会被罚款,罚得惨。"

"还真是这么回事。头前我试着去找工作,就连那些搞按摩的也不要我们。没法了,还得让国内往这边寄钱。"A证实道。

"这日子过得才叫难受,看着钱哗哗地往外流,整天这么闲着,这人都快疯了。"D的表情带着难言的痛楚。

听到这里,邓茹琳起身拉着李佑君就走:"找陈东前去! 我一分钟也坐不住了。工作要是没着落,我们娘儿俩就完了。"说着,连拖带拉,拽着李佑君出了门。

李佑君并不是那种冲动的人,遇事总要三思而后行,尽管那几位的境遇对她刺激挺大,工作问题事关生死存亡,但她意识到找陈东前去闹不会有作用。她仔细回忆和诚信签的合同,涉及工作那条是这么写的:"在新加坡法律允许的范围之内甲方为乙方代理安排工作。"现在明白了,就这几个字,诚信已经把路封死,就是回去找他们也没用。

邓茹琳拉着李佑君往电梯间去,竟忘了还在考试的两个孩子。李佑君给她讲了一下自己的想法,建议宴请陈东前,求他帮忙,毕竟他对这边熟。邓茹琳觉得李佑君说得有道理,自己又没有别的主意。文化程度低了,脑子就是不如李佑君够使,邓茹琳这样想着,心事重重地跟着李佑君走向办公室。

二人推门进去,张岚和陈萍围着马小姐改考卷。

马小姐戏言:"你们两人的答案一模一样,我看了一个,可以不用看另一个。谢谢你们这样照顾我。"

发现李佑君进门，张岚凑近马小姐说："您小点声！"

"我都听到了。啥时候学会作弊的？"李佑君走近。

"谁说作弊！说明我们俩水平太接近。"张岚强词夺理。

"不打自招！要是冤枉你，早就跳上桌子了。"

李佑君的话让陈萍涨红了脸。"都赖我不会做……"

"没她什么事！是我抢她的卷子对了对。"

马小姐插言道："只是看看你们的水平而已。这样我如何给你们分班呢？"

张岚抢着回答："这不难，每人扣五分，就是我们的实际水平。我抄了她五个空，又帮她填了五个空。"

李佑君本来心情不好，这下更加生气，语重心长教育了张岚一番。张岚见母亲真的动气，自知理亏，低头不言语。陈萍脸上挂着泪，道："阿姨，是我不好，没学好。"

马小姐拉着陈萍的手说："我知道不是你抄的，你的考卷上有两个笔体，一个是你的，一个是张岚帮你写的，对吧？我就按你自己做的给你分数，可不可以？"

陈萍点头。

马小姐数了一下二人的分数，然后说："张岚是二十七分，可以进中级一班。陈萍是十八分，差一点点到中级一班，不过努力一下也是可以。要是怕就去初级二班。"

张岚抢着说："怎么会怕呢，笑话！"

"问你了吗？"李佑君瞪了张岚一眼，问马小姐："张岚能不能跳中级二班？"

马小姐道："中级一是从二十一到三十五，他差得很多咧，一定是不可以的。"

李佑君觉得不好再争，转身对邓茹琳道："这样也好，学得一样，回去能讨论得起来。"

邓茹琳傻傻地站在后面，对李佑君的话没有一点反应。

从语言学校回来,李佑君让张岚去请陈东前吃晚饭,自己和邓家母女回去与刘妍丽商量对策。三个女人一边理菜做饭,不时小声地嘀咕着。这时张岚从门外进来,走到厨房门边。

"回老佛爷的话,给陈大人的帖子奴才已经送到,老佛爷还有什么吩咐?"

李佑君手里正削着丝瓜,瞪了张岚一眼:"又没个正经的。去翻翻新发的课本,我们这边说事儿。"

张岚学着清廷的礼节,左右各掸一下袖子,弓腰垂右臂,说了声:喳!然后倒着退到厅内。

刘虹从自家的屋里出来,看到张岚的样子,高兴地跳着叫道:"张岚哥哥学得真像!再给我学一个。"

张岚刚直起腰,又转向刘虹做了一次同样的动作:"喳!格格有什么吩咐,小的不敢不从。"直起身,自嘲道:"嘿!今儿个我这是怎么的了,你们都成了主子,就我一人是太监。不干,不干!"

众人皆笑,刘虹更是笑得咯咯的。陈萍扶着门站着,笑得很甜的样子。

张岚突然收起笑容,指着陈萍:"嘿!留神!有只大蜘蛛爬你头上了。"

吓得陈萍一阵手忙脚乱的。张岚却哈哈大笑起来。

陈萍这才知道自己上当。

5

项昆按照书中对付女人的"经验"对付他的前妻,却
被邵彦好生修理一通,于是他又打起老情人汪萍的主意。

邵彦,项昆的前妻,三十岁,尽管不算漂亮,却是典型的北京女
性:言行与穿戴都讲究个得体不花哨。其父退休前是市某局的局
长,实权派人物。邵彦中专毕业后进了机关,公派去新加坡进修时
认识了项昆。那时项昆在新加坡工作了数年,已经获得 PR——永
久居民身份。半年的进修,邵彦得到项昆无微不至的照顾,项昆得
到了邵彦的芳心。邵彦第一次忤逆父令,放弃门当户对的前男友,
毅然同项昆结合,并留在新加坡。邵彦很快在新加坡找到了适合
自己的工作,加上项昆三四千新币的收入,小日子过得很潇洒,周
末去马来西亚度假是常有的事儿。不久,邵彦怀孕,辞职在家保
胎,就在这个节骨眼上,新加坡的经济突然低迷,项昆与陈东前等
大批人同时"下岗",失业后生活一下没了着落,是陈东前收留了他
们。

陈东前是个比较会过日子的人,几年来在新加坡积蓄了些钱,
加上公积金里有一笔,于是他贷了小部分款买了这套房子。尽管
只是两室一厅,新加坡人称之为三房室的最小组屋单元,但有了
房,陈东前便觉得有了根基。项昆两口子住在他那儿有四个月之

久，还是没能找到工作，加上邵彦已经临近生产，不得已回京投靠曾扬言要断绝父女关系的邵彦她爸。

骨肉亲情不可能是一句绝情话能断得了的，两位革命老人以无限的慈怀包容了逆子，同时做到了爱屋及乌。项昆凭他三寸不烂之舌几下说通老丈人，不仅筹到百万巨资，而且打通一路关节，办起了诚信出国中介公司。项昆没有辜负老局长，靠着他熟悉新加坡的国情，业务很快上了路，并还清借款，令老人家庆幸临退之前能以职权为子女谋成一件好事。老局长退下之后更是为自己在位时的果敢之举自豪，他深深地意识到，权这东西还不如钱，钱是死了带不走，可权这东西没死都带不走。权去楼空，可叹门前冷落、车马稀松，连带着人情和体面也跟着无影无踪，失去得竟是这般快捷，让他始料不及。后来项昆与邵彦的婚变给老爷子的打击更加无情，悔不当初！

离婚判给邵彦七十五万，邵彦已经拿到五十万，另外二十五万项昆一直拖着没给，要不，邵彦可能已经动身去新加坡了。

邵彦从小生长在干部家庭，没有受过金钱的压力，也没有对金钱的渴求。记得小的时候，她第一次在北京的街头看到乞丐，不但把身上的几块零用钱全给了人家，而且还跑回家，把她妈放在柜子里三百多块的生活费也拿去给了乞丐。现在一下拿到了那么多钱，这些钱是她和项昆从每一个陪读妈妈的身上搜刮得来的，拿着它心里有愧。

在新加坡的时候，她喜欢读《联合早报》，回国后她总要在网上跟踪《早报》的新闻，她在上面看到了许多关于陪读妈妈的负面报道，这也证明了陪读妈妈的处境有多艰难。这笔她认为是不义之财的钱压得她透不过气，所以她决定用这笔钱去新加坡帮助困境中的陪读妈妈。

邵彦靠她父亲的关系在外交部当合同工，并不是正式在编的公务员。近来各大部委都在精简机构，她的位置可能在精简的范围之列,所以她计划带上离婚分给她的钱去新加坡寻求机会,同时也可以帮助那些困境中的陪读妈妈渡过难关,这样她的内心会好过一些。只是项昆还欠着她二十五万,她一走,项昆的赖皮劲她最清楚,肯定就要不回来了。

不知道是出于良知还是出于对项昆的报复,也许二者皆有,邵彦创办了一个网站,介绍新加坡的国情、新加坡的教育以及如何办理赴新留学。邵彦的网站对中介公司是致命的打击。

邵彦的网站才开通没几天,项昆便从他的朋友黑子那里得到了消息。看过网站,项昆像热锅上的蚂蚁,坐立不安。绞尽脑汁也想不出好办法的时候,项昆想起了最近读过的一本书,书中介绍了对付女人的各种秘诀,项昆准备加以实践一回。

幼儿园里,孩子们正在游乐设施上玩耍,邵彦在一旁陪着四岁的儿子东东。项昆走到邵彦身后,没有惊动她,站着看东东玩。东东看到项昆,远远地喊着"爸爸",邵彦这才回头看到身后的项昆,却一点没有想同他说话的意思。

"东东这孩子越来越可爱了。"项昆自顾说着。

邵彦依然没有理会,脸上什么表情也没有。

项昆贴近邵彦,温和地说:"咱们复婚吧!"说着伸手去搂邵彦的肩膀。邵彦轻轻地挡开项昆的手,没说话,也没生气。

项昆按照书中的套路表白起来,却被邵彦的漠然搞得他自己都觉得像个跳梁小丑,羞愧难忍。尴尬之中,东东跑来拉着邵彦和项昆的手,要回家。邵彦把东东抱起,放在后座的婴儿椅里,扣上安全带,推着自行车离去。项昆快快地跟在后面。

街道上,邵彦推着车,项昆走在旁边,一路无语。突然项昆停步,说:"听说你搞了一个新加坡留学 DIY 的网站。"

邵彦点头,带着一丝让人不易察觉的冷笑,道:"我就知道,你是为这事才来找我。"

"就算离了婚,你也不应该用这种方法来报复我。你让我还怎么生存?"

邵彦盯着项昆的眼睛,道:"记不记得我说过,做出国中介,要从良心里做起。而你只顾挣钱,不管什么人,都怂恿人家过去,把新加坡吹成天堂,不知道害了多少人家破人亡。"

项昆急得脸发红,嚷着:"可你也不能在网上把什么都公开,全中国的人都会办了,还要我们干什么!"

邵彦平静地说:"我只是客观地介绍新加坡,让人们了解情况,然后由他们自己去判断适不适合去,难道不对吗?"

项昆气急败坏地叫起来:"对,对,对,你永远正确! 只是我这公司就别开了,以后东东留学的钱上哪儿去找?"

邵彦冷冷道:"其实你怕的是没钱没办法供养女人。"

项昆被点到要害,但为了面子,极力掩饰着情绪,笑了笑,却笑得很难看。

邵彦继续道:"就像今天,你一来,我就知道是为网站的事儿。你什么时候主动来看过东东? 每次东东想你,打电话让你来陪陪他,而你总是推三推四的,哪里像个父亲!"

项昆无语,邵彦问:"那二十五万已经到期了,什么时候还我? 拿到钱我好去新加坡。"

项昆惊讶地问:"你去新加坡干什么?"

邵彦语气平静:"我还是新加坡 PR,为什么不能回去?"

"你在外交部干得好好的,过去能干什么?"

邵彦带着讽刺的口吻说:"带着从你那儿分来的钱去新加坡办一个服务站,帮助落难的陪读妈妈,替你洗掉一些罪孽。"

项昆怔怔地看着邵彦,仿佛从不认识眼前的这个女人。

项昆从邵彦那里受了气,回家便一头倒在床上,睁着眼盯着天花板。项昆想不明白,书中的"经验"怎么到他这儿就是行不通了呢? 不是说女人对婚恋的话题最敏感吗,不是说女人会欢迎所有的求婚者,只要不会对她的身心构成威胁就行。项昆属于食古不化的那种人,妙论到了他这里就会变成谬论。书中说的是求婚,没错,他跟邵彦提复婚,就像刚吐出去的苍蝇又飞了回来,多恶心!看来读书要求甚解才行!

做好饭,汪萍叫他,项昆没理,跟他说话,项昆装没听见。汪萍上床想同他亲热,被他推开。无奈,汪萍自己去了浴室。

浴毕,汪萍用大毛巾裹着身子出来,见项昆看都不看她一眼,心里老大不高兴。汪萍不知道出了什么事儿,但每次项昆遇上窝心的事情,她都能用女人特有的本领让项昆转危为安。于是汪萍转到写字台,从抽屉里取出几张光盘,纸袋上的图像不堪入目。汪萍把光盘藏在身后,爬上床,突然把光盘亮到项昆眼前。"日本一级片,下班路上买的。"

汪萍本想表功,没想到项昆瞟了一眼,挖苦道:"老娘们家,去买这些,丢人不?"

汪萍的脸红了,坐起身,拉着毛巾尽可能地遮盖住私处。"还不是为了你,就你喜欢这些,看了它,比吃什么药都管用。"汪萍反驳道,快快地下床,没好气地把光盘扔向项昆,自己赌气出了卧室。

躺了一阵,项昆觉得肚子饿,于是爬起来,无精打采地去了厅里。汪萍还是裹着那条毛巾,坐在沙发上想心事。项昆坐到桌边,拿起筷子,汪萍赶紧过来坐到另一边,问:"是不是冯小蓉的老公找你了?"

项昆摇头。

"我们押在公安局的五十万不会被扣掉吧?"

"没那么严重。"

汪萍这才释然,然后反过来安慰项昆:"这就好,反正咱们现在不缺钱。不行的话,就去成都我家躲躲,以后再考虑另外干点什么都行。"

项昆眼睛一亮,转着眼珠思量起来。

汪萍着急地说:"什么事,你倒是说呀!我一直就觉得搞出国中介不会是长久之计,所以早就想好了,把现在的公司注销掉,还能从公安局领回五十万的押金,加上我手里的,不下一百万,我们开个饭馆……"

项昆不耐烦地打断汪萍:"女流之辈,就知道开饭馆!"

汪萍余兴未尽道:"其实开馆子我在行,到时候让你当跷脚老板,想怎么玩就怎么玩,只要别去玩女人就行。有钱了再给你换一辆宝马开。"

项昆噎她道:"开着宝马去你老家种地养大肥猪。"

汪萍嘟起嘴:"公司办不下去,你说怎么办?"

"谁说办不下去了?"项昆顿了一下,接着讲起来,"黑子请我吃午饭,告诉我邵彦办了个网站,把出国该办的手续全公开了。这招真狠,全中国的人都会办了,我们开公司只有等着交房租的份儿。"

"这个女人真够狠毒的!"汪萍吃惊不小,愤愤不平,接着叫起来,"噢,所以你下午就去找她,是不是?"

项昆没有回答,也没否认。

汪萍把椅子拉近项昆坐下,急切地问:"她怎么说的?"

"还能怎么说,恨你!把一切都怪在了你头上。"

"是不是让你和我吹?"

项昆点头:"她说了,只要我跟你吹,再把欠她的二十五万还清,就把网站撤掉。"

汪萍盯着项昆的眼睛,问道:"你答应她了?"

"哪能呀,我跟她说钱马上可以还,让我跟你吹是绝不可能的!"

听了这话,汪萍兴奋地坐到了项昆的腿上,亲吻着项昆的脸。娇小的汪萍躺在项昆的怀里,姣好的脸上泛出幸福的笑容。

项昆抱着汪萍,犹豫着说:"刚才我在想,我们没有必要同她硬来。你先拿二十五万出来,算我借你的,然后你回成都躲一阵,我这边把邵彦摆平了,再接你回来。"

汪萍立马从项昆的身上跳了起来，叫道："噢，说了半天是这个目的，要我拿钱，还把我支走，亏你想得出来！"

项昆一副无可奈何的样子，说："我就知道你们这些女人鼠目寸光，一点没有大局的观念。"

汪萍叫了起来："我鼠目寸光？你想把我的钱骗到手，又把我人甩掉，不干！要钱我拿都行，但我不走！"

项昆脸上飘过一丝得意的表情，说道："先把她稳住，让她把网站撤了，然后在新加坡给她找个事儿干，就接你回来。"

汪萍怀疑地问："她在外交部干得好好的，能听你的吗？"

"你不了解她。她那人特别喜欢新加坡，只要在那边有个稳定的工作，肯定会去。"

汪萍嘟着嘴说："不干，我走了，那个小狐狸精不就白捡一个便宜住到这里。"

项昆无奈地摇着头说："你们这帮女人，芝麻大点心眼儿！为了摆平邵彦，把你都支走了，再弄个人来，不是找死吗？"

汪萍竖眉瞪眼地叫唤："我芝麻大点心眼儿？别以为我看不出来，你们俩眉来眼去的，加上谭玉颖那股劲，你不但要让她三分，而且还怕她似的，连傻子都能看出来，只是我没抓住你们的把柄。"

项昆尽量控制着情绪，说："我跟她真的没什么。"

"真的没什么，你敢不敢把那个小妖精辞了？"

项昆想了一下："辞了谭玉颖，你能不能照我说的办？"

"可以，你辞了她，我马上就拿二十五万出来。"汪萍盯着项昆的眼睛问，"明天一上班我们就把谭玉颖辞掉，行不行？"

项昆躲开汪萍的目光，"不可能说辞就辞，得让人家有点思想准备才行。"

汪萍叫了起来："好啊，项昆，我算是看明白了。你恨不得马上让我走，就是为了和那小狐狸精在一起。"

项昆无奈地答应："好，好，好，明天就把谭玉颖开了。"

"真的?"汪萍转怒为喜。

项昆点点头。汪萍一下又坐回了项昆的怀里,搂住项昆的脖子亲吻着。因为动作太大,毛巾滑落下去,露出洁白如玉的胴体。汪萍只顾高兴,嘴里叫着:"太好了,明天有好戏看了。不过今天晚上我得把你看紧点,免得你们串通好了来对付我。"

面对一片美色,项昆还是压抑不住心中的焦虑,脸上却极力装出一副无所谓的样子。

6

　　"鸿门宴"上陈东前借酒吐真言："不是说新加坡不好，不能来，也不是说新加坡就是天堂啥人都能来。这里有些人能来，有些人就不能来。"

　　天已经黑下来，日光灯照得室内苍白。

　　为了工作的事，李佑君他们决定宴请陈东前。忙乎了一下午，做好了一桌子的美味，可到现在陈东前还没来。众人散坐在厅里，谁也不言语，只听风扇嗡嗡作响。

　　张岚等得不耐烦，突然开口说道："我就纳闷儿，这才几个钟头的工夫，姓陈的谱见长，你们还得拿他当佛供着。"

　　李佑君严肃地说："小孩家不懂。我再说一遍，一会儿陈东前来了，礼貌一点儿，不许你胡说八道。"

　　张岚做出诡秘的样子环视大家，道："我算是看出来了，你们这是在给姓陈的设下鸿门宴。什么时候下手举杯为号。"

　　"闹了半天，请我赴鸿门宴！敢情是鸠山设宴要跟李玉和交朋友，我还敢进门吗？"陈东前的声音从门外传来。

　　张岚吓得张嘴说不出话，李佑君狠狠地在他的腿上拧了一把，张岚疼得直咧嘴却不敢叫出声。

　　刘妍丽接着陈东前的话音："哟，陈先生，你可来了。我们都等着急了,我这大侄子就开始骂人。他那嘴你还不知道,横竖看都不是嘴,你就当他放了个臭屁。"

张岚小声抗议:"像卖国贼说的话。用得着这么损我吗?"

李佑君又要掐张岚,吓得他蹦出老远。

陈东前脱鞋进门,表示歉意:"带一客户看房,弄晚了,实在对不起。"见满桌子的好菜,惊讶道:"这么多好吃的!真就跟鸿门宴似的,我有这么大面子吗?"

刘妍丽说:"这不,想好好地感谢你。"

"谢我什么?"

"今儿个我姐她们去学校时听说了,别人都交一千新币,你只收了我们一家二百,省了我们多少钱!还不该谢吗?来,来,来,请上座。我们也饿得差不多了。"刘妍丽对答得体。

陈东前坐上椅子,"信了吧,二百块,新加坡哪儿找去!"然后端起杯子说:"还有啤酒,真是破费,我就不客气了。"

"有什么客气的,从今儿个起,咱们算是一家人了。"刘妍丽开始拉近乎。

"哟,这可是我这辈子最爱听的一句话。就冲这话,别说是项羽请,就是日寇鸠山请,我也认了。"

"没那么邪乎!怪我大侄子,小毛孩子说话没个谱,你还当真了。来,这杯是给你压惊的,我先干为敬。"刘妍丽说着,一口喝完,陈东前只喝了一口便放下杯,刘妍丽叫起来:"不行,不行,你要是不干了,说明你没诚意。"说完,端着杯子递到陈东前手里。"这么不给面子?"

"好吧,我喝,我喝。"陈东前说完,一饮而尽。"够滋润!"然后拿起啤酒罐瞧着,"老虎牌儿,洋啤。说实话,真赶不上青岛啤酒。别生气,我是实话实说了。"

刘妍丽接着陈东前的话茬儿:"一点不假,青岛是真好喝,洋鬼子哪有那技术!不过话说回来,喝酒主要看人,人要是投缘了,就

— 58 —

是喝马尿也痛快,老虎尿就对付着喝吧!"

听了这话,张岚把嘴里的酒喷到一边,"刘阿姨,好话到了您嘴里全变味了。"

李佑君瞪了一眼张岚,道:"又有你什么事儿了?"

张岚不说话。刘妍丽倒酒,陈东前挡着:"让你这么一比方,有点倒胃,再喝,能消化吗?"

刘妍丽自嘲:"都赖我不会说话,这叫词不达意,我认罚。"说完一饮而尽,然后倒一杯递给李佑君。"不能光我一人敬你,该我姐了,她们也想表达对你的谢意。不会不领情吧?"

"不会,不会,我得先吃点东西垫垫底。"

"对,空腹喝酒容易醉。先吃菜。来,尝尝我烧的鱼。"说着,李佑君给陈东前夹菜。

张岚对陈萍小声道:"我看出来了,她们仨想灌他。瞧我的吧。"说完,起身端杯走向陈东前,"陈先生,我先敬您一杯。"

陈东前紧张起来,叫道:"别过来! 你小子是不是要动手使坏了?"

李佑君严厉地命令:"回你自个儿座位上去!"

"怕什么呀,这回我可是真心实意的。这么着吧,我在这儿叫您一声陈叔叔,受用吧?"

陈东前笑道:"这还差不多,算你有点觉悟。"

"岂止是有点觉悟,而且是痛改前非呀!"说着,张岚走到陈东前的边上,碰碰坐在旁边的邓茹琳,"邓阿姨,咱俩换换座。我想挨着陈叔叔坐。陈叔叔,您看这里就咱俩是大老爷们,爷儿俩坐一块多合适!"

陈东前警惕地盯着张岚:"你小子满肚子坏水,我怕你了。"

"这么着,这杯酒用来洗心革面,我一口喝了,算是给您赔个不是,成不成?"说完,张岚一饮而尽,动作潇洒。

"我还是不放心,你要是真的改好了,帮我把这杯酒喝了。"陈东前指着自己的杯子对张岚说道。

"没问题，就算是敌敌畏，还不是您一句话的事儿。"

张岚端酒正要喝，李佑君喝令道："张岚，不许你再喝了。"

"怕什么的，又不真的是敌敌畏。"

张岚端杯刚要喝，被坐在陈东前另一边的刘妍丽挡住："你小子够馋的，左一杯、右一杯，一会儿你陈叔叔喝啥？"

张岚叫起来："嘿！闹了半天不是心疼我，心疼这点酒了。人家陈叔叔给咱们省了多少钱！回头我下去扛两箱回来，陪陈叔叔喝个够。陈叔叔，您说成不成？"

"这话爱听！这杯酒我喝，你满上，咱爷儿俩干。"

说着，二人干杯。李佑君私下碰碰刘妍丽。

刘妍丽说："你小子要是捣乱，回头我拿酒往你鼻子里灌。"

"睛好吧！我要是怠慢了陈叔叔，你们用酒往我眼珠子里灌都行。陈叔叔，这话您爱听吧？"

陈东前正啃着一只鸡腿，张岚这么一问，赶紧点头，含糊道："爱听，爱听。"

"既然说到您心坎里了，把这杯干了。"

陈东前摆手道："别急，我吃完鸡腿再喝。"

张岚把酒杯塞到陈东前的手里，劝道："就着啤酒往下冲，那鸡腿一下能滑进直肠，多痛快！来，喝，喝！"

"你小子真会说！喝！"说着，陈东前一饮而尽。

李佑君插话："陈先生，这回我们几个过来，幸亏是碰上你。要是碰上姓项的那号人，我们真不知道该怎么办了。"

"别拿我和他姓项的比。他是什么东西！"

张岚帮腔："没错，不是东西！赶明儿回国先去揍他一顿。"

"我也想揍他来着，只是打不过他。"陈东前实话实说。

"有我呢！给他来个大背胯，把他摔成照片贴地上。"

陈东前摇头道："那小子有点分量，怕是你扔不动他。"

"不是有您吗？我拽着他的胳膊这么一背，您就在后面帮一把。"张岚起身提起自己坐的椅子抡到背上，陈东前帮着往上抬了一下椅子腿，张岚将椅子从头顶上甩到前面。"过来吧您哪！成功了，握手！"张岚与陈东前握了一下手，便把酒杯端了起来："为了庆祝合作成功，干！"

二人边喝边乐。刘虹在一旁跟着比比划划，气氛越发融洽。

刘妍丽说："你们在这儿拿人家姓项的开心，要是你能坐到姓项的位子上，准跟他一样。"

"你不清楚我陈东前的为人。换我在国内做出国中介，先得给人家讲清楚新加坡这边是怎么回事儿。不是说新加坡不好不能来，也不是说新加坡就是天堂，啥人都能来。有些人能来，有些人就不能来。"

刘妍丽顺着话题问："远了咱们不提，就说说我们几个，谁能来，谁不能来？"

陈东前问："你们想听实话，还是想听安慰性的语言？"

邓茹琳抢着回答："当然是实话。"

"这年头，说实话比进八宝山钻火化炉还难。来，先喝口酒壮壮胆儿。"张岚又把酒递上去了。

陈东前接过来一饮而尽，然后讲了起来："我看了你们的简历。冯小蓉和李老师您，该来。冯小姐有钱，让孩子受更好的教育，将来上英美澳读大学念博士，值当！李老师您呢，大学教授，有一技之长，要是能在大公司干事儿，拿到五六千的工资，日子比国内强多了。"

刘妍丽抢着问："你这意思是说我们两家不该来？"

"不全是。刘小姐你呢……"

"我就不爱听人叫我小姐，干脆叫我外号'刘子'吧。"

"要说刘子……"陈东前打个嗝，"这名儿叫得我心里堵得慌。"

"随便哪个刘，只要不是癌就行。赶紧说呀，急死我了。"刘妍丽一副急不可待的样子。

"要说你呢,还真不好说。"

刘妍丽急得直瞪眼:"到了我这儿就难产了!"

"直说了吧,本来你不该来。不过有我在,来了也行。"

"跟你有什么关系?"刘妍丽不解。

"当然有关系了,我能给你找个好点的工作呀。"

刘妍丽说:"这话爱听。"

陈东前继续道:"现在工作真难找!经济不景气,啥地方要是有一个坑,就会有好几十个萝卜排着队等着往里埋。你看那些超市排货员,每天累半死,一个月才七八百大洋,就你细皮嫩肉的,不出三天就得趴下。你人长得不赖,办公室里当文秘挺合适,一个月有千儿来块,可你不会英语,这就不行了。"

刘妍丽问:"有没有钱多我能干的?"

"有是有,但我不能让你干那个。"

"什么工作呢?"刘妍丽急不可待地问。

"按摩。一个月两千多,加小费,能拿四五千。"

刘妍丽满意道:"行啊,这工作挺好。"

"好什么好,去按摩的全是男的,多半不老实。"陈东前一个劲地摇头。

刘妍丽满不在乎地说:"怕什么,咱自个儿立场坚定,谁要是敢胡闹,掰他一根手指头拿回来喂猫。"

"不妥,不妥!我给你想办法找个美容院学美容。工资有一千四五,是少了点,可去的都是女的。"

"钱太少,保不齐会遇上同性恋。还是按摩好点。"

邓茹琳在一边听着他俩你一句我一句,没一句和自己沾边儿,着急起来,抢空插话:"该让他说说我了。"

刘妍丽不高兴地说道:"又着急了是不是? 得,得,得,我让你。"

"至于你呢……"陈东前顿了一下,喝口酒,夹口菜。邓茹琳瞪大眼睛等着陈东前往下说。"我就照实说了,你属于绝对不能来的一类。"

"这话怎么说的?"刘妍丽帮忙着急。

陈东前对邓茹琳说:"你没有什么特长,只能干粗活,像洗碗工、缝纫工什么的。这些活不是一般的人能扛得住的,而且工资又少。多少人干了不到一个月,工资得不到不算,还得赔人一月工资作为违约金。就你这身子骨,肯定扛不住。"

邓茹琳迫切道:"我能行,你就帮我找一份这种工作吧。"

"要不怎么说你绝对不该来,就是这种工作你现在也不能干。你得等你们孩子进了政府学校,换了刘妍丽那种长期签证才能工作。我说了你可别生气,看得出来,你不富裕。这半年的时间怎么扛得过去呢?姓项的真是王八蛋,你这样的钱他也敢拿,明摆着是把人往火坑里推。"

邓茹琳听着这话又傻了眼,连连唉声叹气。此时的她更像是重病之人站在健康人中,自怨自艾。

张岚一拍桌子站起来:"我回去把丫姓项的捅成马蜂窝!"

"兄弟,别激动!坐着。我这不是在给你们想办法呢?"陈东前忘了辈分,这样劝张岚。

"看在咱们是街坊的分上,可不能见死不救啊!"

听了刘妍丽的请求,陈东前喝干手中的酒,顿了一下说:"得了吧,就别提街坊那茬儿了。你说的厕所对过住着我六叔,那个大杂院儿我老去,啥时候有你来着?"

刘妍丽十分尴尬:"那昨天你要顺着我往下说呢?"

陈东前酒后吐真言:"我那不是想跟你套近乎嘛。看你一人拖着孩子,不容易,我在想啊,鄙人三十有几,光棍一条,这是机会呀。我不帮,等别人先下手,哪儿还有我什么事?"

刘妍丽跳起,叫道:"好啊,姓陈的,你是没安好心!"

"哟,该死,这酒喝多了,一不留神,大实话出来了。"陈东前后悔说漏了嘴。

张岚霍地站起,气愤地叫道:"看不出来,你个癞蛤蟆想吃天鹅肉! 刘阿姨,给个指示,抽不抽他大嘴巴?"

张岚握着拳站在陈东前旁边,肌肉绷得一疙瘩一疙瘩的,陈东前见状往后一猫腰,推开椅子跑到了门口,提起鞋,见没人追他,才把鞋扔在地上用脚去穿。

"陈东前,你回来!"刘妍丽喊道。

"回去等着挨打呀。"陈东前一边穿鞋一边答。

"我又没叫他打你!"

陈东前鞋没穿好就往外走,边走边说:"等你们给了信号,我再跑就来不及了。"出了门又回头补上一句,"还真是鸿门宴。"随后,只听着陈东前的脚步声由近及远跑了。

刘妍丽泄气似的坐回椅子不言语。李佑君不时瞪一眼张岚,赌气不说话。张岚站着发呆没敢坐下。陈萍和刘虹看看这个,又看看那个,都没敢说话。

邓茹琳看着一桌子剩菜,小声嘀咕:"可惜了的,这顿够我们三家一礼拜吃的。"

李佑君气得脸色铁青,说:"这顿的花销全算我的,谁让我们家有这么一个丧门星,从小到大我还赔少了吗?"

张岚争辩:"我没想打他,谁知道这哥们儿这么不禁吓唬。"

李佑君思量着,自言自语道:"现在怎么去找他说呢?"

张岚突然提起鞋跑向门口,冲了出去。

李佑君追到门边叫道:"你这个冤家,还想干什么?"

"等着,我把他扛回来!"张岚的声音消失在楼道的尽头。

过了大约抽袋烟的工夫,张岚背着陈东前吃力地进门。众人见这景象傻了眼,邓茹琳嗵的一下坐回椅子里,嘴里念叨着:"完了,这下工作是真的没戏了。"

张岚喘着粗气,将陈东前背到沙发跟前,对别人道:"帮一把……放下他……"

刘妍丽扶陈东前坐到沙发上,陈东前斜躺着,不停地呻吟。

张岚撩起背心擦汗,"这哥们儿……真不禁摔……多半是骨折了……"

李佑君半信半疑地问:"不会吧? 张岚,你打了他?"

张岚喘着气说:"没等我动手。就成这样了。"

陈东前叫道:"你小子真不是个东西,这会儿还拿我取乐。"

张岚认真地说:"我可救了你一命。"

陈东前咧着嘴,道:"还不是赖你跟这儿瞎起哄。"

刘妍丽着急地问:"怎么回事儿,赶紧说。"

张岚说:"我下去,在半道上,见陈……陈叔叔趴地上,旁边围了一圈野猫,不是我赶走它们,那群猫可要开戒吃人肉了!"

"胡说,连那两只猫都知道帮我喊人,就你小子幸灾乐祸。"陈东前对其他人解释:"没留神踩沟里,把脚崴了。"

李佑君释然:"兜半天圈子,最后一句才听明白。"

"我就爱听他俩说相声,一个逗,一个捧,最后抛出一包袱。"刘妍丽转向陈东前:"我瞧瞧,摔哪儿了?"

陈东前指着右脚,"动不了了。"

刘妍丽吩咐:"萍儿,打盆水,拿条干净毛巾来。"然后蹲下身,挽起陈东前的裤脚,帮他脱袜子。

陈东前叫起来:"哎哟,哟,哟,姑奶奶,轻着点! 你们这些当医生的下手都这么狠呀!"

刘妍丽不解地问:"谁说我当过医生?"然后接过陈萍送来的毛巾为陈东前擦胳膊。

"张岚说的,他死气白赖地把我往楼上背,说你当过医生,能给我治好了。"

张岚坏笑着:"我刘阿姨是当过医生,只不过当的是兽医,专治瘸骡子、瘸驴。您说是不是,刘阿姨?"

李佑君生气地要指责张岚,一时找不到合适的辞令。

刘妍丽一副认真的表情道:"还真有这么档子事。张岚,拿家伙来!"

"什么家伙?"

"剪子!"

陈东前急了:"慢!要动刀子呀?兽医还分内外科吗?"

"急什么,脚脖子肿这么大,不用剪子你这袜子能脱得下来吗?"说着,刘妍丽把着陈东前的脉,一副严肃的样子。

陈东前问:"你到底是兽医,还是中医?"

张岚手里拿着剪子从屋里出来,接着话茬儿:"这叫中西医结合的兽医。没听说过吧?"

陈东前道:"我听着新鲜。牲口的脉把哪儿?"

"尾巴,当然是尾巴了。只可惜您没长尾巴,只好对付着把把手了。"

陈东前气愤地叫起来:"张岚,你小子是坏透了,头上长疮,脚底下流脓!"

刘妍丽又吩咐:"萍儿,去冰箱里拿点冰块来。"

李佑君蹲下身查看陈东前的伤,然后说道:"不用冰块。张岚,把你带的'好得快'还有'跌打水'拿来。"

"这回放心了吧,我们这儿还一位医生呢。"刘妍丽让到一边。

李佑君解释:"医生没当过,但也差不太多了。从小张岚身上的伤就没断过。他爸说他穿短衣短裤绝对不能去银行。"

陈萍不解地问:"为什么呢?"

张岚提一包药从屋里出来,"还用问,一身的伤痕,准是惯匪,枪毙十回都让我跑了。"

众人笑,李佑君给陈东前喷药水。这时,刘虹揉着眼睛从她的屋里出来,抱怨:"就你们闹,我都睡不着觉了。"

刘妍丽见刘虹满脸通红,问道:"丫头,你是不是偷着喝酒了?我说今天怎么这么老实,自个儿就睡了。"

"张岚哥哥让喝的,他说女孩喝了酒脸红红的,特别好看,我和萍姐姐都喝了。"

陈萍本来脸就红,听了这话赶紧躲进自己屋里。

刘妍丽气愤地嚷着:"张岚,你小子损不损,这么大点孩子你也下手灌她!"

张岚解释:"那话是对陈萍说的,谁知道小丫头听进去了。"

李佑君在给陈东前擦跌打水,陈东前又叫了起来。刘妍丽没好气地说:"瞧你这点出息,不能忍着点。"

"换我,脑袋掉了,决不叫唤一声!"张岚挺着胸说道。

陈东前反驳:"废话!脑袋都没了,使什么叫唤?"

众人笑,气氛变得融洽起来。

7

两个情人争斗,为了不致引爆谭玉颖那颗"地雷",项昆只有放弃汪萍。

北京的六月,就连上午的太阳也是灼人的,好在诚信公司办公室有中央空调,室温不冷不热。即便如此,项昆还在出汗,把手放到办公桌上,就会有湿润的五指印。昨天一个整晚汪萍都把他盯得很紧,让他没有机会给谭玉颖打电话沟通。项昆相信,精明的谭玉颖能够配合他演好这出戏,因为谭玉颖看不惯汪萍,几次想辞职都是项昆好言安抚住的。但他仍然紧张,毕竟没有事先约定,毕竟这是一次关键的演出,要是演砸了,项某人可就鸡飞蛋打了!项昆没有必胜的把握,能不紧张吗?难怪他后脊梁都在冒汗。

汪萍坐在沙发上神情凝重,也在想心事。项昆这么痛快答应开除谭玉颖,未必二人真的干净?昨天晚饭前在厅里项昆那个劲头,大有驰骋千里的架势;吃了饭,那几张日本片还没派上用场,项昆又拍鞍上马,翻山越岭,奔腾不息,累得她差点昏死过去。这正是项昆壮志未酬的目的,汪萍错以为是项昆没把今天的事儿放心上!汪萍很想知道二人的究竟,对未知事物的探索欲是人类进步的动力,知道了究竟,她才好有进一步的打算。万一他们真有那事儿,汪萍想好了,只要把谭玉颖赶走就行;就算没那种事,只当是挖掉一颗地雷，省得项昆不小心踩到，后果不堪设想。

二人各自想心事，足足有十五分钟，谁也没有说话。

谭玉颖终于来了，敲门，进来，"项总，您找我？"

项昆没抬眼，紧张，含糊地答应："嗯，是，是的。"

谭玉颖转着眼看二人奇怪的表情，感觉来头不对，但猜不出会是什么事，又不便问，所以站在那里等着。汪萍的目光一直没有离开过二人的脸，想透过表情捕捉他们的内心。过了一阵，项昆道："坐，请坐吧。"

谭玉颖坐到项昆对面，既不看项昆，也不看汪萍，显得很平静。谭玉颖心想，莫非前天晚上的事汪萍知道了？知道也好，巴不得她知道，省得事情老没个进展，长期这么耗下去真不是回事。于是，她静静地等着下文。

项昆扭脸遇到汪萍锐利的目光，心头一紧，赶紧转眼，却不敢去看谭玉颖。项昆觉得再不说话不行了，于是结结巴巴道："小谭，是这样的，有些事我得向你说明一下。嗯，我们公司近来业务，业务不太好，所以呢，我和汪主任研究了一下，我们需要进行一下调整，人事上的调整……"

听着项昆吞吞吐吐的话，谭玉颖表情一下变得轻松，脸上带了微笑。"项总，您不用解释。是想我走，对不？"转向汪萍继续道："其实我早就想走，以前提过辞职，项总没同意。"

汪萍被谭玉颖轻松的态度搞得不知所措，大失所望地看着二人。项昆一下有了精神，坐直身子，环顾一下两个女人道："是的，那会儿你提出辞职，我没答应，因为公司的人手不够。你去准备一下，下个月可以不来上班了。"

汪萍抢着说："不必等下个月，现在就走人。"

项昆为难地看看汪萍，又看看谭玉颖。倒是谭玉颖一副无所谓的样子。"没关系，我管的资料都在那里放着，你们整理一下就行了。"

项昆尽量压抑住得意的心情，对汪萍说："汪主任，你去取六千现金。"又对谭玉颖说："三千是这个月的工资，另外三千是公司辞退你多给的一个月工资作为补贴。"

"钱我准备好了。"汪萍转向谭玉颖道："别人可以多给一个月的工资，而你是被公司开除的，没有补贴。这一年你两次请长假超过半个月，我们照发了你的工资，补贴你就别想了。这个月才过一半，工资只能算一千五，而你半个月就请了两天假，迟到三次，所以扣你一半的工资，剩下的只能发给你七百五。"说完，汪萍从提包里拿出人民币数起来。

听了这话，谭玉颖变得愤怒，不自觉地站起来，压抑住冲动，语气尽量平和："汪萍，你想不想知道为什么两次请长假？"

项昆焦急地站了起来，生怕耽误了利好的走势，命令汪萍："行了，我说六千就六千，没那么多赶紧取钱去！"

此刻，谭玉颖可不想就这么罢休，本不想同汪萍正面交锋，是你这么不可一世，别怪我谭玉颖不给面子。最可恨的是项昆，我自己想辞职你不答应，现在你来开除我，让汪萍在我面前耀武扬威！想到这里，她气愤地看一眼项昆："项总，这六千我一分都不要，我只想知道你欠我的什么时候给。"

汪萍把钱塞回提包，问："项昆，你欠她什么了？"又对谭玉颖说："这钱是你自己不要，不是我不给。另外你给我说清楚，他欠了你什么，说完，马上走人，一分钟也不要多停留。"

项昆直着脖子，怒不可遏地喊叫："吵什么吵！我这公司有你们几个在这里穷搅和，就没一天的安宁。"

觉得蛮有收获的汪萍得意地说："项总，你急什么急，听她把话说完，让她滚蛋不就安静了。"

谭玉颖觉得是摊牌的时候了，拉过椅子坐下，语气不刚不柔："本来不想同你这种女人较劲，有损我的名誉。既然你这么不可一世，我倒是要看看，今天会是谁从这里滚蛋。"说完，转向项昆命令道:"马上把她打发走,多给她两个月的补贴。对这种一心就为了钱的女人,多给两个小钱打发了就是。"

本来利好的局势突然翻盘,让项昆猝不及防,他已经没有能力驾驭形势,只能背对二人站到了窗前,由着两个女人去闹;汪萍也没料到谭玉颖会有这手,势态发展到对自己不利的地步,她瞪着谭玉颖说不出话,接着冲过去拉项昆,用颤抖的声音说道:"项昆,你把这个小狐狸精赶走,我什么都答应你。"

果然不出我之所料,项昆是在算计汪萍,谭玉颖心里得意地想,嘴上却是冷冷地说:"项总,我走也行,不过马上把欠我的五十万交出来,不然我就带着录音去公安局。"

谭玉颖不想再玩下去,只要能拿回自己的五十万,这场游戏也该结束了。听了谭玉颖的话,项昆气得脸通红,使劲甩掉汪萍的手,径直冲出了办公室。三十六计走为上。

可怜汪萍,面如土色,呆呆地站在原地,不知所措。她不相信,项昆会弃她而去。

谭玉颖看到汪萍的样子,心里觉得痛快,尖刻地说:"汪主任,是你自己滚蛋呢,还是听我把话说完,你帮他把五十万还了,这个男人还是你的,我不跟你争。"

"你走,我不想知道你们之间的破事。"汪萍这样说,但语气大不如之前那么有力。

"那你就去追他吧,项昆会编出一个动人的故事把你骗过去。不过我想提醒你,项昆在我这儿说过几回,后悔当初给了你那么多钱。多长几个心眼,别让他涮了还不知道是怎么回事!"谭玉颖一席话,汪萍的锐气全没了,眼泪夺眶而出,捂着脸冲出办公室。

回到家,汪萍痛哭一场。哭完了,项昆还没回来。汪萍想,不能就这么便宜了项昆,得让他给我认错,让他把他们之间的关系说清楚。为了表示愤怒,总得做点样子才行,于是汪萍找来大箱子放在显眼的地方,让项昆知道她的决心,让项昆跪着求她,这样她的面子才过得去。道具摆了老半天，关键的演员迟迟不出场，汪萍只好耐心等待。一等就是一整天，汪萍饿着肚子，中间还认认真真地睡了一觉，项昆还没回来。

项昆当然是安抚谭玉颖去了，那颗地雷要是拉爆，够他戗。至于汪萍，事已至此，想从她手里骗出钱来是不可能的了，项昆下定决心让她走。当初汪萍被男友甩掉的时候，是项昆给了她安慰，当然，项昆也得到了自己想要的安慰。汪萍从游戏转为认真，认认真真地挤走邵彦，认认真真地进入角色，认认真真地盯牢项昆，目的就是认认真真地同项昆过一辈子。这些项昆不是没有感觉，但谭玉颖那儿的五十万他拿不出来，这事儿就完不了。只有跟她结婚才有希望一笔勾销。反正都是女人，天底下的女人都是一个样，只要你把她娶回家，一个个都跟事儿妈似的，一天到晚在你的耳边唠叨，听哪一个女人唠叨都一样，更何况谭玉颖和他是第一次，男人们把这个看得很重。

项昆进门，见到家中狼藉一片，在他预料之中。他沉着脸，一声不吭，坐在沙发上吸烟。平日项昆不吸烟，只有心烦的时候才会买一包，吸不完也会扔掉。

汪萍见他回来，继续她那中断了八个小时之久的工作。她一边收拾，不时瞥一眼项昆，几次停下手，嘴角动一动，见项昆埋着头，一点儿没有理她的意思，便把话咽了回去，胡乱把手上的东西扔进皮箱。收拾完，汪萍拉着箱子往门口走，眼睛瞟着项昆。可项昆还是埋头吸烟，满地烟头烟灰。汪萍心里诧异，看来项昆是铁了心的。她想开口，又觉得太掉价，总不能让我来求他吧，真是这样，以后的日子还怎么过呢？汪萍后悔自己走急了一步棋，因此，到了门口，装作想起了什么，拖着箱子回到屋里。抽屉、柜子一阵乱响，可项昆始终没反应。汪萍知道再演下去也无济于事，从箱子里取出一条自己的三角内裤，放在枕下露了一个边，眼泪扑簌簌地落了下来。汪萍拉着箱子，满怀深重的悲愤，夺门而去。

待汪萍走远,项昆扔掉烟头,用脚踩熄,双手抱头深深地叹了口气。突然,项昆抬头,恶狠狠地盯着大门的方向,歇斯底里地咆哮起来:"滚!给我滚!不要脸的东西,卷走我那么多钱!"

8

冯小蓉的房东吴贵发搞出种种无赖的事情，张岚将计就计，竟把吴贵发收拾得服服帖帖。

尽管三家人设"鸿门宴"，让陈东前崴了脚，但他们之间的关系得到了进一步的融洽。刘妍丽和冯小蓉可以合法工作，但冯小蓉并不想找工作，这样陈东前可以少操一份心。刘妍丽被安排在美容院学美容，头三个月的实习工资只有八百，三个月后能拿一千五。但是李佑君和邓茹琳肯定不能工作，陈东前出了个主意，让她们私下张贴小广告，干点家教、钟点工什么的，干好了，也够这边的花销。

烈日之下，李佑君和邓茹琳在周围三站地的范围内找公告栏张贴广告。她们没舍得坐车，上车就是六毛四，三站地一块钱就没了。李佑君，堂堂副教授，和邓茹琳一道徒步到各处张贴广告，汗水证明了她坚强的生存意志。放着家中的二亩地不种，跟着无业游民下南洋干这些买卖，李佑君心说话，我自己乐意，管得着吗？李佑君从来是不服输的人，这次出国已经做好吃大苦、耐大劳的思想准备，就是找不到好工作，干粗活她也要挺过这两年，给张岚攒一些去美国读书的费用。然而，毕竟是四十的人，一天下来，二人累得抬不起脚，加上新加坡的紫外线特别强，尽管打着伞，裸露的皮肤还是被晒得通红，感觉火辣辣的疼。

第二天，二人在家苦苦等电话。可电话偏偏像哑巴似的，一声不吭。邓茹琳怀疑话机有问题，几次拿起电话听听，却又无奈放下。二人守在电话机旁，干干等了大半天。

直到下午，电话奇迹般响了起来，李佑君和邓茹琳同时伸手去拿听筒，又都把手缩了回去。最后是李佑君拿起了听筒："Hello，我是李老师……是的，硕士学位。华文我可以辅导……"

李佑君放下听筒，难以掩饰兴奋，第一笔业务谈成了。可掐着手指一算，一周去三次，每次两小时，一小时五块，一个月下来只有一百二。但毕竟是零的突破，有第一个，就会有第二个、第三个。

电话再次响起，邓茹琳刚要伸手却缩了回去。李佑君示意邓茹琳接，她才一把抓起听筒，不等对方说话，像背书一样说着："我是邓女士，我可以打扫卫生、做饭、洗衣服、带小孩、照顾老人、伺候病人，总之佣人的事我全能干……噢，是小蓉啊，对不起，对不起！我以为是……她在。"说完，把电话递给李佑君。

电话里冯小蓉焦急的声音："李姐，吴贵发突然跑来，说是要住几天。我好话、坏话说尽，他就是赖着不走。陈先生崴了脚不能来，你能不能快点来，帮我把他赶出去。"

李佑君答应着，放下电话，拉着邓茹琳就走。邓茹琳犹豫道："那电话没人接了？"

李佑君想了一下，说："你在家接电话，我过去。"

邓茹琳觉得这样显得自己太自私，于是起身跟出门。

当她们赶到冯小蓉的住所，见吴贵发坐在沙发上，旁边放着一只箱子，冯小蓉坐在另一只沙发上，大眼瞪小眼相互瞅着。徐翰则坐得远远的，一副胆怯的样子。吴贵发见来的是两位妇女，满不在乎。李佑君坐下，拿出她当老师的本领，对吴贵发进行苦口婆心的说服教育，可吴贵发不是好学生，爱听不听，时常顶撞老师，直把李佑君气得脸发白、唇发抖，说不出话。吴贵发摆出了一副赖皮的架势：赶是赶不走

— 75 —

的,不让睡房间,睡厅就是了,总之,软硬不吃住定了!

就在三双大眼瞪一双小眼,大家相对无言时,张岚背着陈东前进门,陈萍跟在后面。邓茹琳起身让座,张岚把陈东前放下,自己站在旁边擦汗。吴贵发见到陈东前,略显不安。

陈东前坐定,对冯小蓉解释道:"还好,张岚他们下课给我送药,我才来得了。"转向吴贵发:"吴先生,我是你们的 agent,什么事情我可以为你们调解。你不是在别处租了一间屋,为什么要来这里住啦?"

吴贵发道:"那里我不要租,过几天我去印尼。"

陈东前问:"那你不驾的士,不做工了?"

"现在的行情这样不好,我不要再驾的士啦。我去印尼会住便宜一些。"

"但是你把房子租出来了,是不可以再回来住的。"

"我只要住几天而已,不会久的。"

"她们不同意,你是不可以住下来的。"

吴贵发耸耸肩:"我是没有办法。"

"不然你就把房租退还,她们马上搬走都可以。"

"我已经没有钱了,我的前妻告诉法院我没有给小孩子的钱,法官要我还,我已经把那些钱还掉了。"吴贵发说的是实话,法院传他,限期要他支付拖欠的子女抚养费,他给了八千,还有六千多没清。

冯小蓉见陈东前也没好办法,劝道:"陈先生,我们已经和他废了一下午的话,没用。想不到新加坡也有这种赖皮,在中国都不可能遇到。"

"没有关系啦,打电话叫警察来。"陈东前说着拿起电话。

吴贵发不在乎地说:"我没有地方住,警察也是不可以把我从我的房子里赶出去。"

这时,李佑君突然站起来,冲过去把张岚抱住。大家这才注意到张岚额头上和胳膊上的青筋直冒,杀气腾腾,死死盯着吴贵发。

吴贵发见势不妙,站起来,作好打架的准备。

"张岚,千万别动手,这里是新加坡,打人一定要坐牢的,不值得!"陈东前一个劲儿地喊。

李佑君声音颤抖着说:"儿子,妈求你,别干傻事。"

"放开我,尿憋不住了!"张岚大吼一声,挣开李佑君,冲进厕所,一阵水声之后,张岚端着盆子出来,"看见没有,尿。"说完,便对着吴贵发泼洒,吴贵发赶紧避让,一直避到大门外,张岚随手将他的箱子扔出门,顺势关上门,从里面反锁起来。

"学着点吧,对付下流的人就得用下流的办法。"张岚抑制不住兴奋,全屋的人也转怒为喜,但是当大家低头看到地上流溢的水时,一个个又皱起了眉头。

陈东前竖起拇指赞扬道:"张岚,你小子是瘸子轧马路。"

张岚问:"此话怎讲?"

"邪门歪道!"

其实张岚的盆子里装的是自来水。

赶走吴贵发,邓茹琳帮着张罗晚饭,大家边吃边聊,张岚和陈东前又像讲相声似的评论一番,气氛热烈,充满了亲人间的融洽与和谐。单说吴贵发被张岚赶出门,没地方可去,只得在楼下门厅里的长椅上待着,一待就是几个小时。吴贵发无精打采地坐一阵、躺一阵,躺下了又觉得不舒服再坐起,一副难受的样子。天黑了,他出去买了个盒饭,吃完又踅回原处。保安换班,来的是位印度人,同吴贵发打过招呼,便坐到值班台后,剩他一人继续着难受。

不知过了多久,张岚架着陈东前下来,李佑君跟在后面。张岚边走,扭头把吴贵发盯着,吴贵发把张岚恨着,谁也没说话,三人慢慢出门。因为怕吴贵发又来闹事,张岚和邓家母女留下来陪冯小蓉。床垫不够,张岚送陈东前和母亲回家后,顺便又带了一张床垫过来。当他抱着床垫返回的时候,吴贵发见只有张岚一人,便站起来,挡住去路。吴贵发高约一米七五,身宽体胖,像一堵墙立在前面。张岚扔掉手中的床垫,一步一步逼近吴贵发,突然从后腰拔出一家伙,对着吴贵发就捅。吴贵发以为是刀子,心里一惊,"嗖"地闪到一边,定睛一看,却是一把梳子。张岚从容地用它梳了梳自己的短发,咧嘴笑笑,然后把梳子别回腰间,拾起床垫,进了里面一道安全门。

上楼进了屋,张岚随手放下床垫,说:"我上来的时候看见姓吴的还在楼下厅里,八成是想在长椅上对付一宿,门卫也不赶他。"然后从后腰拔出梳子递给陈萍。

邓茹琳见张岚把床垫放在厅当中,起来帮着放到墙边靠着,说道:"他是这里的房东,门卫肯定认识他。"想了一阵,摇了摇头道,"其实,这人挺可怜的。没钱住旅馆,只有在外面对付着过一天算一天。"

陈萍想起在北京睡候车室的往事,回忆道:"我和我妈在北京站睡了好几个晚上,连长椅都没有,只能坐着睡。北京的旅馆太贵了。"

"为什么不跟我妈说一声,到我们家住,把我的屋让给你们就是了。"张岚的眼睛都瞪大了。

"可那会儿还不认识你们。"

"咳,真可惜,早点认识就好了。后来你们在北京住哪?"张岚关心地问。

"后来认识了一个候车室的清洁工于妈妈,她看我们可怜,就带我和我妈到她家住。她家很小,但是很干净。"

张岚舒了一口大气:"于妈妈真是好人,下次我回北京,一定去看她,好好感谢她老人家。"

冯小蓉听着两个孩子的对话,抿嘴一笑,看一眼邓茹琳。这时有人敲门,张岚打开木门,铁栅栏门外站着吴贵发。没等张岚开口,吴贵发解释:"不要生气,我不是来 disturb。下面的冷气很冷,可不可以借一个被子?"

张岚握住铁门的锁，回头看冯小蓉。冯小蓉进屋取了一床包装完好的毛巾被，从门空当递出："拿去吧，我不要了。"

"感谢，感谢。"吴贵发接过毛巾被转身要走，突然回头道，"对不起，冯小姐，我可是没有办法而已。"说完，拿着毛巾被走向电梯。张岚锁好门，大家又坐回自己的座位上，电视的画面在闪动，但谁也没有认真去看，大家都在想心事。过了很长时间，陈萍突然开口："其实我一直都很想于妈妈。"

张岚说："我也在想于妈妈。"

邓茹琳道："于妈妈真是好人，我一辈子也忘不了她。"

徐翰插话："我也想看看你们说的于妈妈了。"

冯小蓉神态凝重道："你们是想要我当一回于妈妈吧?"

张岚和陈萍对视，会心一笑。随后经过大家一番讨论，决定让吴贵发上来与张岚同住一屋，前提是只住几天。

张岚拉着陈萍下楼，见吴贵发盖着毛巾被躺在长椅上。厅内冷冷清清，除了值班的门卫没有别人。张岚和陈萍从安全门内出来，走到吴贵发身边。

"吴先生，我问你，是不是只住几天就走?"张岚见吴贵发没有反应，补充道："会不会赖着不走?"

吴贵发坐起来，呆呆地望着张岚："我不懂你讲的。"

"如果你讲道理，可以让你上去住。"张岚换了个说法。

吴贵发吃惊地问："你们不会赶我出来?"

"赶你是因为你太不讲道理，有难处可以好好说，别人才可能同情你。我只想问你到底住几天?"

"最多七天，可能礼拜六会走，事情做完一定走。"

"能保证吗?"

"一定的。"

张岚伸出手比划着："那好，我们来掰腕子，你能把我扳赢了，就让你上去。"

吴贵发疑惑地上下打量张岚，心想，小毛孩，不知天高地厚，老子搞过体育，看不出来吧？于是道："我以前在马来西亚国家队打过水球，力气很大噢！你是小孩子，赢你不好看的。"

张岚蹲到茶几旁边，摆好姿势。"你就吹吧，去年我还代表中国武术队去你们马来西亚访问过，你信吗？少废话，你要赢得了才能上去。"

陈萍转到张岚旁边，小声劝道："你没看到他那么大一个，胳膊那么老粗，你肯定不行，干脆让他上去算了。"

张岚没理会陈萍，喊道："快点来呀，怕了是不是？"

吴贵发漫不经心地握住张岚的手道："不要讲欺负小孩子噢！"

"准备好了吧？一、二、三！"张岚大吼一声，一下就把吴贵发的手扳倒，陈萍在一边欢呼雀跃。

吴贵发连忙叫道："不可以，不可以，我没有准备好！"

张岚重摆姿势，门卫印度人也过来看热闹。二人握紧对方的手，随着陈萍一声"开始"，便一齐发力，两只"型号"不一的胳膊相持有一分钟之久，最后竟是吴贵发坚持不住倒下。一旁给张岚加油的陈萍高兴得流出眼泪。吴贵发不甘心，起来活动手臂，准备再战。三回、四回张岚比较轻松就赢了。吴贵发沉下脸来，一副落败相，一声不吭回到长椅上。

张岚走过去拍拍吴贵发的肩膀，绷着肌肉让他看，"怎么样，信了吧？我才是国家队出来的！走吧，跟我上去。"

吴贵发怀疑张岚戏弄他："可是我没有赢啊。"

"没关系，好好儿练练，下回再努力呗。"张岚说完，拉着陈萍率先进了安全门。吴贵发拉上他的箱子跟了进去。

张岚能胜吴贵发，一点也不奇怪。八岁时就被他爸扔到冰窟窿里游冬泳，体育项目样样都来；肩臂看似没多宽，一身肌肉却硬得像石头，就是把骨头抽掉，也能立住不倒；再看他，走路像狮子，跑步像豹子，爬树像猴子。最关键的还是他镇定自若的气势，吴贵发已经怕了他七分,以后肯定不敢在他面前放肆,这就是张岚想要达到的目的。

随后三天相安无事,白天吴贵发出门办事,夜里与张岚睡在一间屋里。邓茹琳留下帮冯小蓉做饭,吴贵发赶上了还一起吃过一两顿。当然,吴贵发不忘吹嘘自己当初多么有钱,只怪听众不太热情,所以在一起的时候言语不是很多。

第四天,一个星期五的中午,邓茹琳接了徐翰,张岚和陈萍也放学回来。大家正在吃午饭,有人敲门,声称是能源公司的来人给了冯小蓉几张单据,解释说吴贵发长期拖欠水电费,催过三次都没交,今天是来断电,如果五天之内不交清欠费,就要断水。来人讲明缘由,不由分说将电断掉便走。

公寓楼不比组屋,通风性能不好,没出半个小时,整个房子就像蒸笼一样,热得让人受不了。冯小蓉打电话找吴贵发,手机已经停机。陈东前让她带上单据,他带着去交费,争取尽快通电。于是冯小蓉带着徐翰走了。

张岚热得受不了,坐到窗台上,手拿杂志扇着风。李佑君提着两个塑料袋回来,进门便兴高采烈地叫起来:"孩子们,快过来,看我给你们买了什么好吃的。今天我拿到工资了!"

邓茹琳走来相迎:"第一次就给钱了?"

"去一次给一次。"李佑君说着,发现一个个无精打采的样子,问道:"怎么了?"

"你这只温度计太不灵敏,"张岚放下手中的杂志,比划着,"我的水银柱子都顶到嗓子眼儿了。"

邓茹琳不会卖关子,一五一十把情况告诉了李佑君。

"这个无赖,什么事都干得出来!他会不会跑了不回来?"李佑君气愤地问。

邓茹琳回答:"不会,他的箱子还在屋里放着的。"

张岚扔掉手中的杂志,大声诉苦:"不回来就好喽!这三宿罪受的！这位的呼噜声比猪的还难听。第一天夜里起来了三回，用草纸堵他的嘴，等我睡着了，他把纸往我嘴里塞，马上我就跟他急了，骑着他非得让他把纸吃下去不可。"

"难怪天没亮，就听到你们那边丁丁冬冬的。"邓茹琳的睡眠从来就很浅。

陈萍好奇地问："他吃下去了没有？"

"他一个劲地跟我这儿求情。"张岚故作吴贵发的腔调，"好兄弟，好兄弟，我知道没有你的气力大，打不赢，就让我学狗在地上爬一圈吧。"

"他爬了没有？"陈萍问。

"爬了，只不过像瘸狗，边爬还边解释。"张岚学吴贵发的样子，"我的手臂让你扳得好痛噢，好像快要断掉。"

陈萍拍着手叫好，然后恍然大悟道："哦，那天你硬要跟他扳手劲儿，是想先把他镇住再说。"

张岚咧着嘴笑道："知己，知己，知我者萍也。"

陈萍脸红起来。

李佑君提来塑料袋，拿出山竹和芒果分给大家。"都怪姓吴的，把我第一天挣新币的高兴劲儿全冲光了。"

张岚一个健步冲上去，抢了一只芒果："这么多好吃的，我先睹为快了。"

陈萍听着不对劲，纠正道："应该是先尝为快。"

张岚做了个鬼脸："不是目睹的睹，是堵车的堵，把嘴堵住，省得胡说八道。"

众人正说说笑笑吃水果，徐翰进门，随后是陈东前扶着墙一瘸一拐地进来，冯小蓉在后。从他们的表情上就能看出，今天肯定来不了电。

没电也就苦一夜罢了，这几个聪明人可没想到，还有更大的麻烦等着他们。上午冯小蓉不在的时候，吴贵发领着房地产中介公司的经纪人来看过房子,他已经委托他们售房,并拿到了九千块的定金。拿到钱,吴贵发便去了芽笼,新加坡公开的红灯区,吴贵发一有钱就去的地方。在芽笼嫖妓是合法的,属于合法消费的一部分。

东郭先生的故事每一朝、每一代都会重复发生,这是人之初所注定的。善良的人们同情狼,因为狼像狗一样会摇几下尾巴,可狼就是狼,不仅没有狗的忠心,只要有机会就会咬人。吴贵发就是一例。

十几年前,吴贵发从马来西亚来到新加坡,开始的时候打些小工维持生计。九十年代初,新加坡的房地产泡沫形成,炒房的人大发横财,吴贵发没闲着,没钱炒房,就去帮老板们排队拿指标,拿到一个指标能得五万块钱。通过近一年的风餐露宿,吴贵发有了一笔小财,于是学着别人的样子炒起了房地产。几年下来,吴贵发手里握着有近百套公寓房,当然,大部分的资金是靠银行贷款,说起来却有六七千万的身价。好日子没过几年,金融风暴把泡沫吹破了。破产后,房子被收走,年轻的老婆跟他离了,还欠着银行四千多万没还。三年来,吴贵发开计程车,并且出租仅剩的这套住房,一个月也有四千多可供花销。过惯好日子的人再进伊甸园可以,重返贫民窟难。要不怎么会有那么多的破产者从高处往下跳,在地球表面上留下许多陨石坑!吴贵发没跳楼,好死不如赖活着。靠着他的无赖本领,先后骗过香港人、台湾人的房租,由此挣点外快。他算着日子,还有不到两年,银行的欠款就能豁免,他得开始干点事情,为两年后重入天堂作准备。他的天堂其实很简单,只要有各种肤色的美女陪着他躺在厚厚的钞票上睡觉就可以了。两个月前吴贵发去印尼,租了一栋小楼,搞起了卡拉 OK 兼地下妓院。吴贵发现,不光新加坡有天堂,印尼也有天堂,并且在印尼维持天堂的费用要低得多!然而,印尼的房租再便宜也得要钱,小姐们的工资他还欠着一部分,更严重的是欠个别小姐的私人服务费,再不给,那几个在众小姐中张扬出去,怕以后没谁愿意上他的床。于是他决定回新加坡卖房,把钱拿到印尼去建设天堂。

卖房手续复杂,并且不能马上拿到钱。吴贵发又玩起赖皮的手法,要经纪人先付一部分定金给他。哪有这种规矩,所以房子迟迟没有经纪人接手。就在这个时候,冯小蓉租房,他才不管那么多,租金照样拿,房子照样卖,新房主肯定会让冯小蓉搬出去,你一个外国人能怎样,类似的手法他用过多次,每每奏效!没想到租金让前妻要走多半,手里没有够数的钱,他不敢回印尼。恰好这个时候组屋的房东逼他交房租,他给不出来,活生生地让人赶了出去,不过还好,欠的三个月房钱让他赖掉了。吴贵发这种人,比项昆本事大,当年的项昆让房东轰出来的时候,只赚了人家三天的房钱。

无处安身的吴贵发住进冯小蓉的住所,但东郭们的善心并没有使吴贵发良心发现。火烧眉毛之下,吴贵发以极低的价格出售公寓,这才争取到了九千块的定金。有了这笔小钱,够他在印尼对付两三个月,到时房子卖了能得二十几万,他的天堂就能落成。这就是吴贵发的如意算盘,一只狼的追求。

停电当夜,吴贵发没有回来,冯小蓉那个难过劲就别提了。本想带着徐翰去住宾馆,可当事人溜了,把别人扔在这里受罪说不过去,再说吴贵发要是回来谁来对付?想来想去,只能忍受一夜。关上门,一丝风都没有,换了三身裙子,没多久就成了紧身衣;开着门吧,怕吴贵发闯回来。最后,张岚想出一个好主意,拖了个箱子顶住大门,他就睡在箱子后面,冯小蓉和邓家母女这才得以开门睡觉。一夜折腾就不再提了。

第二天,日头升得老高,窗外的阳光明晃晃的。张岚还躺在大门后的地上熟睡。有钥匙开门的声音,随后木门被推开,门后的箱子移动,碰到熟睡中的张岚。门被推了几次,张岚惊醒。门缝渐大,吴贵发伸头进来。张岚猛地站起来,把吴贵发推了出去,"等会儿再进来。"说完,关上门,转身去把冯小蓉和邓茹琳卧室的门关上,再回来开门让吴贵发进来。

吴贵发一副得意的样子,进门就喊了起来:"我有钱了,我有钱了。"边说边拿出钱包,亮出一把钞票,继续道:"这里是九千块咧,昨天晚上去芽笼花掉一点点,还有很多咧。"

张岚揉着眼睛问:"哪来这么多钱?"

吴贵发得意地说:"我有讲给你听,我过去的生意做得很大,有很多的朋友可以借钱给我。"

满脸憔悴的冯小蓉手里拿着一些单据从卧室出来,张岚急急忙忙去了厕所。"拿去看看吧,你干的好事!"冯小蓉抬手摔给吴贵发,单据飘落一地。

吴贵发愣了一下,从地上拾起单据看了看,又抬头看看墙上的空调机,明白了怎么回事,于是开始抵赖:"这个是你们前面住的人不去还,和我没有关系。"

冯小蓉冷笑道:"他不交清水电你能让他走?"

吴贵发尴尬地解释:"这,这……我是有借他的钱,then 我有让他住多一个月,他不要住。"

"遇上你这样的赖皮我是一天也不想住了。听说你有钱了,我不要你退房租和帮你交的水电费,把那九千给我,我马上就搬出去,剩下的五千算我白搭了。"

吴贵发下意识地按住口袋,好像有人要抢他的钱包似的叫起来:"这样一定不可以! 我在印尼那边租了一间卡拉 OK,要还房租,还有许多小姐的薪水要还。"吴贵发边说,边进了他睡的房间,把箱子拖出来。

"想走,没那么容易!"冯小蓉堵在吴贵发的面前。

"我讲过礼拜六走。今天是礼拜六,没有讲骗话的。"

"把钱交出来,我把房子退给你,完了你爱去哪儿都行。"

吴贵发急了:"这样会把我害死掉的。"

冯小蓉怒道:"你已经把我们害死了。"

吴贵发推开冯小蓉拖着箱子奔向大门。冯小蓉被推倒坐到沙发上,大声喊起来。"张岚,快点,吴贵发要跑了!"

张岚提着裤子从厕所里冲出来,"兔崽子,想溜,门儿都没有!"

吴贵发正在开铁栅栏门,张岚从后面拉开他堵住门口。吴贵发后退两步,定了定神,放下箱子,做出要进攻的架势。突然身后有动静,吴贵发紧张地回头,见是邓茹琳母女二人开门出来,便又拿起了架势,道:"我学过打拳,你会吃亏的。"

张岚摆出标准拳击动作,脚下移动着步子,显得非常灵活、非常专业。"来吧,练了这么多年,九十公斤级的我都打赢过一回。一会儿你不光胳膊疼,我让你说不清哪疼,全是内伤!"

领教过张岚的厉害,从事过体育的吴贵发只看这几个动作,心便虚了。肯定练过,打九十公斤级是吹牛,拿我当沙袋打着玩倒有可能,吴贵发这么想着,软了下来,转身把箱子拉进房间,回到厅里一屁股坐到沙发上,玩起了老把戏。"你不让我走,我住这里也可以啦。"

几个人见吴贵发摆出一副赖皮的样子,全都面面相觑。最后冯小蓉看不下去了,对张岚说:"你让他走,我多一眼也不想见到他。"说完回自己的房间,重重地关上门。

"没那么便宜!"张岚说着,关好门,搬一把椅子坐到吴贵发对面,用脚踩踩吴贵发的皮鞋,"咱就从你这双鞋说起。"

"我的皮鞋是一千三百块买的!"吴贵发心痛地叫起来。

"知道!你说过好几回了,所以才要踩。穷到快没饭吃的份儿上,还要穷讲究。"张岚有意气他。

陈萍在一旁惊讶地叫起来:"就他穿的这双鞋值一千多新币?我妈打扫卫生时还说呢,这人真可怜,这双鞋肯定是外面捡的。人家扔了不要的都比这好。"

听了陈萍的话,吴贵发的脸上有点挂不住,气呼呼地说:"小姑娘不可以乱乱讲,我的鞋子真的是一千三百块买的!"

"我没说不是,只不过像老太太的脸,全是皱纹。"张岚挖苦道。

吴贵发认认真真解释着:"因为它是鳄鱼皮,很结实的。"

"还不如用你的脸皮做鞋,比鳄鱼皮结实多了。"张岚有点肆无忌惮。

吴贵发的脸皮比防弹背心还是要薄一点,张岚这一梭子穿透了厚颜,令他气愤地站起来,却被张岚一把推回沙发。

吴贵发开始求情:"我很热,拜托,让我去走走……"

话没说完,张岚打断他:"才知道热? 几个月不交水电费,这回让你尝尝停电的滋味。"

吴贵发额头上汗水直流,刚刚起身,又被张岚推回沙发,气得他直瞪眼,"我会热死掉的! 我要打电话告诉警察,你限制我的自由,你会被抓去打鞭子的!"

张岚转身对陈萍道:"把电话拿过来。到时看警察信不信,这么大一只狼,能让羊给欺负了? 陈萍,把地上的那些单子捡起来,一会儿警察来了拿给他们,让他把那九千块吐出来。"张岚接过无绳电话递给他,吴贵发不理睬。

张岚自己拿起电话准备拨号:"你不打我打,我叫警察马上来。警察一敲门我就大声哭,然后把头撞出血,就说是你打的,到时看是谁会被抓去打鞭子。"

吴贵发赶忙伸手抢电话,嘴里嚷着:"你这个人太坏太坏,什么样歪歪的主意都能想!"

就这样,张岚把吴贵发收拾得服服帖帖的,吴贵发想怒不敢,想走不能,偶尔瞪一下那对小眼,可在张岚的气势之下,完全没有作用。万般无奈之下,吴贵发把两千三百多块的水电费还了,张岚这才放了他。吴贵发几乎是逃一般冲出门。

陈萍在一旁认认真真地欣赏着这场别开生面的闹剧,对张岚的表现是由衷的佩服。"你真的打过拳击?"陈萍问。

张岚用食指竖在嘴前,表示不要做声,走到门口向外张望,然

— 87 —

后回身把门关好。

　　"还行吧,学得挺像的是不是? 跟着电视比划过几次。"张岚边说边比划起冲拳。

9

男人征服世界,女人征服男人,这个世界最终是女人的。精通此道的谭玉颖费尽心机要让她想对付的男人在游戏结束之前保持糊涂的头脑。

一个城市需要有水来装扮才会更加灵动,就连不懂生态科学的老祖先们也明白水的重要性。于是在缺水的北京城里挖出个昆明湖,挖出一条护城河,其工程之大,远远超过后来的十三陵水库及八一湖。尽管护城河边不及陶然亭的湖光秀色,但因为不需门票,所以每逢盛夏,附近的市民都爱到河边纳凉。项昆也是河边恋者之一,当初和邵彦在河边恋过,后来与汪萍常来河边,现在与谭玉颖也坐到了老地方。

项昆和谭玉颖坐在岸边的石凳上,面向河水,落日把他们的身影拖得很长,身后的柏油路上停着项昆的桑塔纳。二人俨然一对恋人,只是项昆显老一些,浪漫的气氛因此而打折。

项昆拉着谭玉颖的手,温柔地表白着结婚的心意。谭玉颖则推就有方,同时劝项昆把公司关了,以便她能尽早拿到公安局里的五十万押金。谭玉颖软硬兼施让项昆一会儿明白、一会儿糊涂;项昆一再温情地把谭玉颖揽在怀里———一对恋人,各怀心计,软缠硬磨。

邵彦从他们身后骑车路过，看到项昆，犹豫了一下，停下，高声道："项昆，我有事想问你！"

项昆吓一跳，回头，起身，很快镇定下来。"一会儿就回来。"项昆对谭玉颖交待完后走向邵彦。"有话我们到那边说。"

邵彦坚定地表示："不用，就在这儿说！是不是你找人把我的网站黑了？"

项昆勉强笑笑："不知道。不过我可以告诉你，你的网站得罪了全中国的中介公司，不用我动手，想黑你的人多的是。"

邵彦轻蔑地说："告诉你，我已经开通了一条自助出国咨询热线，马上就要在全国各大报纸上打广告。大概电话业务你没办法黑得了吧？"

看着愣在那里的项昆，邵彦带着胜利的微笑正要起步，谭玉颖抢白："邵姐，人说一日夫妻百日恩，用不着斩尽杀绝吧！"

邵彦停下，吃惊地看着谭玉颖，道："小谭，有机会你出国访问一下陪读妈妈就知道，多少人生活在水深火热之中，又有多少人被迫从事色情行业，那时，你会发现自己的良心上压着一副重重的十字架。"

谭玉颖口齿伶俐地驳道："当初是你借钱办的这个公司，就算这几年挣的都是黑钱，你也分走了好几十万，怎么良心现在才发现？"

邵彦一愣，很快接住谭玉颖的话："难道不记得当初我经常教育你们，不要把国外说成天堂，不合适的人就不要给她办，宁肯不挣她们的钱。"

谭玉颖略带嘲笑道："现在该教育教育你自己了！有多少陪读妈妈因为在国内感情上受挫折才想着出去闯天下，为什么不能给她们这个机会呢？你又怎么知道她们是被迫卖身，而不是一开始就打算这样做的？如果说我们挣的是黑钱，而你告诉她们如何办，那不意味着会有更多的女人出去丢中国人的脸吗，你的良心、良知又何在？你的十字架轻得了吗？"

一席话，把邵彦说得愣在原地不知如何作答。

项昆不无得意地说："我明白，你是在找一些冠冕堂皇的理由跟我作对，损人又不利己，何必呢？"

邵彦没理会项昆，对谭玉颖道："你比我想象的聪明得多，当初我去聘你没看走眼。不过我想提醒你，项昆的话十句只有半句是真的，多留个心眼吧。"邵彦说完骑上车走了。

项昆兴奋地赞扬谭玉颖："你真厉害，帮我出了这口气。"

谭玉颖却是一副生气的样子："死到临头，还在这儿臭美。赶快给广告部的齐主任打电话，把我们的广告计划撤销掉。"

项昆如梦方醒："对呀，邵彦的广告一出来，我们的广告不就白打了，十六万肯定是白扔了。"想了想又说，"问题是我们已经付了八万，很难要得回来了。"

"这事儿我来办。不过，八万块要回来了，一半归我，行不行？"谭玉颖显得很自信。

"这么着，给你两万吧。"

谭玉颖生气地说："跟我这儿也要讨价还价，还说爱我！"

项昆只得答应，却是一千个不情愿。说着话，二人走上公路，钻进桑塔纳，开车离去。

谭玉颖一别项昆，马上就行动起来。她给广告部的齐主任打了个电话，约他出来吃饭，说是有事相商。和美人吃饭哪个男人不愿意？这位齐光头、齐大胖子如期而至。谭玉颖开门见山，提出退还广告预付款，齐主任找出一千个为难来抵挡，但话又不说绝。于是谭玉颖使出女人的娇媚，嗲声嗲气一通，齐胖子只顾欣赏，留着活口，就是不给明确的答复。看来年过不惑的齐秃子确实不惑，几个媚眼不足以办成大事。

第二天，谭玉颖又给齐主任打电话，约他晚上去卡厅唱歌，齐主任准时到场。包间里，齐主任动口不忘动手，谭玉颖推就有方，守好重点阵地,却能让齐主任开始有点迷瞪。

第三天,谭玉颖没有给齐主任去电话。到了晚上,齐主任按捺不住,主动给谭玉颖去电话。谭玉颖娇滴滴地告诉他自己肚子不舒服,在齐领导再三的关怀询问下,谭玉颖故作娇羞状说是人流造成的后遗症。于是齐主任穷其女性生理知识进行了一番开导,包括行房注意事项等等,一个话题交谈三个半小时之久,而且多次提议前去现场探视,全被谭玉颖婉言谢绝。

第四天下午,齐主任接到谭玉颖的短信,约他晚上在某宾馆某号房见面,并强调一定要带上支票。"房间开好,只等你来,看完删掉。"短信中这最后一段让齐主任整个下午浑身发热,空调的冷风也没能压得下去。

晚上,齐主任提前了半小时到达指定的宾馆,谭玉颖还没到。叫了服务员开门,齐主任火烧火燎地坐等。谭玉颖终于来了,进门就要支票。拿到支票装进挎包,不等齐某的欲火烧到自己身上,谭玉颖拍了两下巴掌,从门外进来一位美如天仙的小女子。刚开始齐某感觉被涮,大有跟谭玉颖急的意思,可定睛一看,来者不仅出乎意料的漂亮,年龄大约只在十六七岁上下,一种入道不深的感觉,让齐某欣然接受。

隔日,谭玉颖带着支票进办公室,交给项昆,并吩咐道:"回头取四万现金给我。"

项昆拿着支票看了半天,感到疑惑:"这么快?姓齐的那么不好对付,你用是什么法子?"然后不无醋意地问道:"是不是动用了美人计?"

"那还用说,要不我能办成你不行!"谭玉颖自豪地说着。

项昆带着一股酸不溜秋的味儿试探地问:"这么说你跟那秃驴……"

谭玉颖一把抢过支票,在项昆的面前晃着,"你说是这八万重要呢,还是贞操重要?"

项昆一时语塞,"都,都重要。只不过还可以想别的办法。"

谭玉颖紧逼道:"如果只有这条路,你让不让我去?"

"当然不会!我项昆还不至于为这点钱卖自己的女人。"项昆不傻,事已至此,支票都要回来了,不说点硬话面子怎么搁。

看到项昆一脸的烦云,谭玉颖开怀笑起来:"放心吧,本姑娘还没有下贱到为几万块钱就可以卖身!"于是,谭玉颖一五一十地把事情的经过告诉项昆,说到最后高潮处,见项昆一个劲儿咽口水,一副不能自持的样子,谭玉颖由兴奋转为生气,揶揄道:"哟,看你馋的,要不要我安排那位小姑娘和你见面?"

项昆马上坐直,掩饰道:"得了,别拿我开心,哪有那想法?是为你高兴的。"

"没到高兴的时候呢。给工商和税务的注销表交了吗?"

"没有,急什么?房租还有两个月,邵彦的广告也没见出来,这两个月没准还能碰上俩业务。"

"表交上去还有一大堆手续要办,没一两个月批不下来。邵彦的广告一出来,别的公司都去报停,到时拖的时间更长了。我算着现在交上去正是时候。这事我去办就是了。"谭玉颖一心就想早点注销掉公司。

"不,再等等看。"项昆语气坚定。

关键问题上项昆不肯松口,谭玉颖心里着急,于是她起身绕到桌子对面,坐到项昆面前的桌上,修长的腿在项昆面前摇晃。果然,项昆把她从桌子上拖下来,抱在怀里。

谭玉颖说:"多少事儿等着我们的,你那边的房子还不得好好装修一下,不然我怎么住过去呢?"

"行,一切由夫人安排就是。"项昆摸着谭玉颖,理智随淡淡的女人体香飘散开来。

男人征服世界,女人征服男人,这个世界最终是女人的。

谭玉颖催项昆装修房子,是想支使他去顾那头,公司就可以由着她处理。项昆之所以没有马上装修,是因为还欠邵彦二十五万,再不还,房子就要归邵彦,这是分家那会儿协议好了的。邵彦留给他暂用的二十五万流动出去就没流动回来,项昆花天酒地是一方面,主要的原因是这两个月没有新业务。诚信的业务全靠广告支撑,他们的做法不可能有回头客,去了新加坡的人怎么可能让他们的亲朋好友再往刀尖上撞。当然,项昆分析得不无道理:过去的人只要给国内的人介绍一下,自己就能办了,永远不可能再让他捅第二刀,所以,这一行只能是迷惑不知情者的一次性买卖。这段时间,项昆忙着离婚,忙着对付邵彦的网站,忙着理顺两个情人的关系,刚要出炉的广告又让邵彦的热线电话搅了,生意还怎么做?眼瞧邵彦给他的限期已经过了,项昆拿不出钱,他是真着急。此刻他又想起汪萍,后悔一时性急,应该先拿到钱,再打发她回成都,结果事情败露,鸡飞蛋打,钱也让她裹走了。咳,这种不要脸的女人,骗了老子的钱就跑,项昆每每想到这里,都会恨得牙根发痒。

尽管那日在河边让谭玉颖剋得无言以对,邵彦倒觉得她说得有理。静下心仔细一想,出去的陪读妈妈们文化层次普遍较低,在国外找工作肯定很难,没有工作,为了生存,只能利用女人的那点本钱挣饭吃。邵彦前不久在网上看到这样一条消息:新加坡警方在一次行动中抓到十三个非法卖淫者,其中十一人是来自中国的陪读妈妈。这事儿在新加坡引起轩然大波。这其中兴许就有谭玉颖所说的一开始就打算出去卖身的人。邵彦越想越不对劲,自己的做法反而会让更多的女人出去受罪,会更加有伤国颜。于是邵彦决定放弃热线电话,一心想着早点去新加坡实施她的计划。本打算年前就走的,可项昆欠的钱迟迟不还,最后她只有通过法院把房子要过来。

法院的裁定书送到项昆手中的时候,有如晴天霹雳,让项昆茫然无措,这等于赶他出门,从此无家可归。幼儿园放学的时间,项昆拿着裁定书去找邵彦。见到邵彦坐在一只长椅上看东东与小朋友们玩耍,项昆怒气冲冲地走上前,把一纸裁定书往邵彦手里一摔,吼道:"真够狠的,把我的公司斩尽,还要把我杀绝!"

邵彦把纸打开看了看,不紧不慢道:"这有什么新鲜的,欠债还钱,还不了房子就归我。当初说好了的!"

"把我挤对到八宝山睡停尸房你就高兴了是不是? 别忘了,我还是东东他爸!"

邵彦轻蔑道:"才想起是东东他爸,几个月不来看他一回!"

"就算你恨我,也用不着跟我来这一手。"

"项昆,用不着我提醒你吧,我们离婚的时候公司的账上有七十五万,押金五十万,房子折算成二十五万。你觉得要房子合算抢着要。本来应该把七十五万一次性转给我的,你说你需要流动资金,我答应把二十五万借你留用两个月。可到现在你就跟没事似的,不还钱,那我就要房子。"

"要不是一会儿开网站,一会儿又搞什么热线咨询,我的公司不至于成现在这样,你的钱早就可以还了。"

"行了吧,别自欺欺人。我的网站才出来几天,就让你找人黑了。热线是通了,可根本还没运作……"

项昆打断邵彦:"等你运作,我死得更硬。我说你别那么狠行不行,把房子留给我,钱我迟早会还你。"

"你的话能让人信吗?"

"法院把房子封了,你让我住哪里?"

邵彦将头转向另一面,不愿让项昆看到她难过的表情。"当初逼我们娘儿俩离开家的时候,你问过一句我们去哪儿了吗?"

"你可以回娘家。"

邵彦激动地用手一指,"你也可以回娘家!"

"可我娘家在河南农村,能回得去吗?"

见项昆一脸无奈,邵彦的语气软下来:"住公司不就得了。"

"住个屁! 公司马上关门,让你挤对的!"项昆又激动起来。

"全中国像你这样的公司有的是,有你不多,没你不少。正想告诉你,我已经给三姐打电话……"

邵彦话没说完,东东看到项昆,亲热地喊着"爸爸"扑到项昆身上。项昆不耐烦地一挥胳膊把东东推倒在地,东东坐在地上哭起来。邵彦抢上前抱起东东,"好啊你,项昆!畜生不如的东西!"邵彦气得眼泪快要流出来,抱着东东愤然离开。

邵彦本想告诉项昆撤销热线的决定,她这人从来是明人不做暗事。没想到,几次被打断的话对项昆有着生死攸关的意义,因为谭玉颖已经下手,而其强行注销公司的理由便是邵彦的热线。马上撤回注销申请还来得及,可怜项昆第一次像个男人似的找邵彦发泄一通却毁了自己。大概冥冥之中真有"命数",该他倒霉的时候喝口冷水也能硌掉大牙!

项昆坐在护城河边的石凳上,一副落魄的样子。落日被重重黑云遮掩,只在边缘或缝隙处透出一丝丝白边儿。初秋的风挟着几片早落的树叶在项昆身后的柏油路上奔跑着,仿佛在为一时找不到归根的墓地而焦灼。谭玉颖从远处走来,走到项昆身旁。"一整天你上哪儿去了?手机也不开!"

项昆没理她。

谭玉颖挨着项昆坐下,挽着他的胳膊:"行了,没办法的事儿,房子给她就是了。是有点不合算,这套房子现在出手,至少能卖三十几万。"

"公司没了,家也没了,倒霉啊倒霉!"项昆哀伤道。

"公司没了再办一个,有了钱房子还能再买。"

"哪那么容易?我从小在农村长大,吃尽各种苦头,就是因为穷。好不容易考到北京,还是因为穷让人看不起。去了新加坡挣了钱娶了官老爷的大小姐,可人家还是从根儿上看不起咱。我问你,你是不是也看不起我?"

谭玉颖没有正面回答:"噢,一整天你就坐这儿反省这些!"

"是该好好反省。说穿了,就因为没钱。要是一开始有那么多钱,不靠邵彦她爸,挣的钱全是我的,爱怎么花就怎么花,邵彦也不会有本钱和我作对,我照样能赚大钱,赚更多的钱!有了钱,我要享尽天下荣华富贵,尝遍天下美味佳肴,玩遍……"项昆把最后一句咽了回去。

　　听着这些话,谭玉颖泛出鄙夷的表情,接着项昆的话说:"玩遍天下名媛美色。有钱的男人都会这么想!所以说,穷点儿好。回头五十万取出来了说什么我都得拿着,省得你学坏。"

　　项昆不屑地看一眼谭玉颖。"当初我有钱的时候,你们不是这样。现在没钱了,一个个全跳出来要钱,连你也一样。世上的恩怨情仇就一个'钱'字了得!"

　　谭玉颖呆呆地坐了一会儿,然后一声不响地离去。黄昏中,项昆独自坐在河边,凄凉寂寥。

10

为了保护陈萍,张岚在语言学校同四个大男孩进行
了一场规模甚大的恶战。刘妍丽也是个惹事的主儿,在
美容院弄出事端以致不能再工作下去。

吴贵发走后,冯小蓉留邓茹琳做家务,说好每月五百块,白天
过来,晚上回去。冯小蓉是那种算得很精的人,她确实需要一个保
姆,邓茹琳当然是最好的人选。虽说比请钟点工贵点,但比菲佣便
宜不少,而且不用住她那里,说起来还是照顾邓茹琳有个工作,人
情得了,名声也有,此乃一举多得。学经济的人多半精于此道。当
然,冯小蓉不是那种小气的人,张岚帮她讨回水电费,一高兴,竟拿
出一千块给张岚作为奖励。张岚哪里敢接,只抽了八十块去买了
辆自行车。

张岚和陈萍欢欢喜喜地推着崭新的山地车回自己的住所,一
进门,李佑君吃了一惊:"哪儿来的自行车?"

张岚自得地把如何逼吴贵发还钱的经过说了一通,车子不过
是小小的奖励。

听完,李佑君认真地说:"这可不行! 回头我去还冯阿姨。"

"死脑筋! 人冯阿姨说,照商场上的规矩,帮着讨回死债得对
半。冯阿姨给我一千,我没要。"然后张岚趴在李佑君的耳边小声

说:"我让她把剩下的拿去支援邓阿姨,反正冯阿姨有的是钱!"

听了张岚的故事,刘妍丽从厨房出来,"你小子真有出息,能挣钱了! 听说新加坡有一种叫大耳窿的职业,专门帮人讨债。你别上学了,去干这行准能挣大钱。"

张岚认真起来:"真的吗? 我天天帮我妈留意报纸上的广告,怎么没看到招聘大耳窿的?"

李佑君知道张岚又要来不正经的,严肃道:"行了,别胡说八道。"然后问陈萍:"晚上你妈回不回来吃饭?"

"不回。冯阿姨让我妈帮她,每个月给五百新币,这样就够我们生活的了。"

刘妍丽问:"你们要搬她那边住了?"

"还是住这里,我妈每天过去。"

刘妍丽叫起来:"冯小蓉够可以的! 需要的时候把你们招去,吴贵发一走,就把你们打发回来。五百块够干什么的? 房租、学费一出,陈萍吃什么? 算得可够清楚的!"尽管刘妍丽没学过 MBA,一眼能看透 MBA 的想法,真是不简单。

李佑君总是从善意的角度理解别人,因而道:"总算有点收入吧,陈萍那份伙食费我出就是了。"

刘妍丽还是不服气:"空那么多房,吴贵发都能住得下,为什么不能让她们娘儿俩住过去?"

李佑君被问得无话可说,自己转身进厨房准备晚饭。

陈萍赶紧解释:"我不想过去住,那边太豪华了,不习惯,干什么都得缩手缩脚的。"

"是啊,没那身份,不进他大观园,免得让人把我当刘姥姥。不过话说回来,要是有免费的总统套房,我还真想开开眼!"张岚帮起腔来。

刘妍丽坏笑着说:"是啊,阿哥、阿妹成天在一起亲亲热热,你当然不想她搬走。"

刘妍丽扭头,见李佑君手提菜刀从厨房里冲出来,怒冲冲道:"刘妍丽!以后再开这种低级的玩笑,我跟你没完!"

刘妍丽捂着嘴回自己的房间,张岚和陈萍各自散开进屋,剩下李佑君手提菜刀瞪着新买的自行车。李佑君最怕张岚早恋影响学业,本来两个孩子从早到晚形影不离就让她担心,刘妍丽偏要去刺激她,不急才怪!

晚上,陈萍在自家屋里读书,邓茹琳回来,进屋,从手提包里取出一个纸包,打开,露出两块小蛋糕,递给陈萍,"吃吧,冯阿姨给的。"邓茹琳声音很小。

陈萍掰了一半给母亲,包起剩下的就要往外走,被邓茹琳拉住。"这么少不够分的,自己吃吧。"邓茹琳压着嗓子说。

陈萍坚持要拿出去,邓茹琳只能放手。厅里,张岚盘腿坐在地上翻阅《Today》和《Straits》,两种免费英文报纸,每天早晨李佑君都要专程去地铁站拿一趟。刘虹坐在茶几边的小凳上写作业。李佑君坐一边看书。

"刘虹,快来吃蛋糕,冯阿姨给的。"陈萍手里捧着那一个半蛋糕叫道。

刘虹放下笔,跑过来抓了一个回座位上吃起来。陈萍把剩下的半个递给张岚。

张岚看了一眼,摆摆手:"我不要,你吃吧,谢了。"

"我那儿有半个,这是你那份。"

"我从来不吃零食。"

每一个做母亲的下意识里都想自己的孩子多吃一口,所以李佑君放下书,抬头道:"张岚,又说瞎话,在北京你爸给我买的零食多半是你吃的。"

张岚急着争辩:"我那是当饭吃!"

"胡说,放着馒头、面包不吃,一口气吃掉我六袋话梅,话梅不是零食是什么?"李佑君质问。

张岚眼珠一转，道："你已经帮着我说了不是？一口气六袋，填饱肚子就是一顿饭了！谁让你们经常很晚才回家做饭。"

李佑君又好气又好笑道："我说不过你，想怎么表扬自己随你便。"

陈萍笑着把蛋糕送到张岚的嘴边，张岚就是不要。刘虹见二人推让，跑过来抢，陈萍躲闪，蛋糕飞了出手。张岚一个扑救，在落地之前一把抓住蛋糕，张开手一看，蛋糕被捏成了小面团，于是一下塞进自己的嘴里。

刘虹叫起来："妈，您出来看呀，烂哥哥把蛋糕抢去吃了。"

"你们俩大的欺负一个小的，像话吗？"刘妍丽从屋里出来，装作生气的样子，其实她是听到的。

"刘虹吃了一个，那半个是给张岚哥的。"陈萍忙解释。

"真够向着张岚的，这还没……"话没出口，想起白天的事儿，于是改口道："丫头，写你的作业去！"

邓茹琳拿着半块蛋糕从屋里出来，"虹丫头，这儿还有半个，拿去吃吧。"

刘虹高高兴兴拿着蛋糕吃起来。

"好吃的话妈明天给你买就是了。"说真的，刘虹到了新加坡，真没吃过零食，刘妍丽觉得一点内疚。

"贵得很，那么小一个就要一新币。新加坡什么都贵，最受不了的是车费，四站就是一块多，陈萍上学，还有我去小蓉那边，一天要花五六块呢。"邓茹琳絮絮地抱怨。

刘妍丽进屋拿了一张易通卡给邓茹琳："刘虹的学生车卡，不管坐多远每次只收五毛。"

邓茹琳拿着卡看了看，为难地问："上面有照片，能行吗？"

"我用过，没事儿。给陈萍用，她也是学生模样，更没问题了。"刘妍丽一片好意。

"怎么办的，让陈萍也办一张。"

"要等进了政府学校才能办学生车卡。"刘妍丽解释。

李佑君听着不对劲,放下书道:"别这么干,新加坡是个法制很严的国家,要是被抓住还得了!"

"没那么邪乎,我用了不少回,没人管。我上班近,用成人卡也才多两毛钱,你们拿去用合算一点。"刘妍丽诚心帮忙。

张岚搭话:"陈萍用不着车卡,以后上学我骑车带她。"

李佑君急了:"这不行,新加坡没有自行车道,你一个人骑车上学我都不同意,再带一个,不是更危险!再说,这里的紫外线太强,要不了两天,就得把你们晒成黑煤球。"

张岚皱着眉头想了一阵,进屋拿了一把剪刀,把晾在杆子上的一幅布窗帘取下,比着位置就要下剪刀,李佑君叫起来:"好好的一幅窗帘你剪它干什么?"

"有了它能帮咱们省不少钱,您就瞧好吧。"张岚说着,一剪子下去,窗帘开了天窗。

从那以后,张岚天天骑车带陈萍上学,新加坡的马路上多了一道风景线:一个少年载着一位少女,头顶太阳帽,身披大布帘,脑袋从布帘的两个洞口露出,张扬地在马路上奔驰,引路人驻足观望,也让开车的司机开心片刻。

李佑君又陆续收到四个学生,成天忙得不可开交。由于大量的陪读妈妈涌入新加坡,家教的价钱一路杀低下来。好在李佑君的英文不错,可以辅导数学和科学科目,这些科目每小时还能拿到十多块;而华文,一个小时只有五六块的市价,因此一个月下来,李佑君能挣八九百。这可是血汗钱,不管下多大雨,二十分钟的路李佑君从来不舍得坐车,白皙的她不到一个月就变得黑瘦,要是让张明贤——张岚他爸看到,心疼死!

谁也想象不到,原本文静的李佑君能吃得下这般苦。多少年来在国内的高校工作,就那么几节课,可有可无的课题研究,用"养尊处优"四个字形容过去的十几个年头不足为过。可李佑君就是有这股毅力,自己认定的路,就是火堆也要闯过去。就让那二亩地见鬼去吧,彼岸应该就是她想望中的天堂,就算她迈不过火山,她也要把儿子扛过去。

新加坡的雨,"倾盆"二字不足以形容。大雨中,李佑君和一些路人被困巴士站棚下。模糊的视野中,有人骑自行车从远处驶来。待近,看清是张岚骑车带着陈萍在马路中央狂奔,二人被布帘裹在一起。李佑君认出张岚,叫了起来:"张岚!疯了!不要命了!"

雨声和雷声混杂,张岚没听到李佑君的喊叫,眼看就要冲过去,李佑君冲上马路,才将张岚拦下。雨如瀑布,张岚和陈萍二人被套在一起相互牵绊,一副狼狈不堪相,引得路人皆笑。费了很大的力气二人才把布帘取下,只见张岚、陈萍浑身上下湿透,李佑君也差不多湿尽。

"刚才警察都没能挡住我,就您这一嗓子,我乖乖下来了。您比警察厉害!"张岚嬉皮笑脸。

李佑君气得脸发白,训道:"这么大雨,多危险!你不要命,还要拉一个垫背的。"转向训斥陈萍:"下着雨你为什么不坐地铁,张岚是个疯子,你怎么也不懂事呢?"

陈萍一副委屈要哭的样子:"阿姨,我,我错了……"

"行了,妈,别大惊小怪的。您想想,平日里太阳晒着,我们没少受罪,好不容易赶上一回好天气,您不让我们痛快,多冤!"张岚这口气,仿佛错在李佑君。

李佑君气消了一点,道:"想痛快可以,靠着边,慢慢骑,谁让你骑马路中间去找死。"

"不会!新加坡的司机都挺文明的,刚才还有一位一边超我一边跟我这儿比划这个。"张岚竖起大拇指比划着。

"不是,他是这么比划的。"陈萍如实报告,学着篮球裁判的暂停动作。

李佑君说:"那是让你们停下。"

张岚一副不以为然的样子："这个我还能不懂吗？我以为是邀请我们上他的车呢，结果我停下，他开着车跑没影了，成心拿我开玩笑！"

"听妈的话，以后别骑那么快，千万不能骑马路中间去。妈就你一个儿子，要是有个好歹，你让妈以后怎么办？"还真是的，每回李佑君让张岚气到半死，然后能让他说活过来。

有几个路人递给张岚和陈萍餐巾纸，李佑君拧干布帘的一角给二人擦头发，三人一阵忙乱。

张岚和陈萍在语言学校里的进步很大。一方面是两人学习认真，另一方面也同老师丰富的经验分不开。那位美籍教师总是那么和蔼可亲，并且总能找到孩子们有兴趣的话题，让孩子们无拘无束、畅所欲言。大概这就是学习语言的规律，只要学生能放下包袱开口多说，语感就能很快形成。两个月下来，张岚和陈萍很快就迈上了一个台阶。

这天，张岚和陈萍一大早就骑着他们自称为"奔驰"的自行车来到学校，在马路边的护栏上锁好车，二人上楼，进到玻璃门，马小姐招呼他们过去，"你们的老师讲，你们可以去中级二班上课。我已经同 Mr.Kerr 讲过，直接去中二班就可以了。"

张岚和陈萍高高兴兴地往马小姐指点的教室走去。这本是好事一件，却不料生出事端来。

Kerr 先生正在讲课，教室里只有七个学生，三个年龄小一些的坐在老师跟前，最后面坐着四个青年模样的男生，根本没在听讲。张岚和陈萍推门进来，走到前排坐下，后排的四人不怀好意地打量着他们。

Kerr 先生热情地欢迎他们，分别让张岚和陈萍进行自我介绍，张岚应付自如，陈萍显得很紧张。介绍完毕，这位英国绅士很礼貌地致谢："Thank you, pretty girl. Take it easy."

听了这话，坐在后排的四个大男孩开始起哄。

甲："Beautiful，她很 Beau 的！"

乙："你们老外有眼无珠，她真的很 Beau。"

丙："跟我 make friend，晚上我请你吃饭。"

丁："跟我吧，除了吃饭，还带你去卡厅。"

张岚实在听不下去，一拍桌子站起来，怒视后排四人："几只癞蛤蟆，起什么哄！"

"嗬，这小哥们儿还挺横，教训教训他！"说着四个人起身就要往前来，张岚提起椅子准备战斗。

Kerr 冲过去挡住四人，将他们劝回座位，张岚也坐下，继续上课。尽管 Kerr 先生的课讲得情趣生动，谈笑风生，但后面四人不但不听讲，还不时嬉笑、争抢游戏机影响课堂气氛。Kerr 耸耸肩，一副无奈的样子。

这四人来自中国，有钱人家的纨绔子弟，年龄都在二十上下。他们在这所学校读了一年多，英语总通不过，进不了其他学院读专业课程。他们上课捣乱，学校拿着没办法。不看人面看币面，毕竟他们长时间在为学校的经济作贡献！

中国的改革开放让一部分人先富起来，也让一部分人先堕落下去，最可悲的是有一些青少年从小就学会游戏人生。父母投身在币海中扑腾，有的被淹得半死，有的如鱼得水，钱的吸引力超乎子女亲情，养出败家逆子是必然的结果。对于这些人，新加坡算是一个好去处，人人遵纪守法，犯罪率居世界之尾，人民温文尔雅，想打架还找不到一个对手。于是有钱人家的坏孩子大批涌入这个小得不足容纳中国任何一座名川的岛国，他们的父母希望孩子在这里近朱者赤，让新加坡社会帮他们调教出一个良民，省心、省事，尽管不省钱。良好的愿望不一定有良好的结果，就看这四位公子，来到新加坡，在中国常干的坏事多半要戒掉，但新的毛病不用练就能上瘾。赌球、赌马、泡吧之类的成人游戏让他们得以释放精力，而且乐此不疲。

即使小小的游戏机也能成为赌具，谁输了谁掏钱。

这日，Kerr先生正在讲课，张岚等人与他讨论热烈；后面三个大男孩专心地玩游戏机，有时他们的热烈程度还会盖过前面。这时门开了，大赌棍丁某哭丧着脸进来，坐下。其他三人转过去，压低嗓子问他：

"赢了输了？"

丁嗓音嘶哑道："输了，四千八，所有的钱全放进去了。"

"你赌哪个队？"

丁："皇家马德里。"

"皇马肯定赢！"

丁："没赢，三比三，平了！"

"我靠，哥们儿你太不运气了！"

丁："我连吃饭的钱都没了。"

"打电话让你爸汇呀！就说钱丢了。"

丁："我才骗他们丢了钱，这回他们肯定不会信。"

说完，丁某失声哭起来，Kerr过来询问，被另外三人支吾过去。Kerr耸耸肩，一副不可思议的样子，抬手看一下表，匆匆收拾了自己的东西，一脸不高兴地出了教室。

张岚拿出手表看了看，说道："还有半小时下课，都是那几个混蛋把老师气跑的。"

陈萍使劲拉了一下张岚，用眼睛瞟一下后排的四人。

张岚不再做声，收拾起东西准备要走。这时，后排的三个男孩走上前来，找了座位围着陈萍。

"小妹妹，来了那么久了，也不跟我们几个打个招呼，不够意思吧？"

三人你一言、我一句地挑逗陈萍。陈萍起身拉着张岚要走，被丙拽住。"别走啊，没事儿坐着聊聊。"

张岚放下手中的书,指着丙命令道:"放开她!"

丙站起来,拉着陈萍的胳膊没放,"不放你能怎么样?"

张岚猛地向丙的肚子挥拳而去,丙一捂肚子倒在地上,桌椅随之倒下。旁边那两人看着不知所措。丙从地上爬起来,挥拳扑向张岚,张岚一闪身,躲开丙的拳头,随手拉住丙的肩往后一搡,丙脚下不稳,一头仆倒,撞在桌角上,血流满面,桌椅一片狼藉。丙坐在地上捂着头,另外两个男孩站在原地不敢靠近张岚一步。张岚带着胜利的自豪,昂首走向门口。就在他经过原本趴着哭鼻子的丁某身边,丁突然起身死死抱住张岚。丙同另外二人冲上前,对张岚一阵拳打脚踢。张岚百般也挣脱不开丁的手,眼看被打得没了气力,陈萍冲到丁的背后,一口咬在丁的肩头。丁疼得松开手,张岚猛扑出去,将丙按倒在地,然后起身顺手提起一把椅子,砸向迎面冲上来的丁某。丁本能地用胳膊去挡,张岚顺势抬腿踢倒丁。张岚提着椅子冲向另外二人,吓得他们夺门而逃。丙从后面将张岚扑倒在地,却按不住他,抬头向丁求助。丁捂着胳膊咧着嘴冲上来用脚踢张岚的肚子。张岚趴下,丙乘机骑在了张岚身上,挥拳便打。这时马小姐冲了进来,使劲儿拉住了丙。陈萍上前扶着岚慢慢爬起,只见张岚已是鼻青脸肿。

在新加坡,这可是一场规模不小的战斗,张岚鼻青脸肿,丙某头上缝了四针,丁某的胳膊骨折,可谓战果累累。本来这一事件足以引来警察、各路记者,乃至法官介入,但学校为了声誉,为了不影响招生,将事情遮掩起来。经学校董事会决定,开除丙和丁,吊销他们的学生准证,七天之内必须离开新加坡。学校电话通知李佑君,请她到校。李佑君与张岚一同来到学校,推门进去,母子二人在马小姐办公桌前坐下。只见张岚脸上青一块、紫一块,一只眼眶乌肿,胳膊上、手上还缠着纱布。

马小姐看着张岚,道:"想不到你会打人!什么事情,你可以同我讲,我就在这里,为什么不可以?"

张岚没说话。

"对不起，打架肯定是不对的，我已经狠狠地批评了他。只是我问过他们两个，是那几个大孩子要欺负陈萍，张岚才动手打人。我们希望学校能了解清楚事情的经过，再作处理。"李佑君说是道歉，实则是据理力争。

"那两个打架的男孩子已经被开除。"

马小姐的话吓了李佑君一跳，她紧张地问："张岚不会被开除吧？"

"我是为了正义，凭什么开除我？你们校方要是再不开除他们几个，我真要去告你们，只想着收钱，不顾教学质量。"张岚不是恐吓，说的是真心话。

李佑君在张岚的肩上拧了一下，道："要你多嘴！学校会公正解决这事儿的。"

马小姐说："我从来就知道张岚的嘴很厉害，不晓得打架也是蛮厉害！你比他们小，他们四个人，你还敢同他们打架，还会把那两个打成重伤！"

张岚不顾李佑君的阻挡嚷道："我这是在为正义而战。"由于说话用力过重，张岚用手捂着疼痛的下巴，吃力地继续道："这叫牺牲我一个，换来天下的太平。"

李佑君摇头表示无奈，马小姐却笑起来："Mr. Kerr，还有别的老师都替你求情，学校董事会的决定对你很有利，如果那两个人的父亲把医药费还给学校，就不要你们还那些钱。如果他们不同意，我们再讨论喽。"

李佑君再次试探着问道："张岚不会被开除吧？"

马小姐说："哪里会有这样的事！老师和同学喜欢他，我们不会没有长眼睛的。"

李佑君释然，张岚起身伸出受伤的手要同马小姐握手。"我就知道你会帮我说话。握握手，我还得说声谢谢！"

马小姐看着张岚缠着纱布受伤的手,道:"不要吧,你会痛的。"

张岚一副真诚的样子,道:"不会,对真心爱护我的人,再疼也值得!"

马小姐小心翼翼地握张岚的手,刚接触上,张岚便叫唤起来,马小姐紧张地缩回手,连李佑君的心都紧了一下。

"没事儿! 和你们开个玩笑。"张岚一笑。

李佑君生气地捶了一下张岚的屁股,这下真打在张岚的伤处,只见他憋红了脸,却没叫出声。

要说张岚是个惹事的主儿,刘妍丽也不省油。自从刘妍丽去美容院工作,就没有顺心过。刘妍丽的性格就干不了细活,常有顾客抱怨,好在陈东前同老板的关系还算熟,不时打电话关心一下,老板没为难过她。主观上说是刘妍丽不满足这份收入,就算转正拿一千五也离她的期望值有一段距离。这日她又同顾客闹了不愉快,挨了批赌气自个儿走了。回到家她就给陈东前打电话,要他过来商量事儿。陈东前的脚还没好全,一瘸一拐地还是来了。刘妍丽坐在桌边削着苹果,等陈东前在另一边坐定,开门见山道:"陈先生,我可一直盼着你的脚早点好。帮我另外找工作吧,美容这行我真的干不下去了。"

"打电话让我过来就为这事儿?"

刘妍丽把削好的苹果递给陈东前,点了点头。

"已经干了俩多月,马上转正加薪,这会儿不干多可惜!"陈东前不可理解地嚷道。

刘妍丽又拿起一个苹果削了起来,说:"这种伺候人的事儿我还真是受不了。就说今天吧,来了一位六十好几的老太太,我客客气气地称她太太,她跟我急。她说了,"学着老太太说话的样子:"'你有没有搞错,我还没有结婚,不可以叫我太太,要叫我小姐,你们这里的人都是知道的。'好嘛,小姐就小姐吧,没牙了我还叫她小姐就是。我给她擦脸的时候,不小心,指甲剐了她一下。这位老小姐,不依不饶,把经理都给请来了,对着镜子,在满脸的皱纹里找了半天,好不容易在一条深沟里找到一个小红印,硬说是让我给挖的。你说气不气人?"

"让经理说了,是不是?"陈东前问。

"可不! 经理把我叫到办公室。"

刘妍丽还想解释,陈东前摆摆手,道:"打住吧,肯定和经理干上了。就你那脾气,我还不知道?"陈东前挠着头皮继续道,"这回我得出面,幸亏那位经理我还熟,我去说说,一准儿没事儿。"

"我是想你帮我另找工作。上回你不是说按摩挣钱多,帮我介绍一处行不行?"

陈东前坚定地回答:"不行! 这我不能答应。"

"不答应算了,我自己找去!"

陈东前叫起来:"这可不行,那地方不干净,不能去!"

"关你屁事,你不帮忙可以,别想拦着我。"

陈东前认真道:"你要是去了,我就去告你! 听说政府最近出了一项规定,禁止陪读妈妈从事按摩这类工作,这样你拿不到工作准证,只能是打黑工,我一告你一个准儿。"

刘妍丽把削一半的苹果丢回了筐里,怒道:"陈东前,我没得罪你吧?"

"你先吃着,我来削。"陈东前把举在手里还没吃的苹果递给刘妍丽,想以此缓和气氛。

刘妍丽接过苹果丢回筐里,道:"你也别吃了! 好心和你商量,跟我来这一套!"

陈东前只有赔着笑脸安慰道:"行了,美容院你不想干也行,我帮你想想别的办法不就是了,急什么急?"

刘妍丽追问:"别的什么办法?"

"等我想好了再说吧!"从表情上看,陈东前是认真的。

这时李佑君和张岚开门进来。陈东前看到张岚那副模样,吃惊得嘴都张大了,"张岚,怎么成这样了? 让谁打的?"

李佑君放下手里的菜,说道:"在学校打架打的。"

陈东前咧着嘴挤对道:"谁那么厉害,能把你打成这样! 我真得谢谢那位,着实帮我出了口气。你害我瘫了俩月没能干活。"

张岚神气地说:"四个,我一人打四个。一个让我把胳臂撅折了,还一位脑袋让我开了,缝了四针。"

李佑君苦笑道:"张岚,你怎么就不知道害臊,让人打成这样,还嘴硬! 要不是你们老师救了你,谁知道这会儿你在哪?"

"我这是光荣负伤,给学校除了害,办公室的马主任还表扬我见义勇为、除暴安良。"

"等等,哪来一位姓马的主任,我咋不知道?"陈东前问。

"就是那位马小姐。"张岚解释。

"马小姐什么时候升官当主任了?"陈东前不解。

"办公室就她一人管事儿,不是主任是什么?"

陈东前点着头,挖苦道:"噢,我明白了,校长没表扬你,找个主任表扬也挺管用。"然后转向刘妍丽:"你这个当兽医的怎么也不给你大侄子治一治伤?"

刘妍丽说:"哟,你这人还挺记仇的!"

李佑君从厨房出来,手里拿着一份报纸,翻开让陈东前看。"你看这条广告,招聘集成电路设计工程师,他们的要求我都能满足,我有没有可能去应聘?"

陈东前随便瞟了一眼便放下报纸,拿着架子道:"从理论上说你可以去应聘,只是不要抱多大的希望。"

"你这人怎么酸了吧唧的,有话直说!"刘妍丽指责道。

陈东前这才认真地解释起来:"因为你拿的是访问签证,人家要用你,得先去人力部替你申请就业准证,不但手续麻烦,审批时间长,还不一定能批。如果同时有其他的人选,公司不可能考虑你。再有,一个公司里外国人不能超过三成,如果名额用完了,就

— 111 —

算是想录用你,也申请不到就业准证。"

刘妍丽听得不耐烦,说道:"咳,去试试看,不行拉倒!"

"是的,我想去试试,不容易看到一回专业对口的工作。"说着,李佑君转向陈东前:"不容易来一回,一起吃晚饭吧,我预备了你的。"

"好啊,那我就不客气了。"陈东前高兴地答道。

张岚问:"想不想喝点啤酒?我去扛。"

陈东前连忙摆手:"别,别,别,那不又成鸿门宴了!"

11

李佑君去集成电路设计公司应聘,因为陪读妈妈的
身份被拒。凭着她坚忍的意志,奇迹发生了。

新加坡国土面积小,土地资源匮乏,因此没有农业和重工业,
高新技术产业独占鳌头。在新加坡看不到重工业的宏伟场面,就
连国际著名的硬盘厂家希捷公司在新加坡也只有三幢不大的楼。
一般的工业企业都集中在园区内,大的公司占一幢楼,众多中小企
业只是在工业大楼里租几间厂房进行生产或设计。

李佑君准备去应聘的集成电路设计公司在一座工业大楼的第
三层占了其中的一个单元,约有三百平方米的样子。公司的大门
只是一扇普通铁门,门上安装有电子识别锁,员工用卡在识别器上
扫一下才能进入。门外有一接待柜台,一位职员专门接待来宾。
李佑君手里拿着报纸,对着门牌号寻到门前,向接待员说明了来
意,接待员给里面打了一个电话,随后用卡在门边的识别器上扫了
一下,开门让李佑君进去。

李佑君进门,一位工作人员迎了上来,交给她一张表格和一枝
笔,示意到沙发那边去填写。李佑君走过去一瞧,已有八九个人手
里拿着填好的表格等候面试。见到这情景,李佑君心里一沉,想起
了陈东前几十个萝卜一个坑的比喻,看来真是这么回事! 想到自

己陪读妈妈的身份,李佑君打起了退堂鼓。可转念一想,专业对口的工作都没信心,还能指望什么?李佑君给自己打着气,坐下来等面试。一等三个小时过去了,快到一点的时候,李佑君才被"点将"叫了进去。

这是间很大的会议室,中间一张会议桌,桌旁围着几十把椅子。在桌子的一角,坐着一位三十多岁的女职员。李佑君进门,二人相互问候,女职员接过表格和简历,认真看了起来。过了一阵,女职员抬头问道:"你是陪读妈妈?"

"是的。"

"可是我们广告中有讲,只要新马公民或 PR,我们不会要陪读妈妈的。"

"专业要求我全能达到。"李佑君这样为自己争辩。

"这样也是不可以,我们不会为你申请就业准证的。"

这时从另道门进来一位五十几岁、老板模样的人,问:"还有几人?"

女职员回答:"最后一个,这个人不需要同你见面,她是陪读妈妈,我们不要考虑。"

李佑君面带不悦道:"等了三个小时,只为我是陪读妈妈,你们问都不问一下就让我走,有点不大近情理吧?"

女职员说:"这个不是我们的错,广告中有讲清楚的。"

"我们中国有一句古话,叫'不拘一格降人才',我想贵公司不妨试试。"

李佑君的话令将要离去的老板停步,回身要过简历,仔细地翻阅起来,然后道:"那你就试一试喽。"随后向女职员要了几张电路图纸,递给李佑君道:"这几张图纸都有设计问题,给你十分钟,把有问题的地方圈出来。"又对女职员交待:"如果她全部答对,才可以带她来。"说完老板离去。

李佑君展开图,研究起来。尽管几张图涉及各种电路,但对李佑君这位专门编题折腾学生的大学教授来说，当然不在话下，可她还是认真核对之后才"交卷"。

第一张通行证拿到了，李佑君得以面见老板。

进门后，老板示意李佑君坐下。"所有来应聘的人只有你全部答对。你对各种电路一定很了解的。可是你是陪读妈妈，我们是不会接受，所以我不想同别人一样问多一些问题。我可以给你一个机会，如果你能解决，我再考虑。"老板一本正经地说完，拿起电话叫"陈生"来他办公室。

新加坡人常常将"先生"的"先"字省略，姓张的叫"张生"，姓王的人称"王生"，只有姓"花"的人麻烦一些，但毕竟极少。

陈生，一位五十上下的学者，进门问："钟生，有事找我?"

老板钟先生回答："接口电路还没有人做。这位李小姐是来应聘，你让她设计一下，看看她可不可以做。"

陈生正被设计上的难题搞得焦头烂额，极不情愿分心，尤其看到来人是一个女性，更觉得顶不了大用，于是道："现在不是接口电路的问题，关键是核心运算部分的电路设计有问题，测试的时候总是溢出，一直找不到原因。接口电路要不了两天就能做好，以后再说吧。"

"我只是想试一下这位小姐可不可以做。"

"OK，我明白了。"尽管不情愿，但老板的安排不能不执行，于是陈生带李佑君出门。

第二张通行证拿到了，李佑君心里一阵高兴。

设计室内，大家在忙着自己的工作，陈生对李佑君扼要介绍了信号采集卡及主控板的接口设计要求。李佑君要来总线设计图又找陈生要核心运算设计图。陈生干脆把一堆图纸给了李佑君，没多解释，坐到电脑前专心干自己的事去了。

陈生全名陈友和，原是南京某大学的教授，博士生导师，是钟老板以重金挖来的。人如其名，陈教授平常总是友善和蔼待人。

这些天因为工作中遇到难题，眼看与台湾公司签订的合同期已经过了，再拖下去，对方要是撤销合同，造成的损失可就大了。陈友和急，钟生更急，但是核心电路始终过不了关。从他的表情中，李佑君感到了陈友和的压力。接口电路她一看便心中有数，而核心部分的并行运算，正是她在国内的研究方向，可以说了如指掌；她的"野心"是想找出设计中存在的问题，如果解决得了当务之急，这份工作就能抓稳，一个月可是三千新币的薪水！李佑君坚定了势在必得的信念。

下班时间到了，其他人纷纷脱了外衣离去，设计室只剩李佑君和陈友和。室内温度很低，李佑君抱着双肩还在认真地研究图纸。陈友和取了别人留下的一件外套给她穿上，二人无语，各自专心干自己的事。有事干的时候，陈友和很少按时下班，反正只有他一人在新加坡，无牵无挂，事业就是他日常生活的唯一。到了晚上七点多钟，陈友和从柜子里取来面包、点心和牛奶与李佑君同食，二人边吃边讨论电路的设计。李佑君全然忘记了张岚在家着急。

晚上九点已过，李佑君还没回家，又没半点音信，从来不知道着急的张岚也感到坐立不安。桌上摆着两碗饭几样菜，电扇在一旁嗡嗡作响，张岚粒米未进。陈萍、刘虹和刘妍丽从公园散步回来，见此情景，都来安慰他。

刘妍丽坐到桌子边，说道："吃吧，红烧肉凉了不好吃。我没准他们俩吃皮儿，全给你留着。中医说吃什么补什么，吃心补心，吃肺补肺。你把这些猪皮吃了，皮肉伤肯定会好得快一些。咳，就是买不到牛皮，要不牛皮的疗效还要好点儿。"

张岚扑哧一下笑了："刘阿姨，您这兽医就这么当的呀！"

刘妍丽认真道："行了，我不是医生，可我说得有科学道理！"

"把您的发明告诉五角大楼，让他们每天红烧鳄鱼皮给美国大兵吃，打仗的时候不用穿防弹背心了。"张岚用上了归谬法。

"那不行，美国的女孩不干了。"陈萍还当真了。

张岚把红烧肉推一边，道："所以说这些猪皮我不吃！"

刘妍丽瞪了陈萍一眼："你急啥，吃了猪皮又不会长猪皮。"

刘虹上前轻轻摸着张岚脸上的受伤处，心疼地说："哥，我想你好得快一点。"说着用嘴去吹张岚的伤，接着在他的脸上亲了一下。陈萍本来就被刘妍丽说得不自在，见这场面，赶紧躲进自己的房间。

十一点已过，刘虹和刘妍丽躺在厅的地上睡觉，邓茹琳坐在凳子上一副疲倦的样子。张岚坐在桌边，饭菜还是颗粒未动。

"不行，我得去那家公司找我妈！"张岚突然开口。

陈萍说："报纸你妈带走了，我们又不知道是哪家公司。"

张岚起身往外走，"我去警察局。"

陈萍跟着，被邓茹琳拉住。刘妍丽从地上爬起来，叫住张岚，自己进屋换一身衣服，与张岚一同去了警察局。

警察局门厅的柜台后，一个华族和一个马来族的警官坐在那里。张岚和刘妍丽推门进去，径直走向柜台。

"我们来报案。"

华人警官看着张岚的脸道："OK，你可以讲，是什么人把你打成这个样子。"

"咳，我不是为这来报案。"张岚正要解释。

"那你怎么会成这个样子呢？"华人警官继续审问。

"摔的，从楼梯上摔下来了。"

"是的，是摔的。"刘妍丽帮腔。

华人警官笑笑："小孩子要讲骗话，妈妈不可以讲骗话。我们是警察，摔的和打的样子一下子就能看出来。"

张岚解释："我们不是为打架的事来，打我的那俩已经被学校开除、吊销了学生证回了中国。我们有要紧的事儿找您。"

"你在哪一间学校？明天我会去学校问一问。"警官转过去转过来对他脸上的伤感兴趣。

"哎呀！我这是自投罗网！打架的事儿你们就别管了,现在问题是我妈丢了,人命关天的大事!"张岚生气地叫起来。

随后,张岚讲明了情况。听完解释,警官翻出旧报纸,找到那条广告,拿起电话拨了一阵,没有人接听。放下电话,警官交给他们一张表格填写,并在电脑上查看事故记录。查明今天全岛没有发生一件事故后,警官又做了一些提问,然后开车带着张岚和刘妍丽,按报纸上的地址去找人。

警车在灯火通明的公路上奔驰。警官开着车,张岚坐在旁边。刘妍丽坐在后排,透过车窗欣赏着夜景,"新加坡的夜景真不错,比白天好看多了。要不是您开着警车护送我们,晚上我们从来没敢走远。"

"没有关系,新加坡很安全的。"警官说。

"找到我妈,我请您吃夜宵。"张岚这会儿感觉肚子饿了。

警官认真道:"不可以,我们做警察是有规定的。"

"我们不能请您,您请我们就是了。"张岚不假思索道。

警官笑道:"我开车让你们看夜景,还要请你们吃夜宵,你想得真是很美、很美。"

"没关系,回头把您开车带我找妈妈,还请我们吃夜宵的先进事迹告诉全中国的警察,号召他们向新加坡同行学习。"

警官笑着轻擂了张岚一下。

按说,李佑君可不是那种没有责任感的人,但她有一毛病,一旦进入工作状态,别的什么都会忘,而且谁要是在这个时候打岔,她跟谁急。从事科学研究的人多少都有这种毛病,当然,老板们最欢迎这种人。她与陈友和讨论完设计的调整,二人迫不及待地进行试验,仅是调整测试台上的排线就花了两个小时。待一切就绪,李佑君信心十足地说:"可以加电了。"

陈友和合上电闸,回到电脑前坐下,李佑君目不转睛地盯着监视屏。第一组数据送入,通过;第二组数据,OK;第三组数据也通过了。现在三组一起送过来，漂亮，全部通过！

二人一同欢呼起来，禁不住像年轻人一样击掌庆祝。

"李老师，你太厉害了！我们这么多人几个月都没做出来，让你一天就给完成了。"直到这个时候，陈友和才认真地端详李佑君，发现眼前的这位女性当刮目相看。

"不能这么说，该做的你们已经做完了，只是地址总线的分配上出了一点小问题。"李佑君说得也很客观。

"这下可以松一口气，我也能拿假休息一段时间了。以后我们这个组有你，我的压力会小太多！"

"还不知道钟生会不会要我。"李佑君试探道。

"像你这样的人才打着灯笼都没处找，钟生不留你他是瞎了眼！"

李佑君心存焦虑道："我是陪读妈妈，准证不好办。"

陈友和的表情严肃起来："这个确实由不得钟生。最近新加坡的失业率创了历史新高，所以听说给外国人的就业准证特别难批，批不到就业准证，钟生肯定不敢用你。"

听了这话，李佑君的心情一下变得沉重，低头不语。陈友和本想安慰她几句，可他不擅辞令，一时想不出话语，只好陪着沉默。过了一会儿，李佑君抬头，无意中看见墙上的钟，惊叫起来："天哪！已经两点过了！家里人非急死不可！"

李佑君匆匆忙忙收拾自己的东西，陈友和赶忙关掉电闸，叫住李佑君，开车送她回家。

陈友和开车送李佑君回家的途中，警车载着张岚和刘妍丽进了工业园区的大门。三人循着门牌号找到公司，张岚上前敲门，刘妍丽很疲倦的样子坐到接待台后的椅子上，警官用手机拨号，可以听到里面有电话的响铃，却没人接听。

"不！我妈就在里面，只是听不见外面的电话。"张岚说完便走，"我去楼后面看看哪个窗户还亮着灯。"警官和刘妍丽跟着张岚又是一阵白忙乎。

李佑君回到家，见张岚和刘妍丽不在，知道是去找自己，心里自责，可又没别的办法，只能坐下等候。寂寥的夜里，刘虹在厅中睡熟，屋内不时传出邓茹琳微微的鼾声。不知道过了多长时间，门外响起脚步声，李佑君忙去开门，却只有刘妍丽一个人回来。

刘妍丽一通责备，并告诉李佑君，张岚去警察局取自行车了，说着，打着哈欠进了里屋。

张岚从警察局取车后并没回家。坐着干着急可受不了，直感告诉他，母亲一定在那家公司，于是又杀了回去。张岚骑着自行车在公路中央飞奔。他飞速冲过一个路口，"吱……"一辆与他几乎擦身而过的汽车尖叫着急刹车，险些撞在护栏上。司机开门下车找骑车人，早就跑没影了。张岚发疯似的一连冲过几个路口，最终体力不支，车速慢了下来，沿着路边滑行了一段后，停下。张岚跳下车，人和车都倒在路边的草地上。张岚喘息着，对着夜空怅然大喊："妈！你在哪儿呀！"孤独的声音在陌生国度的旷野消散，四周依然死一般寂静。

李佑君在家左等右等不见张岚回来，凭着她的直感，知道张岚一定又去了公司，于是打了一辆出租车直奔工业园区。母子连心还真不假，来到公司门外，果然见张岚蜷曲着身子靠在墙角处睡着了。张岚受伤的脸，苍白的纱布，在昏暗的灯光下更显惨淡。李佑君蹲到张岚身边，忍不住掉下泪来。

"儿子，看你这副可怜样。"李佑君轻轻摇醒张岚。

张岚睁开眼，用力眨了几下，惊喜地抓住李佑君，叫起来："妈，不是在做梦吧？我就知道在这儿能等到您！"

李佑君将张岚搂进怀里，哽咽起来。

12

邓茹琳使用学生车卡逃票被抓现行,面临高额罚款
她哭了,种种打击让她精神濒临崩溃。

刘妍丽辞了美容院的工作,陈东前建议她经营学生宿舍,不但
帮她在离几所理工学院较近的宏茂桥找好房子,还借钱给她作为
启动资金。这日,刘妍丽拉了一车的家具回来,李佑君母子和邓家
母女全都来帮忙。大家七手八脚一阵忙乎,把东西搬进了屋。

张岚撩起短袖衫的下襟擦脸,刘妍丽取了两条毛巾分给大家,
"擦擦汗,水管在那边,都去洗洗。"

众人纷纷进厨房,只有张岚在厅里转着圈巡视。突然,张岚惊
叫起来:"厅里也有空调,刘阿姨,试试能不能用。"

"不用试,我经手的还能有错?"陈东前从厨房出来。

"没说它是坏的,想知道刘阿姨舍不舍得让我开。"

"开吧,我不是那种抠门儿的人!"刘妍丽在厨房里应声。

张岚打开空调,脱掉短袖衫,站在空调下吹风。邓茹琳从厨房
出来,拉上了推拉门,然后又去把其他的门窗关好。

凉快了一阵后,张岚急切地说:"妈,啥时候我们也换个有空调
的房?"

"去美国读书的钱又从哪儿来?"李佑君反问。

"也是，没空调一样活。您还别说，这空调烧的是新币，比烧人民币马力足多了！"

陈东前找了把椅子坐下，解释道："新加坡装空调得报建屋局批，所以一般的人家都是安装能管每间屋的多体机。就现在这台管四间屋和一个厅，而我们只开了一处，那么大的功率全放在这厅里了，能不凉快吗？别以为什么都是外国的好！"

张岚一副恍然大悟的样子："我明白了，咱们现在坐的是五匹马拉的车，北京我家是一匹马拉车，所以跑不快。"

"好小子，学得挺快的。你陈叔叔是学电的，跟着我你得多长多少学问！"

有人敲门，邓茹琳开门，进来的是冯小蓉和徐翰。见到所有人都在，冯小蓉忙道歉："对不起，我们来晚了。"

"哟，冯姐，你们过来得真是时候，我们才搬完。"刘妍丽的嘴从不饶人。

陈东前怕冯小蓉生气，赶忙打圆场："冯小姐，粗活不让你干，但你这位 MBA 硕士不给出点好主意就不够意思了。"

冯小蓉一边巡视每间屋，一边说："我先听听你们的打算。不了解情况怎么发言呢？"

"我和刘妍丽是这么商量的，每间屋两个上下床住四个学生，每个学生每月收两百五十，我们管洗衣服、打扫卫生，想在这儿跟伙食的另收钱。"陈东前答道。

冯小蓉问："她们娘儿俩住哪？"

陈东前回答："人要是收满了，就在厅里拉一帘子住。"

冯小蓉想了想，说："不应该每间都安排四个人。拿两间住四个，另外两间住两个人，分开档次，两人间的可以多收点儿。四人间不一定住得满，这样收益可能还好些。她们娘儿俩不能睡在厅里，这样形象不好，而且不方便，宁肯另外租房子住。"顿了一下又问："宣传怎么做？"

"我去这附近的几个学院贴些广告,再跟几个语言学校打招呼,介绍一个学生过来每月回他们五十。"陈东前解释。

"其实做点报纸广告有必要。"冯小蓉这样建议。

"已经花了不少钱,再扔一把给报社,猴年马月才回得了本!"刘妍丽反驳。

张岚穿好衣服,接茬儿:"别忘了鄙人在中国官拜我们班宣传委员。明天我去学校宣传一把,弄来十个八个没问题。"

陈东前认真地说:"你要是弄来一个人,照样每月给你提成五十。十个八个,耶,你也能挣好几大百!"

张岚不以为然道:"那不行,赚哥们儿的钱不地道!我跟他们照直说每月二百。"

冯小蓉严肃道:"这不行,你把二百的底透出去,以后你刘阿姨就没办法做了,除非全都降成二百。"

陈东前取笑道:"就是说五十的昧心钱你是不要也得要!"

"这事儿我不干了。我就纳闷,这世上的事儿沾着钱就乱。钱这玩意儿真不是好东西!"张岚有感而发。

陈东前又说:"钱这东西,可是世上最大的学问,不信问问你冯阿姨,她就是学这个的,MBA硕士,专门研究怎么挣钱又怎么花钱。"

"那是有钱人该学的,像我们这种没钱人,学那个是白费劲,压根儿就没钱等着我们花。陈萍,你说是不是?"

本来在认认真真听他们高谈阔论,突然在众人面前张岚点了她的名,陈萍紧张得不知道是该点头还是摇头好。

"听陈叔叔的没错,把你们同学的钱挣回来,再学着怎么花出去,实践一回你就收不了手了。"

"那不行,同学的钱我不能挣。在北京的时候,我帮同学装电脑,至少攒了有上百台,白帮忙,我乐意!可话说回来,给公司干事儿不一样。大概十岁那会儿吧。"张岚转向问李佑君:"妈,帮我姑他们公司修电脑那次有没有十岁？”

“差不多是十岁。”李佑君点头道。

张岚接着讲：“我姑公司的电脑坏了，中关村的人拿着没辙，于是把我请去了。”

“应该是你姑带你去玩，让你赶上的吧。”李佑君纠正道。

“嘿，甭管是怎么去的，我到了，总经理亲自给我搬高凳子，让我够得着桌子。几十只眼睛可是盯着我的。”

李佑君道：“又胡说了，那公司总共才十几号人。”

“没错，十几号人没一个瞎子，加一块儿确实是几十只眼睛。就说在这众目睽睽之下吧，我是手到病除，三分钟修好了！完了事儿，那位经理买了块巧克力就想打发我，没门！中关村的人来一回少说也得二百，多了我不要，就二百。我姑骗我，说是月底造工资的时候给，不干，就要现钱。”

“对，就得要！后来给了吗？”陈东前问。

“给了，我姑给的不要，就要总经理腰包里的。”

“你就吹吧，十岁就能修电脑，谁信呀！”一旁收拾东西的刘妍丽搭话。

李佑君认真地帮着证明：“有这么回事儿。”

“您不想想，我爸我妈干什么的！我还不会走路的时候，我爸就给我笔记本电脑玩。”

“那是坏的，好的怎么舍得让你往电脑上尿尿！”李佑君一边帮刘妍丽摆顺东西，一边解释。

陈东前道：“市场经济，就得学着怎么挣钱，连你那些哥们儿也不能放过！”

张岚严肃道：“这话没劲！哥们儿之间不论钱，论钱绝非真哥们儿。”

陈东前道：“有了钱你就会觉得有劲了。”

李佑君不耐烦起来：“一大一小俩侃爷凑到一块儿就知道胡

侃。问问你刘阿姨还有什么要干的,赶紧动起来。"

刘妍丽摆手道:"用不着了,剩下的我慢慢收拾。你们在这儿等着,我去买点菜回来给你们弄吃的。"

冯小蓉看了一下表,说:"一点过了,出去吃吧,我请客,算是开业志喜。"然后问陈东前:"我想买车,怎么办拥车证?"

徐翰高兴地叫了起来:"就买我爸那种奔驰,坐着舒服!"

张岚拉着徐翰往外走:"马上让你坐我的奔驰,不用拥车证,比什么车都舒服!"

刘虹追上去,嚷着要坐张岚的车。大人们纷纷跟出门。

吃过午饭,已近三点。邓茹琳去了冯小蓉的住所,李佑君带着张岚和陈萍回自己住处。刘妍丽搬走了,这个家变得空寂,一时还不太习惯。由于刘妍丽突然决定搬出,还有一个多月的房租不能退,所以房间空着。大家担心,以后要是住进不知底的人,又该如何面对。

李佑君吩咐两个孩子复习插班考试科目,自己去巴刹采购食品。新加坡的巴刹就是国内的菜市场,干巴刹卖瓜果蔬菜,湿巴刹卖鱼肉水产。每天下午,很多的摊贩都要处理当天卖不完会变质的东西,不管是蔬菜还是鱼虾,某个时间去买至少能对半便宜,日积月累,能省不少钱。李佑君与很多没有工作的陪读妈妈一样,加入了投机采购的穷人行列。

天色渐暗,三人吃过晚饭,李佑君在收拾桌上的剩菜,陈萍和张岚端着空碗进厨房去洗。有人叫门,李佑君走到门口,认出来人,吃惊不小:"呀!钟生,您怎么会找到这里?"

李佑君显得有点慌张,回身取钥匙开门让钟生进来,随手按亮电灯。钟生进门,将纸袋放在茶几上,取出几样包装精美的糕点和糖果,"这些是我从台湾带回的,"钟生说着,看到张岚和陈萍从厨房出来,继续道:"拿给小孩子吃。"

李佑君示意张岚和陈萍:"还不谢谢安珂"("叔叔"的意思,新加坡华人的常用语）。

二人上前谢过。钟生含笑看着两个孩子："好福气,他们两个都很美,很像你。"

张岚正要开口,被李佑君挡住,"进去写作业吧,我和钟伯伯有正经事儿要谈。"

孩子们进屋,钟生坐下,解释道："你去公司的那天下午我到了台湾,为争取多一点时间给那个设计。对方很不好讲话,我急得不得了。不曾想到第二天陈生打电话讲你把设计做出来了。回到新加坡给你打电话,一直没有人听,所以来找你。"

听了这话,李佑君放松了许多,道："这应了我们中国的一句古话,万事俱备只欠东风。陈生太谦虚,该做的工作他们已经都到位了。陈生学的是工控,能做到这一步相当不容易。我学并行处理,带研究生也是做这方面的题目,正好专业对口。这么大的设计工程,各方面的人都是需要的。"

钟生道："陈生讲你很能干,如果我不聘用你,他会介绍你去别间公司。我来找你,是想问你要不要到我的公司做,薪水开始一个月四千可不可以？以后会给你加。"

李佑君感慨道："陈生真是个好人。您也是好人,我愿意去您那里工作,按照广告里说的每月三千就可以了,以后用我的成绩让您给我加薪。"

钟生真诚地说："你已经作出成绩了。"

"那就谢谢了,我会尽力的。"李佑君的心里实在高兴。

钟生道："我下个礼拜去美国 NASA 谈一个设计。以前我是不敢去谈的,现在有你加入,我们应该有能力做。不过我要为你申请 EP 先,没有拿到准证是不可以工作的。这段时间请你去公司指导,一个礼拜去两次好了。只是这段时间不可以付薪水给你,那样是违法的,要等 EP 批准,我会用其他的办法补给你这段时间的薪水。不知道这样可不可以？"

"听说就业准证很难批。"李佑君试探地说。

"这个不用担心,我会亲自去人力部向官员申诉,这样做应该是很有用的。"钟生显得信心十足。随后,钟生起身伸出手:"OK,我们可是君子协定,不可以改变的!明天我让书记(新加坡一概称"秘书"为"书记")同你联系,准备申请 EP 的资料。"

李佑君愉快地同钟生握手道别,并送他出了门。待李佑君送客回来,张岚已经冲出房间,"妈,我全听见了,四千,四千!"张岚高兴地喊着,母子二人兴奋地拥抱在一起,李佑君的眼角溢出激动的泪水。陈萍靠在门框上,面带一丝忧郁。

张岚不解地问:"陈萍,为什么不高兴?"

陈萍强作笑脸,道:"高兴,当然高兴。只是,只是你们也会像刘阿姨那样搬走,我觉得,觉得心里空荡荡的。"

李佑君走过去搂住陈萍,抚摸着她的头发,"好闺女,我们还会和你住在一起的。"

心里仍有几分兴奋的李佑君突然想到,应该让丈夫张明贤一起分享这个好消息,便放开陈萍,自己进屋拿出长话卡准备打电话,这时,铃声却先响起来。

电话里传来陌生的声音:"请问你是不是李佑君女士?"

"我就是。您是哪位?"

"你们那里是不是住着一个名字叫做邓茹琳的女士?"

"是的。"

东边日出西边雨。这边李佑君正受到幸运女神的眷顾,那边邓茹琳却惹上了大麻烦。

电话里的声音继续道:"邓女士使用学生车卡,被我们发现,我们要知道她讲的是不是真话,请讲一下你们住的地址。"

报过门牌号后,对方挂了电话。李佑君举着电话,迟迟没有放下来,自言自语道:"完了,新加坡的法制非常严厉,这下惨了。"放下电话就往外走。

— 127 —

张岚见她神色不对,跟出门,被挡了回来,李佑君一人匆匆赶往地铁站。

新加坡的地铁是效率很高的交通工具,之所以如此,很重要的原因是采用了出入读卡系统。乘客人手一张"易通卡",进站、出站各刷一次,系统根据乘坐的里程及卡的类别扣钱。即使在人潮如流的上下班高峰时段,也不用排队等候。

先进的东西其实也有弊端,无人验票,自然有人逃票,邓茹琳使用学生卡便是逃票的方法之一。邓茹琳被抓住后吓得脸发青、腿发抖。工作人员将卡插入机器,屏幕上显示出这张卡近一个月的使用记录,邓茹琳看到条条记录在案,更是惶恐。

"只有你们这些陪读妈妈才会做这样的事情。我们已经抓住很多个。"工作人员 A 这样指责道。

工作人员 B 递一枝笔给邓茹琳,指点着要她在一页纸上签字。邓茹琳握笔的手在发抖,迟疑着不愿意签,声音颤抖地问:"要罚多少钱?"

A 解释道:"这个我讲不好。最低五十块,最高三千块,要看你的情况,公司会寄一封信给你,信里面有讲罚多少。你要按信上讲的地方还钱。"

邓茹琳握笔的手抖得更厉害,嘴里嘟囔着:"三千,天哪!"说完,眼中失神,身子往下沉,瘫软地坐到地上。见这情景,两个工作人员慌了手脚。他们急忙将邓茹琳扶到椅子上坐好,站在一边不知所措。不一会儿,邓茹琳慢慢睁开眼睛,回过神后竟捂着脸失声哭起来。

"都是因为穷,穷得连骨气都没了,我是造孽啊!老天不长眼,要是孩子他爸还活着,我们娘儿俩也不至于走到这一步。短命的,让你别去挖煤,偏要去……你死得好惨……我们娘儿俩活着也苦啊。都说新加坡是人间天堂,可现在……还是地狱。天底下哪有我们穷人安身的地方呢?"

邓茹琳哭诉着,两个工作人员呆立一旁。李佑君来到值班室的窗口,透过玻璃窗口说:"刚才你们给我打过电话,我是李佑君,和这位邓女士住一起的。"

工作人员给了李佑君一张卡片,示意她进站。李佑君径直走向值班室,进门后立即扶住脸色苍白、满脸泪水的邓茹琳,安慰着:"茹琳,不要害怕,接受处理就是了。"

邓茹琳用手擦着泪,道:"他们要罚我三千。"

李佑君惊讶地望着工作人员,问:"罚那么多呀?"

A解释:"我只是讲最多是罚款三千元,到底会罚多少我们也不懂,公司才有权决定。"

"我用了一个月,全记在电脑里了,就等着抓我呢。我是一犯再犯,肯定轻不了。别说三千了,就是三百我也拿不出来呀。"说着,邓茹琳又开始抽泣。

李佑君对两位工作人员说:"她说的是真的。没有工作,给人当佣人,一个月才五百块,这点儿钱交房租和小孩上学的费用还不够,连她女儿的伙食费都是我帮她出。这样吧,罚款我给,只是罚那么多我也受不了,你们少报一点儿,行不行?"

工作人员 A 将李佑君拉到一边,问:"刚才听她讲,她的先生死掉了,是不是这样?"

李佑君点头:"是的,她丈夫失业后去挖煤,煤窑塌方,死在井下。她是被中介骗了,卖掉房子来新加坡,过来后不能工作,要不是我们同来的人帮她,她早就没办法生活了。"

工作人员 A 拿起了刚才要邓茹琳签字的单子,随手撕掉。B见状叫了起来:"不可以,公司知道,我们就完蛋了!"

A 说:"这个人很可怜的。"

"可是被公司知道,我们都不要做了。"

李佑君道:"不想难为二位,罚款我去交就是了。"

A 将印有刘虹照片的易通卡还给邓茹琳,说:"你走吧,只是以后不可以再用,OK?"

邓茹琳接过易通卡,怔怔地望着工作人员,突然扑通一下跪在了地上,声音颤抖着:"好人,新加坡也有好人啊。"说着两行热泪又流了下来。

工作人员 A 赶紧扶起邓茹琳,急切地说:"不可以这样,你们快一点走好了,不然很多人看到,我们也会完蛋的。"

听到这话,李佑君扶起邓茹琳匆匆离开值班室。出了站,李佑君将卡交回窗口,说:"请留好我们的地址和电话,需要的时候通知我,该承担的责任我们一定会承担。"

A 道:"OK,谢谢,不会再找你们麻烦。"

李佑君和邓茹琳离去。

李佑君扶着邓茹琳慢慢往回走,邓茹琳用手捂着胸口,步履越来越艰难,最后坐在路边的石头台上。

李佑君关切地问:"疼得很厉害吗? 要不要去医院?"

邓茹琳艰难地说:"不用,一会儿就好。老毛病,只要一想起萍儿她爸,这心就会绞痛。"邓茹琳失神地盯着远方,仿佛在讲述一段亲身经历:"我看到孩子他爸趴在井下,身上压着煤,他奔命地爬呀爬,煤越压越多,最后爬不动了。我跳到井下去帮他,奔命地搬呀搬呀,煤越来越多,最后再也看不到他了。"邓茹琳说着把胸口捂得更紧,痛苦难抑。

"这么多年了,别再想这些,为了陈萍,你也得好好活下去,何必这样折磨自己。"李佑君只能这样安慰几句。

"怎么能不想呢? 我丈夫要是在,有什么难处也有个说的地方。我这病,就是因为他的死才落下的,好不了了,除非他能活过来。说不定要不了多久,我们夫妻又能团圆了。"

李佑君听着这番话,潜然泪下,几次想打断邓茹琳,可是自己却哽咽着说不出话。

"记得有一回我肚子疼,萍儿他爸二话没说,背着我跑了三里地,送我去医院。"说到这里,邓茹琳的脸上显出些满足的神情,继续道,"萍儿他爸一米八几的个儿,背着我就像背孩儿似的,跑得可快了。到了医院,我的肚子就不疼了。"顿了顿,接着讲起来,"这会儿他要是在,不用背,拉拉我的手,我的心痛病就会好。他在地底下呆了那么久,肯定饿坏了,没劲儿背我,只要拉拉我的手就行了。"

邓茹琳幻觉般伸出一只手在空中摸索着。李佑君抓住邓茹琳的手,蹲下身,将脸埋在三只手里,已是泣不成声。

13

谭玉颖按部就班地实施她的复仇计划,汪萍从成都回来,想找谭玉颖问个明白,为什么要搞垮项昆,这才引出一段催人泪下的故事。

诚信公司总经理办公室内,项昆盖着被子和衣睡在沙发上。室内一片狼藉,杯碗到处乱放,方便面盒、饼干袋随处可见。谭玉颖推门,被浊气熏得差点退出,捂着鼻子冲到窗口,打开窗户,深深地吸口气,转身走过去,用脚踢踢沙发,叫道:"起床!十一点了,太阳晒完屁股又晒脸。"

项昆不情愿地睁开惺忪的睡眼,起身从椅背上取下毛巾,从桌子上拿了口杯出门。谭玉颖开始收拾有价值的东西,放到一只箱里。过了一会儿,项昆回来,看到谭玉颖在收拾,惊喜地问:"想通了,让我去你那住?"

"房子退了,我已经搬回家住了。"谭玉颖边收拾边说。

项昆试探地问:"你是想接我去你们家住?"

"别臭美了吧你,我爸我妈一提你就跟我急,想去找不自在怎么着?"

项昆不解:"那你收拾这些东西干吗?"

谭玉颖停下手说:"我帮你租了间平房,至少有床睡。我把办公室退了,下午来人收购这些家具,卖俩钱算俩钱。"

项昆急了,叫起来:"还没到期,你急什么退它? 有两个来联系想去新加坡,退了他们上哪去找我呢?"

"执照已经注销了,你想非法经营啊?"

项昆抱怨:"谁让你那么早就去把公司注销了? 我说等等看你不听! 邵彦的广告一直没见报。这下好了,公安那边不再批出国中介,就是想恢复也没门儿了!"

谭玉颖不屑地说:"你还在做梦! 邵彦能放过你吗? 你想想,她把你恨之入骨,恨不得花钱买你的人头,花十万正正当当把你挤对死,这事儿换我也会这么做。"

项昆无奈:"最近眼皮老在跳,总有一种不祥的感觉。"

"大老爷们儿这点挫折都禁不起!"

项昆叹气道:"以后我能干什么呢?"

"平日你的那帮狐朋狗友总在一起吃喝玩乐,关键的时候不会一个都用不上吧?"

"那帮人老是琢磨着怎么抢银行,你也让我去?"

"抢得着不被枪毙你就去呗!"谭玉颖拉着箱子往外走,走出门回头见项昆还站着愣神,催道:"走啊,猪圈没住够吗?"

项昆踱步到门口,回头,依依不舍地望着办公室里的每一件物品,突然走回转椅坐下,一副想哭哭不出来的模样。

谭玉颖只身回来,看着项昆,面带嘲讽:"可以理解,肯定是真舍不得! 当初项总坐在这儿多风光,谁敢小瞧你项某人!"

项昆埋下头,双手顶在额头上,大拇指按住太阳穴。

谭玉颖不耐烦道:"有什么呀,三十年河东,三十年河西,有本事你再风光一回。"

闻此,项昆霍地站起,头也不回地冲出门去。

北京胡同里的路不但狭窄,而且到处堆着杂物。项昆开着桑塔纳左拐右拐,好不容易蹭到了谭玉颖租房的院子门口。项昆下车，马上皱起鼻子，抬头见路对面是公厕。

"这地方能住吗？"项昆问。

"应该比你老家强多了吧！"谭玉颖说完，先自进门。

项昆东张西望，不情愿地跟着谭玉颖往里走，刚到门口，被高门坎绊了一下，差点跌倒。

项昆第一次进大杂院，沿着墙根夹出的小道，左拐右拐来到一间小瓦房前，木槅子门，木槅子窗，述说着年代的久远。开了门，里面一片黑暗，另外三面墙连一个窗户都没有。谭玉颖在门后摸索一阵，拉亮一只昏暗的白炽灯。项昆迟疑着进门，四下环顾，几样老式家具，一张木床，地砖凹凸不平，当中一个炉子，烟囱拐了一个弯伸出墙外。

"就这破房子，还不如我老家的牲口棚，能住人吗？"说完，项昆转身就要往外走，被谭玉颖拉住。

"有啊，比这儿好的地方，王府饭店的总统套间，你住得起吗？"说着，把钥匙往项昆手里一拍，继续道，"这人呢，得要能上能下，有钱的时候是有钱的活法，没钱了苦日子也得会过，这才是完整的人格。"

"我项昆还不至于沦落到这步！你的人格高尚，你住吧！"

"结了婚我就搬过来住。"

项昆拉着谭玉颖往外走，"走，我们现在就去登记！"

谭玉颖甩开项昆，道："说好了的，什么时候把那五十万给我，什么时候去办证。"

项昆没话说了，找到墙角的一个凳子坐下。一只被惊动的老鼠吱吱叫着逃出门去。项昆吓得一弹而起，惊魂未定，警惕地四下查看。

"就算我能住，车也没地方停啊。"项昆又找出一个理由。

"哟，忘了告诉你，我帮你找了个买主，八万五，价钱公道，你要是愿意，明天就去过户。"

项昆又叫了起来:"什么,打算把我的车也卖了!"

谭玉颖是什么口才,一通数落,项昆又哑口无言了。

是夜,项昆几乎没合眼。躺在床上一翻身,床架便发出吱吱咯咯的声响,项昆的眼皮也跟着跳起来。他觉察到谭玉颖在整治他,可一切的发展又在情理之中,让他不可抗拒。只要一想到谭玉颖所做的一切都是为了尽快拿到那五十万,项昆的心就会感到无限的惶恐,他下意识地回避去作这样的设想。人大概都是这样的,越是残酷的现实就越不愿意接受。

就在谭玉颖按部就班地实施自己的计划时,接到汪萍的电话,来电显示证明其人就在北京,并约她在某茶楼见面。谭玉颖略感不安,但又不能不去。

到了茶楼,服务生领谭玉颖进包间,汪萍坐在沙发上,茶几上摆着一壶菊花茶和两个杯子。谭玉颖镇定自若地坐下,问:"你不是回成都了吗,怎么又回来?"

汪萍盯着谭玉颖,道:"有些事我不明白,找你来想问个清楚。像你这么狠毒的女人,项昆怎么会不清楚,他又不是傻子,眼睁睁看着你把他的公司搞垮,一点办法都没有。我想知道为什么项昆会选择一条死路,而把我赶走。"

谭玉颖瞟了一眼汪萍,道:"原以为你还聪明,带着你已经得到的走人就是。没想到你又回来了,还想来为项昆打抱不平!我倒想知道你回来的目的。"

汪萍咬了咬牙,狠狠地说:"我不服气,会输给你!更没想到项昆选择了你,你却这样对他,你这人为什么这么毒呢?"

谭玉颖眼睛盯着地面,良久没有说话。

"是啊,我也没想到我会变成这个样子……"呢喃着,谭玉颖突然变得激动起来,"是他,项昆,一只披着人皮的狼,把我变成了今天这个样子!"谭玉颖喘息着,继续道,"我恨他,我想杀了他,我只是想尽快要回属于我的那五十万。可是他一拖再拖,整整一年了。

— 135 —

而他现在两手空空,只有公安局那五十万的押金属于我。"说到这里,抬头看了一眼汪萍,语气变软,道:"换了你也会这么做。"

"就为五十万的许诺,你就可以把他搞垮,还要说自己不狠,谁会相信!"汪萍冷笑着。

谭玉颖几乎是咆哮:"就是给我五百万我也不愿意变成这样!五十万,五十万毁了我一生你知不知道!"

看到谭玉颖由激动转为悲切的样子,汪萍没再刺激她,静静地坐着,听着谭玉颖讲述那不堪回首的故事。

谭玉颖生长在教师家庭,她是家中的独生女,父母非常地疼爱她,但也不忘对她严加管教。父母教育她遇事要有主见而不执拗,待人接物要大方得体却又不入俗套,他们的目标是要把谭玉颖培养成为一个有教养的传统淑女。在这样的家庭熏陶下,谭玉颖从来都是父母眼中的好孩子,也是老师眼中的好学生。受正统观念的影响,她从不随随便便与男生打闹或牵手;她婉拒了众多的追求者,只为守候心目中的如意郎君,把纯洁的身心献给终身伴侣。这就是谭玉颖的理想,从小父母教育出的一个淑女的基本信念。

世事难料,人生的轨迹常常会因为"意外"而逆转。

谭玉颖高考失利,只读了大专。由于她从小口齿伶俐、能言善辩,所以选择了公共关系专业。可这年头最不好找工作的就是大专毕业生,高不成、低不就,用人单位也不乐意用。毕业前夕,恰好诚信公司去学校招一名公关小姐,工资优厚,很多人报名,邵彦单单把谭玉颖看上了,将她招进公司。谭玉颖才貌出众,深得项昆的赏识,时常借故单独和她在一起,动手动脚。谭玉颖心烦,但看在不菲收入的份上,她没有辞职,只是尽量躲着他。

去年十月,项昆"精心"安排了一出"工作计划",带谭玉颖去厦门出差,涉世未深的谭玉颖不便推诿,进了圈套。说是去参加宣传会,下了飞机却并不急着赶会场,而是直接登记了鼓浪屿的宾馆。很少出远门的谭玉颖被眼前新鲜的环境、迷人的景致所吸引,玩得心旷神怡,警惕性也就逐渐消失了。

晚上回宾馆洗完澡,谭玉颖坐在沙发上看电视。项昆提着一大瓶香槟进来,体贴地说:"走了一天的路,累了吧? 喝点香槟解解乏,法国原产,让你品品味。"

谭玉颖一副天真的样子走过来,"香槟我喝过,就跟汽水似的,一点也不醉人。洋酒会不会度数高点?"

项昆开启瓶盖,道:"不会,你没看见电影里外国人的晚宴,贵夫人喝的全是香槟。要是有度数,还不全醉了?"

谭玉颖觉得这话有道理,便说:"少倒一点,我先尝尝行吗?"然后俯身去读瓶子上的洋文,却一个字也看不懂。

项昆只倒了一个杯底,谭玉颖轻轻地品着,"好喝,真的一点酒味也没有。"说着把杯子放在桌上,表示还想要。

"没骗你吧,洋酒就是好喝,要不一瓶能卖好几百块?"项昆说着,抱起大瓶子倒酒,"不小心"手一滑,酒洒在桌子上,项昆一脸的"窘迫"。

"我去拿草纸。"说着,谭玉颖去卫生间。项昆神色紧张起来,迅速从兜里掏出一个小瓶子,拧开盖,把瓶里药水倒进杯中,又快速装回兜里。几秒钟的工夫,谭玉颖拿来草纸,把洒在桌子上的酒擦干,项昆又提起酒瓶,给谭玉颖斟满,自己也倒了一杯。项昆倒酒的手在发抖,谭玉颖却没有察觉。

"为我们第一次出差干杯!"项昆为了掩饰自己,举杯直接送到了嘴边,一饮而尽。谭玉颖呷了一口,意思一下,端杯坐回沙发。

"第一杯要干,这是规矩。你是学公关的,连这都不懂?"

谭玉颖回头甜甜一笑,说:"我们老师没教这个。"说完,便把视线转向了电视。

项昆不饶,提着酒坐到谭玉颖旁边另一张沙发上,把杯子往茶几上一放,又给自己斟满一杯。"我两杯,你一杯,这样够公平吧。干了,要见底噢。"

谭玉颖经不住项昆的劝说,喝下了那杯搀了药的香槟。

　　虽然注意力在电视综艺节目里,可谭玉颖的上下眼皮儿开始不听使唤地"打架"。她努力支撑着自己,对项昆说:"你回去吧,我想休息了。"

　　项昆起身。谭玉颖挣扎着站起来,摇摇晃晃地往床边走,项昆赶紧去扶她走到床边,让她躺下。

　　"你走吧,我求你快走吧。"谭玉颖努力保持清醒。

　　项昆放开她,慢慢走到门边,装模作样拉开门,却没有出门,而是蹓身撞上门,从里面反锁上。项昆站在门边,手脚连连发抖,胸口阵阵抽紧,进与退、邪与正在他心里激烈较量着。实在忍不住回头打探,见谭玉颖躺在床上没有一丝动静,那清纯的美貌,那散发着迷人气息的玉体,让项昆难以舍弃。定了定神,项昆哆里哆嗦走到床边,试图伸手抚摸谭玉颖,可他的手不听使唤,抖动中生硬地击在她的身上。项昆吓得往后一缩,屏住呼吸,脸色苍白。过了一阵儿,不见任何反应,项昆壮着胆去推谭玉颖,还是没有动静,这才放心地坐到床边,用颤抖的双手解开谭玉颖的衣扣……

　　第二天,谭玉颖从深渊中醒来,头痛难忍。记不起自己这是在哪里,怎么会赤身裸体躺在一个陌生的地方。终于想清楚时,便是此生最为痛苦的一刻。也就是从那一刻起,她的人生道路改变了——虔诚守候了二十年的处女身,却在一夜间惨遭蹂躏。有什么会比一个人的基本信念顷刻间崩溃更为可悲哀的呢?谭玉颖放声痛哭。

　　等恢复了一点理智,第一个念头便是报警。谭玉颖抓起电话拨打110,可一直是忙音,她不知道宾馆的电话拨外线要加拨一个号码。谭玉颖无奈扔下电话,不经意间碰到放在床头的 MP3,那是一款能当录音笔用的新产品,于是她决定录下项昆的口实去告他,这样他想赖也赖不掉。

　　过了一会儿,项昆怀抱一束鲜花进门,见到悲痛欲绝的谭玉颖便跪了下来。他跪着从门口行至床边,把那束鲜花放在了谭玉颖的身边。谭玉颖靠在床头,项昆说什么她一句也没有听进去。凄惨的神情令人心酸,愤怒的目光让人生畏。项昆跪在一旁不停地发誓、表白、求情,谭玉颖全然没有听见,她的胸中只有一团怒火在燃烧,她的眼中也是一团烈火,烈火中是跪着的项昆声泪俱下、苦苦哀求:"饶了我吧,饶了我吧!"

一旁的录音笔,原汁原味地把项昆的话记录"在案"。

听着谭玉颖的悲愤控诉,汪萍竟也动容垂泪。女人对女人的悲惨遭遇从来就有本能的同情,以至于汪萍忘记了眼前的这个女人原本是自己的情敌。

汪萍追问着:"后来呢?"

"后来我改了主意,就算告他,让他蹲三五年的牢,也无法挽回我一生的损失。他答应用五十万买回那支录音笔。"谭玉颖停顿了一下,咬着牙道,"想不到的是,就那个晚上我怀孕了。一个女人的矜持被那个手术刮得干干净净!"

谭玉颖恨恨地说着,汪萍像是明白了什么,点点头。

"要说狠,项昆才叫狠!大概他明白只要把五十万给了我,就是我们彻底了结的时候,所以他一拖再拖,借此缠住我,想我跟他结婚,好把五十万赖掉。一年了,我就是这样跟他纠缠不清,中间又怀过一次孕!走到今天这一步,他是自作自受,但对我来说是太不公平,到现在还拿不到该我的那部分。"

汪萍擦干泪,说:"所以你便急不可待地把公司注销掉,就是为了公安局的那五十万押金。"

"是的,要钱可没那么容易。项昆把自己的钱看得很紧,更何况他手上已经没有多少可以挥霍的了。"谭玉颖看了一眼汪萍继续道,"我劝你赶快走吧,项昆是个魔鬼,我猜想他还会去找你的,到时就怕你想甩都甩不掉他!"

汪萍微微点头,谭玉颖拿上自己的包,不辞而别,留下汪萍一人呆呆地坐在那里。

14

冯小蓉有的是钱,可她患上了"富贵妇科病",空虚与无聊令她难耐。所以说,世上的穷人可怜,而世上最富有的人可能是世上最可怜的人,这一点不奇怪!

这天是李佑君第二次去公司上班,走到门口,接待员便十分热情地为她开门,进了门,所有人都很尊敬地向她打招呼,这倒让李佑君觉得不自然。她哪里知道,钟生在去美国之前的会上向所有的员工打过招呼,要尊重和服从李佑君。书记小姐过来,递给李佑君一个盒子,道:"早安,李老师! 这是钟生走之前买的手机,让我交给你,话费从公司的户口上自动扣,钟生让你放心用。"

李佑君没有接,"谢谢,不用了,我正准备自己去买,不过我去问过,要等我的准证批下来后才能签线。"

"钟生让你随时开着,他到了美国后有事情要打电话同你商量,这是工作需要。"

听了书记小姐的话,李佑君这才接过盒子,走到柜子前,打开自己的柜门,将盒子放进去,取出长袖衣服穿上。陈友和过来,含笑道:"李老师,你好! 真高兴又见到你。钟生说你一周来两次就可以了。"

李佑君很热情地应答:"陈生你好! 反正在家闲得无聊,来看

— 140 —

看心里踏实点。"

"钟生让我们有问题要多多向你请教。"

"钟生是太抬举我了。"李佑君拿出盒子让陈友和看,"这不,还给我配了台手机。"

"你给公司作了那么大的贡献,没人不佩服你。对了,你上次提的 TY07 的改进方案我们论证过了,并得到了用户的认可,所以,钟生这次去美国可以说是胸有成竹。就算 NASA 项目谈不下来,TY07 的改进设计一定能谈得下来。不过这样一来我想休假又是遥遥无期的事了。"

"真不好意思,我来没能给你减轻负担,反而给你找事儿了。"李佑君表示歉意。

陈友和爽朗地笑起来,说:"你讲的什么话?有事做了,我可以多些花红,求之不得呢。今天下班我们早点走,去森林大厦给你买一台手提电脑,钟生走前安排的。"

"手机我还没买,就接了。手提电脑我从国内带了一台,就不用破费了。"李佑君是真心推让。

陈友和小声道:"你放心,资本家不会做赔本的生意。按照你的水平,四千的工资太低了。只是我们这里工资是保密的,我不便马上为你争,找机会我再同钟生谈这事。"

李佑君为之感动,小声道:"谢谢你的好意,只不过我已经很满意了。"

陈友和小声说:"拿习惯了国内的低工资,才来的人都容易满足。可是这里消费多高!"陈友和觉得奇怪,自己怎么也关心起别人的收入问题了!的确,眼前这位女性工作起来的忘我精神让他敬佩,加上她的学识,应该是成就大事的那类人,更何况她还是作为陪读妈妈来到新加坡,其生活的艰辛可想而知。

李佑君感激地望一眼陈友和,锁好自己的柜门进了工作室。

李佑君找到工作的同时,刘妍丽的生意开张大吉,几天工夫就收满了学生。这下刘妍丽可忙乎了，十几个人的衣服要洗、要熨，十几号人的饭要做，而且要尽量满足不同人的口味，让她忙前忙后。

刘妍丽忙不过来，正是陈东前拉近二人关系的大好时机，他不但出钱，而且很卖力。说实话，男人活到这个份儿上是一种悲哀，《巴黎圣母院》中的卡西莫多为单相思的爱同赴黄泉，谱写了感人的丑男爱情绝唱曲。老天确实太不公平，丑人儿付出百八十倍的努力也不一定赶得上俊杰、佳丽的一个美妙的微笑。陈东前正是这百倍努力之中的人，而他绝不承认自己是属丑男之列。有据可证，他陈某人当年读中学的时候特别有女生缘。那时候他也像现在一样瘦，人送外号"麻秆"，而这个美称在女生中比在男生里叫得还响亮，加上他这人爱管闲事，于是这位细麻秆几乎成了男女生之间沟通的桥梁，为此，居然还引起不少男生的嫉妒。只有少数的明眼人才能看到问题的实质，好比宫女可以同太监来往，却不敢接近大内侍卫，一个道理。

这日，陈东前在窗户跟前往竹竿上晾衣服，旁边摆着一大筐洗好的衣服。刘妍丽坐在厨房靠近门一侧理菜，她举着一根丝瓜让陈东前看，"新加坡的丝瓜长得别提有多寒碜了。这么美的地方长出这么种怪物，简直是开玩笑！要不是便宜，打死我也不会买这玩意儿。"

陈东前回头，笑笑道："就像你，这么漂亮的人，脸上长了颗黑痣，白璧微瑕，白璧微瑕！"

刘妍丽想怒又怒不起来，说："竟敢调戏姑奶奶！也就是我今天的心情好，要不，非得把丝瓜皮贴你脸上不可。"

陈东前赔着笑脸道："可不是吗，有钱挣，能不高兴吗？"

"我算了一下，收了房租，加上伙食上还能赚点儿，一个月下来两千有余。"刘妍丽停下手中的活儿，这样说道。

"还真是的，我把挣钱的路子给了你，够意思吧？"

"赚了钱我分你就是了,决不欠你这人情!"

"用不着,早点把本还我就是了。"

刘妍丽认真道:"你也好好张罗一下你那边的事儿,别净往我这边跑。"

"实话实说,这仨月项昆没往这边送人,少挣不少。不过话说回来,少几个像邓茹琳那样的人过来,良心上也好过一点。"

刘妍丽再次停下了手中的活儿,说:"要说邓姐是真够可怜的,上回被抓那事儿对她刺激挺大的。"

陈东前挑出去了一竿,插在窗下的洞眼里,回身取了一个空竿放好,一边晾衣服一边说:"项昆那种人干的好事儿,真是作孽啊!最近我见到邓茹琳老是眼神发直,对她说话就跟没听到似的。前天我拿一百块钱给她,她把我盯着,好像压根儿不认识我,眼神怪吓人的。"

刘妍丽说:"回头我给她送两百块过去。不过冯小蓉是够抠的,那么有钱的人,一月才给五百!"

陈东前道:"差不多了,就俩人吃饭,能有多少事可做。"

"可别的佣人除了管吃,还管住。住房可是大头!"

"邓茹琳的情况不一样,她还有一个陈萍跟着的。"

刘妍丽大声起来:"陈萍怎么了,女孩儿一个有啥?"

陈东前道:"这事儿冯小蓉没什么不对。"

"你在帮谁说话呢?这么向着她,你过去帮她呀!"刘妍丽叫了起来。女人最大的本事就是蛮不讲理!

"人家是有夫之妇,我去干什么?"陈东前赔着笑脸。

刘妍丽厉声道:"那你到我这儿算怎么回事?"

陈东前似笑非笑,说:"我这不想……想……你……"

"就知道你不怀好意!"刘妍丽说着将手中削了一半的西红柿砸向陈东前,陈东前躲开,打在一条白裤子上。

"坏了,李晓惠的裤子!那丫头厉害着呢。还不赶快拿去洗了,别留下印子!"刘妍丽着急地说。

陈东前做了个蹩脚的立正、敬礼的动作,"是,娘子!"说完,取下裤子,提上空桶,进厕所间。

调情是恋爱的必然要素,只是各自表演的手法不同。不管怎么说,有情有爱的生活,就像北极恒昼时期,尽管冰天雪地,心中的太阳永不落下。

与李佑君和刘妍丽相比,冯小蓉有的是钱,可空虚与无聊令她难耐。刚开始的时候,有吴贵发闹事,尽管烦,但还算是"有所事事"。吴贵发走了,把钥匙留给中介经纪人,冯小蓉发现后把门锁全换了,经纪人带人来看房进不了门,与冯小蓉吵了一架,生气之余倒也痛快,总算是有事可干吧!之后买了辆车,大红的法拉力,赛车型,贵夫人的专款,可新加坡这么小,没三天,能轧得着的路让她轧了个遍,于是高档轿车只剩下接送徐翰的功能。到新加坡三个月,徐翰他爸来看过他们母子两次,每次住不了两天就走,而且一见面,两口子就开始吵嘴。对冯小蓉来说,找得到人吵嘴也是件好事,可徐老总不痛快,觉得到新加坡自己就像送上门的沙袋,让老婆好生解气一通就走,这算什么事儿呀!冯小蓉也可以理解,再丰富的物质条件,对孤独的宠物来说也是残酷的,何况她是个女人,需要情,需要爱,需要生理上的满足。所以说,世上的穷人可怜,而世上最富有的人可能是世上最可怜的人,这一点不奇怪。

这日,冯小蓉坐在桌子边看书,邓茹琳手里端着盘子捡地上的头发丝,每捡到一根,都会夸张地放到盘子里。

"邓姐,你能不能安安静静坐一会儿,老是在屋里晃来晃去的,让我怎么看书呢?"冯小蓉心烦便开始乱冒火。

邓茹琳答应着,坐到了沙发上,手里托着盘子,像个木头人似的,一动不动。

冯小蓉回头看到邓茹琳发呆的样子,生气地说:"你把盘子放下去好不好,老是那么举着不累吗?"

邓茹琳顺从地把盘子放到了地上，然后还是呆坐在那里。

冯小蓉再次回头，开导道："邓姐，没事了你就下去走走，散散心，跟那些老人聊聊天，这样对你的身心健康很有好处。我跟你说过多少次，你就是不听。"

邓茹琳顺从地站起来，走到门口，准备开门出去。

冯小蓉不耐烦道："我又没有让你现在就去。一会儿我要去接徐翰，提一桶水，把车子擦一擦。"

邓茹琳怯生生答道："车子擦过了。"

冯小蓉心烦意乱道："好吧，好吧，你自己安排吧。"说完又看起书来。邓茹琳手扶门把手，呆呆地站着不动。过了良久，有人敲门，邓茹琳回过神，打开了里面的门。铁门外站着房地产公司的中介人，后面跟着一对夫妇。邓茹琳认出他们，回头说："小蓉，他们又来了，是上次你不在的时候来的那人。"

冯小蓉从里面大声道："告诉他们，我不接待。"

中介人说："太太，我们这次不是要来看房子。我们来同你们讲，这套房子朱先生已经买下了。我们要告诉你们，五天时间你们需要搬出去。"

听这话，冯小蓉来到门口。

中介人拿出一摞文件给她们看，"这些是朱先生买房子的证明，现在这套房子的房产权已经属于朱先生，他要你们搬出，你们一定是要搬出的。"

冯小蓉看也不看一眼，说道："我和吴贵发签的是半年的租房合同，还有三个月才到期，这三个月的租金谁退给我？"

"那个钱你去找吴先生还了。"中介人回答。

"吴贵发不在，就该你们退我租金。"

中介人说："这样不可以！"

"没什么不可以的，从他卖房的钱里扣就是了。"

"我们不会这样做的。"

"那我也不会搬的。"

一直没开腔的朱先生怒气冲冲地说:"你不搬,警察会让你们搬的。"

冯小蓉一挑眉,道:"噢,我就不信,花钱租房,还有不能住的道理!"

朱先生态度生硬:"可是这个房子我买下,我让你什么时间搬,你一定要搬。我留五天给你找其他房子,是很客气了。"

冯小蓉冷笑道:"要是不客气,你想怎么样呢?"

朱先生在来的路上听经纪人说过住这里的女士很不好对付,并且看到了冯小蓉的这种态度,所以一上来就想以强硬的态度针锋相对,于是大声道:"我要让你们现在搬走,你们也是一定要搬的。这个房子是我的。"

"这房子是我从吴贵发手里租的,和你没关系,要找你就去找吴贵发,以后不要来打搅我,不然我要报警。"

朱先生激动起来:"你要报警,我也是要报警的。"转向中介人抱怨道:"这个人真的很不讲道理,我一定要同她讲清楚,五天一定搬,不然我会找人来让你搬的,那样你会很难看的。"

"已经讲清楚,我们走就是。"一旁观战的朱太太拉开朱先生,三人气呼呼地走了。冯小蓉手扶栅栏门,站着运气。邓茹琳一副惊恐的样子望着冯小蓉不敢做声。

接二连三的打击使邓茹琳的精神濒临崩溃,特别是冯小蓉的态度让她心寒,更加感伤自己命苦。

第二天早晨,邓茹琳没有去冯小蓉那边,一个人坐在屋里想心事。小桌子上摆着一个黑木盒子,盒子前面燃着一炷香,邓茹琳坐在桌前发呆。李佑君进来,问:"茹琳,今天你怎么不去小蓉那边了?"

邓茹琳没有回答,李佑君一眼看到了桌子上的黑木盒子,倒吸了一口冷气,僵在原地,问:"陈萍她爸的骨灰吧? 听刘妍丽说过。

怪吓人的,你怎么老把它带在身边呢?"

邓茹琳没有回头,喃喃道:"这里面连一根头发都没有。我去山西等了一个多月,一根骨头都没挖到,萍儿她爸身上的一点儿东西也没能还我。我把她爸穿过的衣裳烧了,只有一点儿汗在里面。"

听了邓茹琳的话,李佑君放松了一些,拖了一个凳子,坐在了邓茹琳身边。李佑君拉住邓茹琳的一只手以示同情和理解,却找不出什么样的语言来安慰这个不断受伤的女人。邓茹琳突然双手抓住李佑君,让她一惊,"佑君,这个世上只有你一人是真心对我好,别人都是在可怜我。"

李佑君拍着邓茹琳的手背,劝解道:"其实每一个人都在关心你。昨天晚上刘妍丽给你送了两百块钱过来。你回来得晚,她那边不能离人,让我转给你。"说着从身上摸出几张纸币,递给邓茹琳。

邓茹琳使劲地推回给李佑君,说:"三个月来陈萍的伙食都是你在出,这两百就留在你那。"

"我已经在上班了,每月有四千。这点儿钱你留在身边,想买什么就买什么。小蓉不要你去了?"李佑君猜疑道。

邓茹琳摇头:"是我不想去了。"

"为什么?"

"其实我就像乞丐一样,别人可怜你,丢几个钱给你,然后会嫌你恶心,打发你走得越远越好。"

李佑君吃惊地看着邓茹琳,问:"你怎么会这么想呢?"

"就说那天我跪下感谢地铁的工作人员,他们只知道一个劲儿地催我们快走。前天陈东前过来,远远地放了一百块钱在沙发上让我自己去拿,就跟打发要饭的一样。小蓉那边没有什么事可做,一个月六百我也不好意思老拿人家的。吃了人家的嘴软,拿了人家的志短。但是你不一样,萍儿几个月的伙食是你在管,不但要出钱,还要做饭。学校买书买本也是你给钱,就连萍儿的裙子不够换,你也记着给买。你是真心对我们好,这点我明白。"邓茹琳絮叨道。

李佑君拉着邓茹琳的手说:"不是我说你,是你自己太多疑了。光靠我一个人也不行,大家都在帮你,咱们都是中国人,走出来都不容易,谁也不会见死不救的。好在再过三个月,陈萍进政府中学,你就能名正言顺地去找工作了。"

"不知道我能不能挺到那时候。"

"胡说些什么呀!"李佑君有点生气。

邓茹琳痴痴地说下去:"这些天夜里我老是梦到萍儿她爸。她爸说他一人在井底下特别孤单,想我去和他做个伴。"

"大白天的,说鬼话!"李佑君看了一眼桌上的黑木盒,吸了一口气,又说,"陈萍是你的女儿,你不会扔下她不管吧!"

邓茹琳叹息道:"是啊,要不我早就去找她爸了。"

李佑君再也想不出什么样的话来安慰她,二人就这样无言对坐,各自想着心事。突然电话铃响起,李佑君起身出去接。

电话里传来冯小蓉不耐烦的声音:"你怎么还在家里? 往天没什么事,来不来都没有关系,今天我要出去,怎么等也等不到你,搞的什么名堂! 昨天我说了你几句,也用不着赌气,明摆着有事你又不来了。"

"我是李佑君,她今天不舒服,可能去不了了。"

"噢,是李姐,对不起,对不起,我没听出来。今天没上班呀?"冯小蓉不好意思地道歉。

"今天不用去。有什么事吗?"李佑君语气有点冷淡。

"还不是为这破房子的事,邓姐没说吗?"

"没有。"

冯小蓉解释道:"吴贵发把房子卖了,新房主逼我马上搬出去。我打电话找了律师,约我去谈。邓姐不来,徐翰没人接。"

李佑君想了一下说:"今天我没事儿,可以去帮你。"

"这怎么好意思?"电话里冯小蓉顿了一下又说,"也行,你等着,我马上开车去接你。"

李佑君推说不用,放下电话,回屋取上小包准备出门。邓茹琳从屋里出来,手扶门框道:"有事儿我去吧。"

"我去好点儿,你在家里休息一下。中午有剩饭在冰箱里,你自己热一热。俩孩子今天要晚点回来,下了课他们去教育部报名考 IQ。"交待完,李佑君出门。

冯小蓉的住所里,徐翰坐在窗前的桌子上写作业,李佑君坐在旁边看报纸,冯小蓉开门进来。

"立案了吗?"李佑君问。

冯小蓉把挎包挂在门后,答:"立了,律师说肯定能打赢。"

李佑君坐到沙发上,问:"律师费少不了吧?"

冯小蓉从厨房冰箱里取出两盒水,递给李佑君一盒,说:"整个官司打下来,比差的这点房租多。"

"那你还打什么劲的?"李佑君感到不解。

"怎么能不打呢? 这点公道要打回来才行!"

"他们是遇到你了,换别人,谁有这么多钱买公道。"

"听律师说,从中国来的有不少人租房子让人坑了三五千新币,打官司不合算,只有认倒霉。"

"听说这儿的法律向着新加坡人,会不会对你不利?"

冯小蓉摇头道:"应该不会吧。即便如此,打官司一拖几个月,我理所当然住在这里,目的也就达到了。"

这时徐翰跑过来要水,李佑君把手上的那盒递给徐翰,被冯小蓉挡住,"自己没长手? 冰箱里去拿。我和李阿姨说话,去里屋写作业!"

徐翰去厨房拿了水坐回了桌前,冯小蓉看到发起脾气:"我让你进去写,怎么就不听呢,是不是又要我打你才行?"

徐翰抱着书本,一副委屈的样子进到里屋,关上门。看着冯小蓉无缘无故发脾气,李佑君的脸沉了下来。冯小蓉忙解释:"李姐,你别见怪,最近心烦。不光徐翰老是躲着我,现在连邓姐也生我的气。是我不好,但总是控制不住自己。"

"邓茹琳够可怜的,那次在地铁被抓,吓得不轻。这种时候我们不多给她点安慰,真担心会出什么事儿。"

"我听说了那事,马上给她另加了一百块当车费。"

"不完全是钱的问题。今天早晨我和她聊了一阵,她的心情很悲观。"

冯小蓉不高兴地叫起来:"还能叫我怎么样?说实话,我要是请社区的钟点工,一个月还用不了六百块。我已经够对得起她的,人也应该有个知足的时候!"

"你放心吧,邓茹琳一句也没说你的坏话,倒是说拿你那么多的钱心里过意不去。我看是你变了,变得有点不可理喻。"李佑君的语气也硬了起来。

"算了吧,李姐,你是找到了一份好工作,有了寄托。你要是像我这样一天到晚无所事事,你也会变的,可能比我还要先疯。"冯小蓉寸步不让。

"你去找点事干,又不像邓茹琳不能工作。"

冯小蓉叹气道:"中国的 MBA,这里谁承认你呢!加上我的英语又不好,更没人会用。"

"去语言学校补补外语,还可以把张岚和陈萍带上。他们俩骑车上学我真是不放心。"李佑君这样建议。

冯小蓉苦笑道:"这么大把岁数了让我去和那些小毛孩子一起读书,可能吗?"

李佑君一脸的无奈:"这也不行,那也不行,我就不知道你想干什么了?"

"我又没让你为我想办法,你着什么急呢?"

"是我多事，瞎操心。"李佑君很不高兴地说着，起身准备走，冯小蓉一脸的苦闷坐着没动。走到门口，李佑君回身道："你还想不想邓茹琳来，给句痛快话！"

"我又没赶她走，想不想来你去问她好了！"

"你这个样子，我觉得她还是不来的好。"说完，李佑君用钥匙打开外面的栅栏门，然后把钥匙放回屋里，准备离去。

冯小蓉突然带着哭腔叫起来："李姐，你先别走行不行？"

李佑君手扶铁门，思索片刻道："不用解释，我想好了，邓茹琳还是不来的好，这样对你们谁都有好处。"

"别以为有钱就能快乐，我心里头的苦又有谁知道？"说完，冯小蓉竟呜呜地哭起来。李佑君不解地看着她，随后锁好门，走回沙发坐下。冯小蓉竟越哭越伤心，弄得李佑君不知所措。哭了一阵儿，冯小蓉呜咽着起身去了洗手间，出来时，停住了哭泣，坐回原来的位置上。

李佑君拍拍冯小蓉的腿，劝道："有什么难处，和我说说，或许我能帮你想想办法。"

冯小蓉勉强挤出一丝笑模样，说道："成天无所事事，一个人净瞎想，又没人可说，所以心里特别烦，让你见笑了。"

"这有什么，每家自有一本难念的经。就算我帮不了你，说出来，释放一下也有必要，省得心里老是个疙瘩。这会儿车也买了，还有什么不如意的？"李佑君俨然心理医生的口气。

"哼，不光买车，还让我买房，把我打发得远远的，他就自由了。"

李佑君看着冯小蓉，点了点头，道："其实你的先生还是不错了，听邓茹琳说，他每个月都要来看你们一次。"

"人来了，心没来，住不了两天就走，不如不来。"

"他要维持那么大一个公司，够他忙的，应酬少不了，你应该理解他。"李佑君随口劝慰。

— 151 —

冯小蓉冷笑道:"应酬,我早就明白他们那一伙子人的应酬。一会儿我请你,一会儿你请我,冠冕堂皇地说成生意应酬,其实不过是用来欺骗老婆的幌子。借着所谓的应酬,正大光明地在外面花天酒地。"

李佑君皱着眉头想了想,说:"中国的生意场是这样,就差把这种感情投资的社交方式写进公关教科书。这还真的应了一位哲学家说过的那句话,存在的就是合理的。你不让他去,买卖还怎么做呢? 想开一点儿,男人不是看就能看得住的,要用情和信任才能换回另一颗心。"

"出污泥而不染者不是没有,少! 更不用说一天到晚在泥里滚了。年轻那会儿,还愿意带着我,只当是花瓶来炫耀。现在老了,找一个年轻漂亮的秘书带着,风光赛过当年。美其名曰说是带着老婆对方会觉得尴尬,其实不是因为嫌我不能给他挣面子,就是因为我会妨碍他们干见不得人的事情。"冯小蓉鼓起勇气把心里话说了出来。

"有些话我说出来不怕你生气。富贵的女人很容易患上'富贵妇科病'。一方面享受着老公带来的富有,一方面担心老公在外面拈花惹草,自己又没有什么事情可干,因此,各种烦恼便乘虚而入。随着年龄的增加,青春美貌不复存在,于是越发地不自信,越来越觉得空虚。其实女人这一生中每一个年龄段都有她的魅力,就看你怎么把握自己。年轻的时候靠着天生的一副俊模样就能打动人心,一旦上了年纪,只能靠内涵来美容。每一个眼神,一个表情都能代表一种优雅。"

冯小蓉不悦道:"想说我修养不够就明说好了。"

李佑君摇摇头,道:"就知道你会误解我的意思。"

"要是换了你是我,会怎么做?"冯小蓉出了个难题。

李佑君不假思索回答道:"我不了解你们的情况,说不出具体做什么。但我会找一样适合自己干的事情,把它干好,干出色。在感情方面嘛,首先是自信,然后是信任他。大事小事总是不停地抱怨,只能表示你不信任他,也不够自信。我从来相信我们老张不会背叛我,万一真有那事儿,那是我自己失败。"

冯小蓉不服气道:"说得容易,做起来难。"

"不难!下回他来的时候,你一定要换一种心态,珍惜和他在一起的每一分钟,让他觉得在这里舒畅,他就不想逃了。"李佑君笑着问:"是不是他一来,你们就吵架?"

冯小蓉难为情地点点头。

"这也难怪,就刚才你的样子,我可是一门心思想躲你远点儿,惹不起还躲不起吗?"

冯小蓉笑起来:"是我不好,难怪邓姐要躲着我,连我的儿子宁愿邓姐接他走路回家,也不想我开车接他。"

"是啊,那还是你的亲生儿子,怪可怜的。想必你先生来那几天也挺可怜的。"

"他才不可怜呢,我说一句,他能回我十句。"冯小蓉辩解。

"然后就会有一百句等着他的。"

听了这话,冯小蓉竟开心地笑了起来。

15

　　张岚与陈萍朝夕相处生活在一起,纯洁、美好的情感
会从很平常的生活中一点一滴地积累起来,并且永远不
会从记忆中抹掉。

　　新加坡教育部有一项规定,外国学生要读本地的政府中学,先
要进行智力考试,得满分才能报考排名前五的学校;错在两题之
内,可以报考前三十名的学校;如果错了三题以上,便只能就读排
名三十以后的学校。想读好学校,首先要通过 IQ 考试才行,而且
每人只能考一次,一锤定音。

　　放学后,张岚骑车带着陈萍从市政中心到地处波那维斯达的
教育部报考 IQ,两地相距约有十公里。张岚在马路上吃力地骑
着,陈萍的身上搭着剪成对半的那块布帘,张岚的汗衫已经被汗水
打湿,连太阳帽也挂在了车把上。

　　"这里是上坡,让我下来走。"陈萍申请道。

　　张岚喘息道:"不用,一有上坡我就高兴。"

　　"胡说,骑上坡多累呀。"

　　"糊涂,有上坡,就有下坡,一会儿下坡不就痛快了。"

　　"那要老是上坡怎么办呀?"陈萍着急地问。

　　"笨蛋,回来时,就是下坡了!"

陈萍劝他停下歇一会儿,张岚不听,于是她指着路边道:"你看这公园多漂亮,我们去看看。"

张岚喘着粗气,道:"雕虫小技,想骗我,我偏不停。"

"坐了这么久,还不到,我的屁股都坐疼了。下来走走好吗?"陈萍换了一个方法。

张岚停车让陈萍下,自己拉起下襟擦汗。陈萍取下了布帘放到车座上,自己往前走。

"你不是说去公园看看,怎么变卦了?"

陈萍边往前走边说:"刚才我看了,到处都有这样的公园,和咱们楼后那公园差不多,不看了。我到坡顶上等你,你歇一会儿再来追我。"

张岚眼珠一转,说:"你知道这个地方叫什么吗? 这里叫女皇镇,当年英国女王就住这儿。想知道这个公园的来历吗?"

陈萍停下脚步,回头问:"这个公园也有来历吗?"

"当然了,故事特感人。走吧,我讲给你听。"说着,张岚把车锁在路边,拉着陈萍往公园的小路上走,边走边讲,陈萍听得认真。

"想当年,英国女王来到这美丽的岛国,就住离这儿不远的行宫里。这位女王年方一十四……"

"女王怎么会才十四岁?"陈萍打断张岚。

"少见多怪,中国可以有穿开裆裤的皇帝,十四岁怎么就不能当女王呢?"

"对不起,是我多嘴。十四岁,刚好和我一般大。后来呢?"

"跟你一般大的这位女王,一天到晚老是关在行宫里,你说她会不会闷出病来?"

陈萍点头:"嗯,后来呢?"

"有一天,她让一个黑小子带她出来玩,那黑小子是个华人,让太阳晒得快赶上有我这么黑了。就俩人出来,不便张扬,走路又不行,你说怎么办?"

"你讲故事,老问我干吗?"陈萍停下步。

张岚拉着她的手继续往公园里走,"我这不是得慢慢回忆吗。正好那时候莱特兄弟发明了带变速的山地车……"

"你记错了,莱特兄弟发明的是飞机。"

"外国人叫莱特的多的是,就像中国叫陈萍的少不了。"

陈萍点头道:"我猜那个黑小子骑车带着女王出来玩。"

"是的,黑小子骑着车带着女王,太阳那个晒哟,黑小子直骑得汗流浃背,可把女王心疼坏了,于是乎让他停了车,二人来到这条林阴道上,就像我们这样牵着手走着,突然,你知道吗,女王看到了什么?"

"看到了什么?"

"看到了一只蜻蜓,一只美丽的红蜻蜓在树枝上停着。"张岚指着路边一棵小树上的一只红蜻蜓,"你看,就是那只。"

陈萍看到了蜻蜓,高兴地跳着要张岚去捉。张岚蹑手蹑脚走过去,突然伸手抓住了蜻蜓,递给陈萍。陈萍拿着蜻蜓端详了一阵,然后放回了树杈上,"去吧,漂亮的小家伙,好好地活着,多生几个和你一样漂亮的小宝宝。这个世界会因为你变得更美丽。"陈萍想起故事还没讲完,追问:"后来呢?"

张岚诡秘地一笑:"后来还用讲吗? 那女王把蜻蜓放了,让她去生漂亮的小宝宝,让这世界变得更美丽。"

"好啊你这个黑小子,说了半天在说我呢。"

陈萍去追张岚,张岚在公园的石头间躲来躲去,二人就这样在公园里追逐着,最终陈萍跑不动了,坐在草地上。陈萍缓了一口气之后便再也见不到张岚的影子,公园不大,四下里一个人都没有,自行车还锁在路边的,可怎么喊也喊不答应张岚。陈萍知道张岚在同她捉迷藏,可老是找不到人,急得她直想哭,突然头顶正上方传来了张岚的声音:"女王陛下,这个世界会因为我变得更可气。"

陈萍抬头,看见张岚躺在大树干上,一条腿还优哉游哉地在半空中晃荡。

天色已暗,邓茹琳一人坐在桌子边,桌上摆好了晚饭。这时刘妍丽开门进来,陈东前提着水果和刘虹跟在后面。

"邓姐,怎么就你一人?"

"他们都还没回来呢。"

刘虹进门就找张岚和陈萍:"我哥和我姐不在吗?好多天没见他们,我都想他们了。"

邓茹琳道:"我也在担心,骑车出去一整天了。"

陈东前把苹果放在茶几上,刘虹推门进了她们住过的房间。

"李姐说你生病了,我们过来看看,陈先生给你带了点苹果。好点了吗?"刘妍丽关心地问。

"留给刘虹吃吧,那么老贵,我可咽不下去。"

刘妍丽以她自己的方式开导起来:"邓姐,不是我说你,你这人就是心太重,病根就在这里。什么事儿别老是搁在心里就拔不出来了,天塌下来还有个儿高的顶着的。再说了,咱们一块出来的又不是你一人,有什么事大家伙儿会帮你扛着。"

陈东前上前搭讪:"我也跟着妍丽叫你一声邓姐……"

"你叫你的,跟我有什么关系!"刘妍丽打断了陈东前。

陈东前尴尬道:"这不,越来越熟,也得换换称呼了。"

"你说清楚,跟谁越来越熟了?"

陈东前咧着嘴道:"当然是跟邓姐越来越熟了。"

"这就对了,还不去给你邓姐削个苹果。"

"好嘞!"陈东前答应着,拿着苹果去了厨房。刘妍丽走过去,搂着邓茹琳的肩。"怎么了,邓姐?高兴一点,这世上哪有迈不过去的坎儿?"

邓茹琳望着远处,道:"我想好了,为了陈萍,就是火炉,我也会往下跳,这才对得起她死去的爸。"

这时,刘虹从房间里出来,说:"妈,我们的房间还是那样,我想

— 157 —

回来住两天,我想张岚哥哥了,我想在这儿等他回来。"

刘妍丽胡乱答应着,刘虹高兴地跳起来:"那好,今天我们就不走了!"然后走到邓茹琳面前,摇着她的腿问:"邓阿姨,今天晚上您陪我睡好吗?"

邓茹琳这才现出一丝笑容,把刘虹揽在怀里。陈东前从厨房里出来,手里端着一盘洗好的苹果,恰巧,李佑君推门进来,后面跟着冯小蓉和徐翰。刘虹亲热地打招呼,拉着徐翰到一边玩去了。邓茹琳见冯小蓉,本来放松的神经又紧张起来。

刘妍丽抢着说:"李姐,你一个电话,再忙也得来。谁让咱们是一家人呢。"

冯小蓉走到邓茹琳跟前:"邓姐,我专程来给你道个歉。昨天是我不好,你还在生我的气是不是?"

邓茹琳忙起身,紧张得话都说不太清:"小蓉,别,别这样,是我,我不好。"然后环视了众人,问:"都没吃饭吧,我再去炒两个菜。"

众人拦住邓茹琳,都说吃过了,推她坐下。

李佑君焦虑地问:"俩孩子还没回来呀?"

邓茹琳焦虑地问:"该不会出什么事儿吧?"

李佑君故作镇定地说:"这倒不至于,教育部有点远,骑车怎么都会慢一点儿。"嘴上这么说,却不自觉走到门口张望。

陈东前笨拙地削着苹果,接着道:"教育部不是很远,五点半下班,这会儿八点半都过了,走也该走回来了。"

刘妍丽一把抢过陈东前手里的苹果,道:"苹果让你削得就剩核了,怎么吃?"靠近陈东前耳边小声训斥:"就你多嘴!"

陈东前点点头,明白了什么,大声道:"张岚那小子啥花样玩不出来,这会肯定是带着陈萍到哪里谈情说爱去了。"

刘妍丽在陈东前的胳臂上狠狠掐了一下,疼得陈东前直叫。刘妍丽用眼角把李佑君看着。

李佑君拉着邓茹琳坐回桌边,说:"那俩孩子还小,不可能有这种事儿。俩人倒像是兄妹一样。"

"其实我看他们是天生的一对,从小青梅竹马,长大了感情不知有多好!人这一辈子能有一桩好的姻缘,比什么都强。"冯小蓉动情地说着。

李佑君认真地说:"孩子们还小,别在他们面前说这些。早恋会影响学业,将来能不能走到一起就看他们的缘分了。"

这时,陈萍满脸是汗、愁眉苦脸进门,一屁股坐到沙发上一言不发。众人正在疑惑,张岚扛着自行车进门,把车往厅当中一放,从肩上取下陈萍遮阳的布,用力在垃圾桶上一拧,竟然哗哗地拧出水来,然后用它擦了擦脸,又要拧,被陈东前拦住。"慢!是汗吗?没那么夸张吧?"

张岚不言声,放下布帘,脱下汗衫用力一拧,有水流进桶里。众人骇然。刘虹去摸张岚的短裤,沾了一手的水让大家看。

"别紧张,汗水,汗水吗,有汗也得有水。路上见到水管子我都要痛快一把。"张岚解释。

李佑君问:"车子怎么坏了?"

"胎爆了。"

陈东前说:"胎爆了也可以对付着骑。"

"没错,可没对付多久,车圈拧了麻花,推都推不动。没办法,活该让它骑了我一回。"

刘妍丽说:"反正你有的是劲儿,每天你骑它上学,它骑你回来,挺公平的。"

"那不行,对我来说公平,对陈萍就不公平了。"张岚指指陈萍,用手比划着,"五个大水泡,每个都这么大!"

"妈,都赖你,说了多少次鞋小,你就是不听,非得让我穿破了再买。"陈萍要哭的样子抱怨着。

邓茹琳过去蹲下身,帮陈萍脱掉凉鞋,用嘴吹着,泪水涌上了眼眶。刘虹和徐翰也挤过来看，嘴里一个劲儿地啧啧。

李佑君蹲下来查看，说："别弄破了，一会儿洗干净了，阿姨帮你挑。"

"这都是什么年代了，居然有人被迫裹小脚！"张岚开始制造声势。

刘妍丽说："起什么哄！明天我去给她买一双就是了。"

"徐翰，你在这里等一会儿，我去给陈萍姐姐买鞋。"冯小蓉说着要出门，张岚光着膀子跟到门口，小声道："买我这种软底的，多买一双大一点的，没准她的脚还要长。"

冯小蓉含笑道："其实该你去给她买。"

"您有车，方便。舍不舍得把法拉力借我当碰碰车开？"

冯小蓉笑着打了张岚一拳，自己却疼得直咧嘴。"有肉的地方也这么硬！"冯小蓉不解地说。

张岚绷着肌肉让冯小蓉看："钢筋混凝土结构。"

见冯小蓉要去买鞋，邓茹琳叫住她，从自己的屋里拿出两双半高根女鞋，不好意思地对众人说："捡的，萍儿应该能穿。"随后补充道："新加坡人有钱，啥都扔，好好的，怪可惜的。"

"嘿！咱们还不至于穷到捡破烂的份上！"张岚叫起来。

"有什么呀，能用为什么不捡！电扇、沙发、柜子，只要能用的，我没少捡。"刘妍丽的确捡过不少有用的东西放在她的学生宿舍里使用。

"刚来的人都爱捡点儿有用的东西，我还捡到过一台电脑，对付着用了挺长一段时间，值！"陈东前为刘妍丽帮腔。

"别的东西没什么，鞋最好不要捡，更何况孩子穿这种鞋不合适。"李佑君这样评说。

冯小蓉摇了摇头，没说话，自顾出门去给陈萍买鞋。

看到邓茹琳的情绪好了很多，刘妍丽起身告辞，拉着刘虹出门。这些日子，刘妍丽的确太忙，人也瘦了一圈，可她干得挺带劲。

陈东前反而长胖了一点，跟着刘妍丽的伙食，他的胃病好多了。陈东前送了她们娘儿俩，自己才回家。

第二天早晨，刘妍丽从一个大筐里挑选衣服往洗衣机里放，刘虹坐在厨房门口的桌边吃早饭，不时有学生进出厕所。

看到孙文娟拿着毛巾和牙缸进来，刘妍丽对她说："文娟，我跟你们说过多少回，掉色的衣服单放一边，你们从来不听。回头没留神放一块儿洗了，别找我。"

孙文娟正准备刷牙，停下道："您干吗老说我呢，我又没有掉色的衣服。"

"我是让你跟你们那帮同学说说。"

"什么事儿老让我传话，他们都烦我了，以后有什么事儿您直接说他们，我不管了。"

刘妍丽盖上洗衣机的盖，正要拧旋钮，李晓惠跑进来，一把掀开盖子，在桶里翻看起来。"刘姨，我的裤子让你染了两次，要是再染一次我就让你赔！"

刘妍丽重重地盖上盖子，答道："那两回可是你自己的汗衫染的。我跟你们说过多少回了，掉色的衣服扔在小桶里单洗。你不把它分出来，染了别人的衣服我还没找你呢！"

李晓惠不服气："你负责洗衣服，该你负责分清楚。"

刘妍丽道："你的衣服你才知道掉不掉色。"

"我又不洗衣服，怎么知道掉不掉色？"

"哟！你把别人的衣服染了还有理了！"刘妍丽提高了音量。

"你不会一件一件试，不掉色了再放一起洗。这么简单的事情还用我教吗？"李晓惠的嗓音盖过了刘妍丽。

刘妍丽瞪起眼睛，一副要吵架的样子。孙文娟忙放下牙刷打圆场："其实我们的衣服又不多，掉不掉色儿您差不多都知道了，就算帮我们忙，留神分一下。"然后对李晓惠说："你那件白裤子染上点儿紫色挺好看，起先我还以为你又买了件新的。"

听了孙文娟的话，二人不再争吵。李晓惠站到厨房门口端起自己的碗吃早饭，随口说道："刘姨，晚上多搞两样辣的菜。"

刘妍丽没好气应着："辣的多了，别人还怎么吃呢？"

李晓惠边吃边说："我们这里湖南人、四川人不少，别的地方的人也想学吃辣，你做了，我来动员他们吃。"

"你舒服，别人受罪，这算什么事儿？"

孙文娟接过话来："刘阿姨，大概您没听说过吧，四川人是不怕辣，贵州人是辣不怕，他们湖南人是怕不辣。您就买一瓶辣酱放在那儿，想吃的自个儿加就是了。"

"要是那些怕不辣的主拿辣酱当饭吃，我不赔死！想吃自己买。"然后对刘虹说："丫头，还没吃完？再磨蹭就赶不上校车了。"说完，刘妍丽拿上给刘虹准备的饮水瓶，提着书包往外走，刘虹放下碗跟了出去。

16

　　谭玉颖如愿地从项昆那要到了该她的那五十万,项
昆就像被抽了脊髓一般倒了下去。

　　尽管外面艳阳高照,小屋里却昏暗一片。

　　项昆坐在藤椅里抽烟,腿搭在把手上。忽然,谭玉颖的身影出
现在平房的门格子上,项昆忙扔掉烟头用脚踩灭。谭玉颖进门,把
两扇门打开。

　　"什么时候学着抽烟了,满屋子都是烟味! 以后不许抽!"谭玉
颖一副领导的口气。

　　项昆站起身,给谭玉颖让座,自己坐到床边。

　　谭玉颖坐进藤椅,说:"我问了市局的人,他们说你已经把五十
万的押金领走了。为什么不告诉我呢?"

　　项昆紧张起来:"哪里,我还没来得及告诉你。"

　　"我把存折带着的,我们现在就去银行倒过来。"谭玉颖的语气
尽量平和,像是在安排一桩小事一般。

　　项昆沉着脸坐在床边没动。谭玉颖从椅子里站起来,坐到项
昆身边,挎着他的胳臂道:"我知道你特舍不得。其实我还不是为
你好。钱搁你手里,你就改不了花天酒地的毛病。要想好好过日
子,钱我得管着。什么时候你改好了,见到漂亮女孩不再流口水,

　　　　　　　　　　　　　　　　　　　　—　163　—

我就还你。"

"我怀疑把钱给了你,就会把我甩了。我们先去把结婚证办了,马上倒给你。"

谭玉颖叫起来:"项昆,到底是想娶我还是娶那五十万?"

"没这五十万,你也不会想和我结婚。"

"我已经被你糟蹋成这模样,不跟你结婚,谁还会要我?"谭玉颖口是心非地说道。

项昆很坚决地说:"我还是不信,不办证,决不拿钱!"

谭玉颖甩开项昆的胳臂,喘着气盯了他一阵,说:"好啊项昆,原来你是这种人,早知道去年就该把你告上法庭!"说着,从兜里摸出录音笔,"你的录音就在这里,今天你要是不给,我再也不想听你的花言巧语,马上就去告你!"

项昆盯了一阵儿谭玉颖,突然扑上去抢她手中的录音笔,二人在床上扭打起来。最终谭玉颖不敌项昆,录音笔被他抢去。谭玉颖从床上爬起来,整理了一下凌乱的衣服和头发,从挎包里取出手机拨电话,项昆警惕地盯着。

"七嫂,果然他抢了录音笔。你赶快带上那支到派出所等我,如果十五分钟我没到,你带警察到他这里来救我。"放下电话,谭玉颖一屁股坐到藤椅里。"现在要打、要杀随你便。"

项昆咬着牙,突然扬手把录音笔砸了过来。谭玉颖没有躲闪,笔打在额头上。她用手捂住额头,鲜血顺着脸颊流下来。项昆有点着慌,在屋里走来走去,然后坐到谭玉颖对面的床沿上,道:"走吧,我先带你去医院上药。"

"不用,要是没有点血腥的场面,警察来了会挺失望的。"

听了这话,项昆更加焦急:"好,我给,我给你。赶紧给那个不知道是从哪里蹦出来的七嫂打电话,让她先别报警,我带你去包了伤口就倒钱,行不行?"

"不用了,打盆水来。"

项昆赶忙拿盆子去当院打水回来。谭玉颖对着小镜子洗干净脸上的血迹，从挎包里取出一块止血贴，贴到伤口处。

"带上你的折子跟我走，去了要是提不出钱来，我拐弯儿就去派出所。"谭玉颖说完起身出门。

项昆慌张地追出门，边走边喊："快点给你七嫂打电话。"

谭玉颖没料到这么轻松就把钱要到手，她并不知道警察对项昆有这么大的威慑力，因为她不知道那卷金丝的故事。

被拿走了五十万，项昆就像被抽干了骨髓，回到小平房便倒在床上三天没起得了床。到了第四天，意识到再不爬出这间小黑屋可能永远也见不到天日，这才支撑着身体，扶着风化的墙皮蹭到大杂院外，等到出租车去了医院。输了三天液，项昆算是活了下来，却已经是一副惨不忍睹的可怜相。

从医院出来，项昆漫无目的地在大街上走着，不自觉地来到往日常去的河边那块石头上坐着。秋风和落叶扫过他凌乱的头发，项昆呆呆地在石头上坐了不知多少个小时。

日暮的时候，邵彦骑车带着东东路过，看见项昆，犹豫一下，准备离去。东东认出了项昆，"妈妈，那是我爸爸。"

邵彦停车，放下东东，"找你爸爸玩去吧。"

东东喊着"爸爸"跑向项昆。项昆没有回身，突然把脸埋在两只手里哭起来。东东站在旁边，看看项昆，又看看邵彦，不知道发生了什么事儿。邵彦停好车走了过来。

东东指着项昆天真地说："爸爸没羞，这么大还哭鼻子。"

邵彦拉着东东往回走，"你爸心情不好，改天再找他玩吧。"

东东边走边回头望着项昆，说："那天他买直升机给我的时候还好好的，今天就哭鼻子，爸爸他怎么了？"

项昆带着哭腔道："邵彦，我求你了，别走！"

"你不怕在你儿子跟前现眼，我还怕破坏他心目中的男人形象。"

项昆用袖子擦眼泪,东东挣脱了邵彦的手,过去帮父亲擦拭剩下的泪水。

邵彦走近,坐到石头上抱起东东说:"上次在新加坡让房东赶出来的时候你哭过一回,这次不至于那么惨吧?"

"我从公安局领出的五十万让谭玉颖拐走了。"

项昆的声音很低沉,邵彦还是听清楚了,心里一惊,道:"那女孩不简单!不过我一点儿也不想知道你们之间那些事儿。"

项昆见没有得到应有的同情,便恳切地望着邵彦道:"我再求你一回,我们复婚吧。经过了这么多的风风雨雨,我终于明白了,是我对不起你们娘儿俩,看在我是东东他爸的分上,给我一次改过的机会吧!"

一番话,把邵彦吓得抱起东东闪到了一边。项昆扑通一下跪在地上,抬头望着邵彦,双眼充满哀求。

"真恶心,你会是东东的爸爸!"邵彦抱着东东就走。

项昆跟过来,表白道:"人说浪子回头金不换,我是真的后悔上了她们的当。以后给你们当牛做马都愿意。"

邵彦冷冷地看着项昆道:"你连浪子都不是。浪子至少应该是一条汉子,需要的时候能为我遮风挡雨。如果真是浪子,我会用心去感化,等到他回头的一天。而你不配,你连当恶棍的胆量都没有。"

邵彦推着东东就走,项昆在后面跟着,邵彦停下脚步劝道:"你别跟着了,死了那份心吧。"

项昆抢上前,问:"有一点我不明白,为什么一直没见到你的广告?"

"后来我改主意了,把热线停了。"

"为什么要等我死硬了才告诉我,我觉得你不像是那种有心计的人。"

邵彦露出一丝笑容,说道:"看来你对我还不完全陌生。我本

— 166 —

不想瞒你。还记得那回你去幼儿园找我，几次话到了嘴边，都让你给岔开了。"

项昆先是愣愣地听着，然后抱着头蹲到了地上，嘴里喃喃道："怎么就让谭玉颖把我收拾到这步田地！"

邵彦没再理会项昆，骑上车走了，留下一个蜷曲的身影伴着秋风落叶。

被邵彦奚落之后，项昆情不自禁地想起了汪萍。第二天，项昆登上火车，补了张票，直扑成都。照着地址摸到九眼桥附近的一座新建不久的商住楼，费了一番周折终于找到了汪萍。从一见面，汪萍便一直沉着脸一言不发，二人一路无语来到府南河边。汪萍靠着河边的护栏，一脸的冷峻。项昆要搂汪萍的肩，被汪萍推开。

项昆以为汪萍不过是要点小脾气，于是道："别小孩子气了。听你妈说，你成天都盼着我来接你，我这不是来了吗？"

汪萍冷笑道："是来了，让谭玉颖把公司活活整垮，把五十万的处女权卖给了你，一旦拿到了卖身钱，就一脚把你这个摧花魔踢到一边，到走投无路时才想起我，大概在找我之前也去找过邵彦吧？"

项昆吃惊地问："她全告诉你了？这个王八蛋，从一开始就计划好了怎么把我整垮！"

"要是我走的那天，你能说一个不字，我就会留下来，可你没有。要是你早来半个月，或许我就跟你走了。现在晚了，我已经全想明白了，你这种人，不值得爱，不值得我付出。"

"你是看到我现在没钱，公司也没了，所以就想把我甩掉。可你别忘了，当初我是怎么对你的，我给了你至少有四十万吧？"

听了这话，汪萍愤怒地转身走开，走了几步又停下来，说："看来这些天我想得没有错，我在你的眼里不过是图你钱的那种人。我承认，开始的时候是图你的钱，可后来我变得巴心巴肠为你，为我们的将来打算，这些你全都没有觉察，你已经玩腻了，一心就想把我打发回成都，还想把那些钱骗回去。我说得没错吧？"

项昆低头思量良久,愁眉苦脸道:"是我错了,我现在才发现你是一颗金子,是我有眼无珠,原谅我一次吧!"

"其实我不是金子,邵彦才是金子。是你有眼无珠背着她来勾引我。我也是有眼无珠对你动了真情,我完全可以从你的公司里多搞些钱出来,但我没么做,因为后来我真的爱你。"顿了一下,汪萍继续道,"现在讨论这些还有什么意思呢?讨论得越明白,就越受伤。本来已经结疤的伤口没有必要让它再流一次血。你走吧,我永远不想再见到你了。"

项昆快快地走开,汪萍没有一丝留恋,自己转身趴在护栏上看着污浊的河水,仿佛此刻的心情就像这河水一般浑浊。在汪萍的眸中映出河面上片片污秽慢慢地漂着,永无止境地从远处漂来又漂向远处,这条河慢慢地变成一颗被人类文明污染的心,它挣扎着,怪叫着,漂进心房的污秽又会漂出心房,永恒地在血液中循环。她感到一阵恶心,反胃却没能吐出来。一阵寒冷,汪萍拉紧外套裹紧身子,回身准备离去。项昆从远处跑来,手里捧着一把玫瑰,跑到她身边,单腿下跪,嘴里不停地说着什么,汪萍一点也没有听清,她的耳畔只有刚才那颗心脏在挣扎时的怪叫声,那红红黄黄的玫瑰在她的眼中竟变成了一片片的污秽慢慢地在漂动。汪萍一下吐了出来,好像是把所有的污秽全还给了项昆,随后便跌跌撞撞逃走了,留下项昆揩拭一身的污秽。那把玫瑰滚进河里,与各种污物混杂在一起漂流而去。

17

IQ 没有通过,不能报考排名前三十的学校,张岚决意要回国,李佑君不准。张岚为此绝食三天,两只犟牛相持不下,眼看就要出事儿,张岚的父亲适时赶到。

IQ 的成绩以信函的形式寄到,张岚和陈萍二人被判不能报考前三十名的中学。等他们二人放学回家,李佑君把寄来的成绩单拿给他们自己过目。

瞪了一阵子手上的通知单,张岚愤怒地撕碎信纸和信封。"胡说,我的 IQ 不及格!我要是弱智,新加坡就别想找出一个健全的来!"张岚吼了起来。

李佑君坐在沙发上,沉着脸问:"你说说看,为什么你和陈萍都没过,是不是考场上作弊了?"

陈萍站在沙发边低着头,怯生生道:"没有,真的没有。"

张岚直着脖子叫道:"我是想作弊来着,可我们俩隔着好几堵大墙,够得着吗?"

李佑君严厉地命令:"找个凳子坐下!"

张岚端了个凳子坐到了李佑君的对面,低着头。陈萍也找了一个凳子坐下。

"要知道这有多重要,IQ 不及格,读不到好的学校,想去美国,还想读名牌大学,不都成泡影了!"李佑君顿了一下,又说,"我真不明白,你怎么会不及格呢! 现在怎么办?"

张岚抬头,激愤地说:"明天我去教育部找他们评理! 在中国我拿过全国物理竞赛一等奖,到了新加坡居然被列为弱智,开国际玩笑!"

"我去,把你的几个奖状全找出来,没有理由不能报好学校。"李佑君觉得自己亲自上阵保险些。

第二天,李佑君去教育部提出申述,没能见到相关的官员。新加坡的政府部门办事儿就是这样,前台将申述文件整理好后,交相关的官员考虑,答复是以书面的方式寄到指定的地址,要想直接与官员见面乃至通电话都是不可能的。

这天,下班回到家已是日落地平线。陈萍在摆饭,李佑君忙放下手里的小包,帮陈萍张罗饭菜。

"阿姨有你这个帮手,回家吃现成,难为你这么小就要操持家务。"李佑君抚摸着陈萍的肩膀,心疼这个幼稚的肩膀竟要负担一副重担。

陈萍笑着说:"在大连的时候,我老帮我妈做饭,我能行。"

李佑君环顾了一下,问:"张岚跑哪儿去了?"

"下去看信。他每天都要去开几次信箱,不知道教育部怎么还不来信? 华中和莱佛士中学的考试时间快到了,再不给批准信,我们就没法参加考试。"

二人正在讨论报考学校的问题,陈东前推门进来,李佑君连忙招呼。陈东前巡视着桌上的饭菜,赞扬道:"陈萍真不简单啊,弄了这么多好吃的。可惜我吃过了,下回我一定要留着肚子来尝尝陈萍的手艺。"

陈萍害羞样,低下头。陈东前继续说:"妍丽干得真不错,一个月能挣两千多! 这会儿想扩大经营,让我找房子。刚才我在附近看了一处,顺便上来瞧瞧。"

李佑君会心地笑了："多好啊，现在就差茹琳没工作。到时还得麻烦你多费心给张罗一下。"

陈东前满口答应着，问李佑君："EP批了有半个月了吧？有没有给张岚和他爸办家属准证？"

"家属准证已经批了，我给老张寄回去了，过几天他就来探亲。"李佑君一脸兴奋的样子。

"多好啊！一家子在新加坡来团圆。羡慕死我了！"

说着话，张岚空手回来，凑到桌子跟前看了看，叫了起来："又吃鸡呀！我已经一身鸡皮疙瘩，再吃就该长鸡毛了！"

陈萍哭丧着脸解释："只有鸡肉便宜，我就买了。"

李佑君搂住陈萍的肩膀，宽慰着她："别听他的，鸡肉不是肉吗，吃不吃随他的便，你别理他。"

"今天，我在教室里打了个饱嗝，情不自禁地来了一声，"张岚学着公鸡打鸣，伸着脖子叫起来，"咯，咯，咯……就这一嗓子，全班同学跟着扇乎起翅膀，都是吃鸡吃的！"张岚边说边比划着扇翅膀。

李佑君在张岚的屁股上捶了一下，陈东前拍手叫好："学得挺像！要是女同学打嗝，肯定更热闹。"

"是啊，有一位女生打了个嗝，"张岚脖子一伸一伸地学着母鸡叫，"咯咯，咯咯，咯咯。等她打完嗝，我在她的座位里翻出了仁鸡蛋！"

众人笑，陈东前更是笑得前仰后合。

陈萍收往笑，认认真真地解释："哪里是打嗝，下课的时候，他们几个在比谁学得像。Mr. Kerr也参加他们的比赛。"

李佑君含笑道："从来没个正经的。别瞎逗了，吃饭！没拿到信吧？明天我去教育部。"

陈东前问："去教育部干什么？"

李佑君正要解释，张岚抢着说："我来告诉您吧。本人，"他拍着胸脯，"张某，张大圣，在中国的时候拿过全国物理竞赛一等奖，其他的市级、区级小奖能装一麻袋,数也数不清。可到了新加坡参加他们的 IQ 考试,我和陈萍居然都落得一个弱智的下场! 连我妈都不服气了,要去教育部讨个公道。"

陈东前一拍大腿叫起来:"坏了! 这么大的事儿我都忘了!"

张岚扔下碗,问:"怎么回事? 您别激动,慢慢说。是不是我们有救了?"

"完了,你们死定了!"

李佑君紧张地放下碗筷,听陈东前的下文。陈东前抱拳作揖,道:"是我陈东前对不住你们,这些日子忙妍丽那边的事儿,竟然把这事儿给忘了。"

陈萍着急地催道:"陈叔叔,您快点说是怎么回事?"

"报名的时候怎么不跟我说一声?"陈东前问。

张岚答道:"那天车胎爆了,您在呀。"

"可你们没说去干什么。"

"可您没问我们去干什么。"

陈东前说:"还不是让你一把水一把汗给搅和了。"

"我们去教育部还能干什么? 报名考 IQ 啊! 您怎么就没有一点儿联想能力! 换个 CPU 算了!"张岚答道。

李佑君听着二人你一句我一句,半天也说不到点子上,不耐烦起来:"你们俩有完没完? 什么时候能说到点子上?"

"早说,我给你们到图书馆借一本 IQ 的书,考题的类型全在里面! 前面来的那些人,我帮他们借了书,全过,全进了好学校。没那书,还没听说谁过了的。"陈东前边说边用手比划着,"这么老厚的卷子,只要错三题就 game over!"

"我妈拿着我的光辉历史去找教育部,应该能给我加一条命吧。"

陈东前摇着头:"没用,中国的奖状在这边跟废纸差不多。"

李佑君解释:"我去教育部的时候,他们让我复印了,呈给上面的官员研究。"

陈东前叹了口气,道:"丢掉幻想吧!这边的政府人员办事儿都是这样,不会马上回绝你,可是政策以外的事儿,别说你有一千零一个理由,就是拿着枪指着他,也不可能给你办。"

"您这意思,我们俩弱智的帽子就摘不掉了?"张岚问。

陈东前拉着长腔说道:"摘不掉了。来新加坡的人只能考一回IQ,成绩联着网哪都能看得到。下回你们要是再入关,学生证在电脑上一扫,人就知道俩弱智又回来了。"

听这话,张岚的脸色变了,运着气。李佑君正要去拉他,张岚猛地站起来,一拍桌子,所有的碗筷都跳了起来。

"新加坡我不呆了!"张岚大吼一声,推开椅子离去。剩下三人面面相觑。

李佑君属牛,性格非常倔强,生的儿子尽管不属牛,但比属牛的还"牛"得多。

正如陈东前所言,第二天便得到教育部的回绝信函,由此引发了母子之间的一场战争。张岚决意要回国,李佑君坚决反对;张岚要钱买机票,李佑君坚决不给;不给机票就不吃饭,绝食,这一招也没把李佑君吓回去。母子二人进入了持久战阶段,张岚的绝食进入了第三天。

屋里的地上铺着母子二人睡觉的两张席子,张岚躺在外面一张,一言不发,眼睛直直地看着天花板。陈萍坐在一边的小凳上静静地守候,暗自抹眼泪,随后呜咽起来。

听到哭声,张岚支撑着身子坐起来。陈萍抹了一把泪,哭着跪下去扶张岚,泪眼扑簌。

"我最烦别人在我跟前哭,让我安静会儿,成不成?"

陈萍睁大眼睛,高兴地叫起来:"张岚哥,你说话了,你说话了!"随后想起张岚话里的意思,坐回凳子止住哭,低头不语。

过了一会儿,陈萍出去端了两个碗跑回来,放到张岚的面前。

张岚看到饭碗,脸一沉,咚的一声躺回了地上。陈萍的眼泪一下又流了出来,摇着张岚的胳臂,哭着说:"你这是怎么了,我哪点儿得罪你了,干吗又不高兴呢?"

张岚很费力地坐起,严肃道:"把碗给我端出去。我说了绝食,决不是空话!"

陈萍哭得几乎说不出话,"不吃饭,会饿死……"

"死不了,不信我妈会看着我饿死也不给我买机票。今天是第三天,明天她就得让步。等我拿到了机票,足吃一顿,把三天的补回来。"

陈萍收住哭,说:"那你就偷偷吃一点,我不跟李阿姨说。"

张岚正言厉色道:"那不行,这可是信誉问题。让人知道了,以后我还怎么做人!"

"我保证对谁也不说!"

"还有你知道呢。"

陈萍站起来走出门,"我走开,我没看见,什么也不知道。"

"掩耳盗铃。"张岚扑哧一笑,躺回席子上。

李佑君的心不是铁打的,张岚三天没有吃饭,她是急在心里,工作的时候尽量不表露出来。然而,十指连心,更不用说儿子是母亲的心头肉,所以三天来,李佑君的精神总是不在状态。钟生和陈友和都是细心人,刚开始的时候觉得不便多问,可到了第三天,越发感觉不对,钟生关心地一问,李佑君眼泪马上就下来了,一五一十将情况一说,二人跟着急起来。

"绝食,三天没有吃,这样不可以!为什么不早一点告诉我?这三天你是不应该来。你是母亲,哪里可以这样!"钟生说完,拉起李佑君往外走,驱车直奔她家。路上,钟生通知了他的私人医生,要他马上赶到李佑君家。

张岚还是在地上躺着的,陈萍坐在旁边。听到外面有开门的声音,张岚闭上了眼睛。李佑君进门,钟生跟着进来,陈萍起身相迎。

"睡着了?"李佑君小声问。

"没睡,刚闭上眼睛的。"陈萍如实汇报。

李佑君苦笑着,坐到凳子上。钟生走近观察张岚。

李佑君摸着张岚的额头,道:"不是妈狠心不管你。我养你这么大,还不知道你的脾气,你是要干什么就干什么,从来是尽量由着你的。可这回不一样,事关一辈子的大事儿,不能由你任性,必须听妈一回!"

张岚睁开眼,说:"如果不听呢?"

"你要是不听,我就太失望了。你想想,我们花了多大的代价才到新加坡,最苦的日子都熬过来了,现在妈好不容易找到一份好工作,有希望能负担得了将来你去美国读大学的费用,现在退却,那不是前功尽弃吗?"

张岚又闭上眼睛,说:"去不了美国,还费劲干吗?"

李佑君说:"谁说没有可能了? 只要你好好学,凭你的聪明才智我相信你能如愿的。还记得妈给你讲过的那个拱桥理论吗? 之所以好学校能出更多的人才,并不是因为学校好,而是它把更多的好学生招进去了。学校都是到达彼岸的拱桥,能不能走过去,关键是看自己。是金子,就不会被埋没。"

张岚闭着眼顶道:"三十名以后的学校,连独木桥都不是。"

李佑君苦笑着看了一眼钟生,继续开导:"别忘了,你爸和你妈都不是名牌大学出来的,你爸已经是教授,要不是你妈跟你爸在一个系,评职称吃亏,你妈也该是正教授了。"

张岚睁开眼,斜眼盯了母亲一眼,道:"你们这样就算成功,我还去美国干什么?"

一句话,顶得李佑君没了下文,眼泪扑簌簌落下,李佑君摘下眼镜,泪水洒落在张岚的手臂上。张岚索性转过身,背对李佑君。"说不过了就知道哭,我还没怎么说话呢。"

— 175 —

钟生看到张岚阴一句阳一句,把李佑君气成这副模样,这位好脾气的新加坡人竟也愤愤不平:"不可以这样对你妈妈讲话。为什么不为你妈妈想一想,这样的小孩子很自私的。你妈妈被你气成这个样子,说明你很无理的。你不可以不吃饭,你这样做是很无能的。"

　　张岚慢慢转过身来,对钟生道:"绝食是弱者用来对付强权的办法,您想清楚了再说话。"

　　只此一言,钟生也被顶得说不出话来。

　　李佑君止住泪,道:"不要这样好不好,钟生是关心你。人家那么忙还来看你,这份心意应该能感化你吧? 看在他的面子上,你多多少少吃点东西行不行?"

　　张岚吃力地想坐起来,陈萍连忙来扶。"谢谢您,不过我正要宣布,从现在起,绝水!"

　　李佑君和钟生听到此言,惊呆在那里。

　　陈萍扶着张岚,厉声地对李佑君和钟生嚷道:"他都这样了,你们还说他干什么?!"说完趴在张岚的背上失声痛哭。

　　李佑君的泪水再次涌出。大门外有陌生人在叫,钟生出门迎接,随后,钟生领进一位中年男子背着一个大药箱。医生放下药箱,扶张岚躺下,检查瞳孔,听心肺,一阵忙乎。随后取出拉伸支架,架好,挂上药水袋,准备给张岚输液。

　　张岚收回手藏起来,道:"我拒绝一切人道主义援助。只要一张机票。"

　　医生抬头茫然地看着钟生和李佑君,钟生示意他们出去。三人从里屋出来,在厅内小声议论。

　　钟生说:"答应他吧! 尽管我知道这样你也会走掉。可不可以他走先,你帮我把 NASA 的设计完成再走?"

　　李佑君咬住下嘴唇在思索,没有言声。

　　医生小声地说:"不可以再等,他很虚弱,再这样下去肠胃功能和心脏功能会出问题的。"

"中学插班考试就要开始了,错过今年,明年到了中四就不再收插班生,所以不能让他回去。"李佑君还是那么坚定,接着问医生:"他要是绝水,能坚持多长时间?"

"天气这样热,可能一天,或者一个晚上都不可以支持得了。今天我不可以走了,一定是要在这里准备急救。"

李佑君喃喃地说:"那就来不及了。"

钟生不解问:"什么来不及?"

李佑君说:"他爸来不及赶到。"

正说着,大门口被一个伟岸的身影遮住了光,暗了下来。三人不约而同望向门口。门是开着的,张岚的父亲张明贤背着背包,拉着皮箱堵在门口。李佑君使劲眨眼想把来人看清。

"佑君,是我。"来人道。

待李佑君看清来人,一下扑到张明贤的怀里,双腿一软身子往下倒。张明贤丢掉皮箱,双手抱起昏过去的李佑君,轻轻地放在沙发上。李佑君慢慢睁开眼睛,挣扎着要坐起来,张明贤扶她坐好。医生忙上前给李佑君检查。

"你来太好了!你那个混儿子还给你,我管不了。"李佑君喘了两口气,继续道:"去看他吧,在里屋。"

张明贤放下身上的背包,转身见张岚手扶门框站在那里。

张岚有气无力地说:"我没听错,是我爸来了。"说完,身子一斜,咚的一声,重重摔倒在地。张明贤扑上去,搬起张岚的上身,托着他的头,惊恐万状。医生放下李佑君,过来查验张岚。本来是跪在地上的陈萍,跪着往门口这边行,嘴里喊着"张岚哥",跪行几步便也仆倒在地。

张明贤焦急地对医生叫道:"那边又倒下一个!"

从张岚开始闹绝食,张明贤再也坐不住,他知道这娘儿俩的倔脾气,想跟张岚通话他死活不接。而李佑君寄给他的家属准证迟迟不到，急得他浑身上下往外冒热气，每天跑几回收发室和邮局。

今天一早终于收到家属准证，张明贤拉上行李直奔首都机场。原计划先飞香港，赶下午的一班国泰班机到新加坡，没想到一问，有一班旅行团包机飞新加坡，张明贤没有犹豫，直接登机，及时赶到。

医生给昏迷中的两个孩子输上液，估计问题不大，于是钟生同医生先行离去。

李佑君和张明贤各坐在一把椅子里，守在两个孩子身边，地上两张席子上分别躺着昏迷中的张岚和陈萍。张明贤的胳臂放在李佑君的椅子背上，李佑君靠在张明贤的臂弯里，头倚着他的肩。

"别忙松口，听到没有？实在不得已的时候再说。别一见儿子，一心疼，原则都没了。"李佑君叮嘱着。

"等他醒过来，我问问他是怎么想的再说。陈萍那孩子怎么也会昏过去呢？"张明贤有自己的办事原则。

"这闺女心重，这些日子俩人在一起像亲兄妹一样。看着张岚这样，她心里急，吃不下饭。这孩子是真懂事，招人喜欢。我上班了，买菜、做饭、洗衣服她都抢着干。性格好，善解人意，样子又俊，这么好的闺女，现在城里是真不好找。"

张明贤笑起来："莫非你物色好了儿媳？"

李佑君示意张明贤不要说，自己俯身察看，在二人的额头上摸了摸，都没有动静，然后靠回张明贤的肩上。"他们俩是正常的同学关系。毕竟还小，不能早恋，否则会影响学业的。我们谈恋爱那两年，耽误了多少宝贵的时间！"

"你不觉得张岚就是我们最大的成就吗？"

"是啊，这孩子比我们聪明，肯定比我们俩都有出息，所以我一再坚持要他出来读书，要他去美国读大学。你看我们那些在硅谷的同学，工作成绩都是世界一流的。咱们在国内的实验条件多受限制，不单是经费不够，有些芯片人家美国的公司就是不卖咱们，很多工作想做都做不了。所以我不能放他回去，一定要去美国，从大学念起,这样才会有优势,尽早出成就。"

"这个问题我们不必再争,你有你的道理,而且很正确。但任何事都不能强求,只要他有一个健全的身心加上一份事业,快乐一辈子,足矣,管他是在哪儿,是做什么。他要早恋,我也不反对。我还后悔呢,为什么我们两家都住学院路,小的时候没能认识你。"说到这里,张明贤深情地望着李佑君道:"你小时候那些相片多可爱呀!"

"去你的,想把咱们自己也害了不成? 要是那样,怎么会有今天?"

"说不定咱俩开个小饭店,小日子也能过得有滋有味。凭我的能力,小饭店变成了五星大酒店,有什么不好?"

二人说着话,张岚动了起来,过一会儿睁开了眼睛,望着张明贤。张明贤俯下身,关切地注视着张岚。

"爸,见到您,一高兴,我就睡着了。奇怪!"

张明贤笑笑道:"有什么奇怪的,见我来了,有救了,踏实了,就可以放心地睡,是不是?"

张岚会心一笑:"您说得一点没错。"说着要起身,张明贤扶张岚坐好,靠到墙上。张岚觉到手上的针,伸手想去拔掉。

张明贤眼睛一瞪,严厉地问:"干什么?"

张岚抬头望一眼张明贤,咧嘴一笑:"嘿,嘿,没什么,痒痒,挠挠。"转眼看到陈萍躺在一边,问:"她怎么了? 该不会也晕过去了吧?"

"还不是你害的,三天了,跟着你不吃东西。医生看她太虚弱,也给她补充点能量,刚才睡着了。"

听了李佑君的话,张岚放心地点点头。

张明贤温和地说:"睡一觉,补充点能量,好多了是不是?"

张岚指指滴液,说:"这可是强迫的,跟我绝食的决心没关系噢。"

"是,一点关系都没有！不过我不明白,你为什么要绝食?"

张岚转着眼珠问:"我妈不会没跟您说吧?"

张明贤点头,道:"说了,但我总不能只听一面之词吧。听完你的想法,我才好决定支持谁。"

"您用的是缓兵之计,我不上当。"

张明贤认真地说:"从小到大,我没骗过你一回吧? 刚才你妈还动员我站她一边,我说,得听了你的想法,再决定立场。"

张岚兴奋起来,说道:"我就知道我爸公正。跟您说完了,准让您跟我一块儿绝食!"

"说不定咱们一块儿去了麦当劳,我也一天没吃了。说吧,别拐弯。"

张岚挠挠头皮,说:"明摆着的,我要回国,我妈不准,我只有以绝食抗议。"

张明贤问:"为什么非要回国不可呢?"

"我的 IQ 没考好,考出个弱智等级。可这并不是我的错,陈叔叔说图书馆就有复习资料,我们不知道,顶着枪眼儿往上冲,结果让人给毙了。但我不服,不公平！国内的那些奖状他们看也不看,死活认定我是弱智,前三十名的学校不准我考,赖在这儿,多丢人！"

张明贤激愤地批评:"这种制度是太死板了！不过,你这一走,这口黑锅不就背定了?"

"回国以后我好好努一把力,干出惊天动地的大事业,再到新加坡来访问,跟他们这儿的总理聊一聊当初他们是怎么把我挤对跑的,制造一个国际玩笑。"

"打不过就跑,不太像你的性格吧?"

张岚语塞。"可,可我留在这儿是英雄无用武之地。好学校不要我,我跟谁比去?"

"会考的时候不就比出来了吗?"张明贤提示道。

"但要过两年才还得了手,不把我憋死啊!"

"跑了,不是再也没有还手的机会了?"

"有啊,等我成就一番大事业的时候,不就还了手了。"

张明贤摇着头,盯着张岚的眼睛,说:"说这话真没劲。好比别人打了你一拳,明明跟他有一拼,却掉头就走,边走还边说:'你等着,我回去练成了葵花宝典,过二十年再来收拾你。'你觉得这种废物点心有没有可能练得成葵花宝典?"

张岚翻了一阵白眼,想了想道:"得了吧,您哪!别费这么大劲打比方了,您还是找我妈要点新币吧!"

"不用,我身上有,咱们走吧!"张明贤回答。

李佑君没明白这父子二人唱的是哪一出,着急地问:"走?去哪儿?"

"告诉你妈吧,省得她不明白。"

张岚一本正经,好像什么事儿也没发生过似的:"去麦当劳啊,一块儿走吧!"

李佑君说:"可这水还没走完呢!"

张明贤动手帮张岚拔掉针头,"还输它干什么!"

李佑君说:"医生说一开始只能吃一点流汁!"

张岚从地铺上站起来,应道:"医生的话仅供参考。"

张明贤看看睡在地上的陈萍,对李佑君:"只能委屈你在家看着,一会儿我们打包回来。"说完,张明贤搂着张岚的肩膀,二人出门。李佑君含笑望着他们父子离去的身影。

张明贤及时赶到,化解了一场家庭危机,同时也给这家人带来了无限的温馨,可不是吗,一家人团团圆圆比什么都好。这段时间,李佑君比谁都准时下班,因为家的吸引力陡增。正巧,这个周末是张岚的生日,李佑君约了另外三家人去东海岸游玩。刘妍丽和陈东前忙学生的饮食不能脱身,冯小蓉开车接了刘虹和邓家母女,李佑君一家人打车,跟着十分显眼的大红法拉力来到东海岸。

海边的风景永远迷人,壮观的海港与娟秀的本岛形成反差,引起游客驻足观望;长长的东海岸是新加坡居民周末最常去的地方,这里可以游泳、冲浪、滑旱冰,烧烤食物。

树阴下,一顶蓝色帐篷支在沙滩上,徐翰和刘虹二人在帐篷处钻进钻出,李佑君、邓茹琳、冯小蓉和张明贤坐在石椅上,石桌上摆着各种食品,包括一个生日蛋糕。这时张岚和陈萍骑着双人自行车从小路的一端过来,挥手招呼。徐翰和刘虹冲到小路上,拦下张岚,抢着上车。陈萍下来,徐翰坐到了后面,张岚把刘虹抱起放到了车梁上,于是三人蹬着车,兴高采烈地骑向远处。陈萍回到石椅子上与大人们坐到一起。

冯小蓉笑着对张明贤说:"你这个儿子非常优秀,看来基因很有关系。"

李佑君和张明贤对视笑起来,他们的笑让冯小蓉感到异样。

李佑君笑着解释:"我们老张十八年前才结婚那会儿就预言了他的儿子会有 DND 遗传基因。"

陈萍不解地问:"我们生物课上讲的遗传基因是 DNA,怎么变成 DND 了呢?"

李佑君笑着望着丈夫道:"让你张叔叔给你解释吧。"

张明贤不好意思地笑笑,道:"开玩笑,仅仅是开个玩笑。"

李佑君说:"还不好意思说,我告诉你吧,D 是英语 dragon 的第一个字母。"

冯小蓉和陈萍全都开怀笑起来,邓茹琳被搞得满头雾水,"你们的学问都高,开的玩笑也让人听不懂。"

陈萍替母亲解释:"dragon 就是龙的意思,张叔叔说张岚是一条龙。"

李佑君笑道:"不光张岚是一条龙,你张叔叔的意思还想说他自己也是一条龙。"

"能生出龙子,李姐也是龙才行。有意思,一语三关。早点说,我订蛋糕的时候让人做一条龙在上面。来吧,给龙父龙母二人合个影,庆祝你们生出龙崽子十六周年。"说完,冯小蓉举起相机就照。

随后,众人在海边拍照,嬉笑。张岚还了双人自行车,带着徐翰和刘虹回到海边,迫不及待地下海游泳。其他三个孩子也换了泳装下海。张明贤接受李佑君的安排,下水照看不太会游泳的刘虹和徐翰。李佑君、冯小蓉、邓茹琳坐在礁石上,看他们戏水,海浪一起一伏,伴着孩子们周期性的欢叫声。

李佑君见张岚游向深处,对张明贤喊道:"管着点你儿子!"

"没事,他游泳棒着呢!"海浪声几乎吞没张明贤的声音。

"他们一下水我就紧张。"李佑君自言自语地对身边的冯小蓉说着,见张岚越游越远,她焦急地站起身,对着游远的张岚高声喊道:"张岚! 回来,回来!"

张明贤对身边的陈萍交代了几句,自己往深海处去追张岚。

李佑君见状更加着急:"明贤,你别去了! 回来,都回来!"见二人谁也不听她的,李佑君只好坐下,对身边的人道:"两个疯子,我拿他们没办法。"

冯小蓉安慰道:"李姐,别急,他们的水性那么好,天生的两条蛟龙。"

只见深水处,张岚和张明贤时而水上,时而水下,如鱼得水地弄潮,一会儿,二人都不见了踪影,足足让李佑君等人担心有一分钟之久,二人再次从靠近礁石的地方冒出水面,向三人挥手致意。随后张岚再次潜入水中,过了一会儿,陈萍和徐翰挣扎着没进了海水。张岚从水中冒出来,游向岸边。陈萍和徐翰追赶张岚上了岸,刘虹也上岸,四人在岸边追逐打闹。看着孩子们玩得高兴,李佑君和冯小蓉都会心地微笑,只有邓茹琳一人痴痴地望着海的深处。

李佑君碰碰邓茹琳,问:"茹琳,在想什么呢?"

邓茹琳痴痴地说道:"听萍儿他爸说,井底下有地下河,一直通到海里。我好像听到萍儿她爸在说话,说不定他从地下河里游出来了,游到这海里。他的水性好着呢,应该能游来。"

一席话说得李佑君和冯小蓉收起了笑容,她们一人一边拥着邓茹琳,安慰着她。可怜的邓茹琳,只要看到幸福的人家,总要想起陈萍她爸。

石桌上摆好了生日蛋糕,冯小蓉点燃了生日蜡烛。张岚站在蛋糕边,众人围着石桌。

冯小蓉看一眼张岚,说:"许个愿吧。"

只见张岚双手合十,闭上眼睛,众人唱起生日快乐歌。突然,张岚张嘴打了个假喷嚏,吹灭了蜡烛。

徐翰紧跟一句:"关键时候,怎能感冒。"

"我看你们是广告看多了。不算,不算,重来。"

说着冯小蓉又要点蜡烛,被张岚拦住,"不用,已经许完愿,第二回就不灵了。"

刘虹问:"张岚哥哥,你许的是什么愿,能告诉我吗?"

张岚说:"说出来就不灵了,还是等到愿望实现的时候我再告诉你们吧。"

张明贤问:"我能帮你说出来吗?"

"您说吧,让您说准了,愿望百分之百能实现。"

张明贤含笑道:"O水准拿第一,把新加坡盖了。"

张岚捧起整个蛋糕,递给张明贤:"爸,这蛋糕全是您的了。我就奇怪,十有八九让您猜到!"

张明贤将蛋糕放回桌上,动手切起来,"我要是猜不准,谁能治得了你?"

"我真佩服你们这一家子,总是心有灵犀。"冯小蓉叹了口气道,"我们家过生日,就没这种气氛,形式上隆重,却是死气沉沉的。"停顿片刻又说,"其实以前不是,没徐翰的时候,就我们两个人过,尽管没有多少欢声笑语,倒能铭记在心。"

李佑君将一块蛋糕递给冯小蓉,说:"气氛是人制造出来的,我就没有他俩那么会造气氛,特别是张岚,哪儿有他,哪儿就安静不了。"

张岚埋头咬蛋糕,听李佑君说他,抬起头,嘴边一圈挂着白色的奶油,连鼻子上也沾有奶油,一副滑稽的样子。张岚咽下蛋糕,道:"您是想表扬我呢,还是批评?我没听出来。"

李佑君说:"成天就想听好听的,关键是你的表现值不值得人表扬。一天到晚叽叽喳喳的,陈萍女孩子都没你话多。"

张岚突然抬手把蛋糕上的奶油抹到了李佑君的脸上,惊得李佑君直往张明贤的身后躲。

李佑君擦着脸上的奶油,生气地说:"这孩子怎么这么混呢!又不是在家里,哪儿来的水洗呢?"

"守着这么大一个海,还怕没水。"说着张岚举着蛋糕就要往张明贤脸上抹。张明贤没有躲闪,只是把眼睛一瞪,蛋糕停在离张明贤的脸五六公分的地方。

张岚咧嘴一笑:"嘿嘿,我想孝敬您咬一口。"

张明贤接过张岚手中的蛋糕,咬了一口,说了声"谢谢",然后转手把奶油抹在了张岚的脸上,"替你妈妈报的仇。"

众人见张岚一脸的奶油,哄笑起来,特别是刘虹和徐翰跳着脚、拍着手叫好。张岚从桌子上抓了一块奶油,抹到了刘虹和徐翰的脸上,陈萍见势不妙,转身就跑,张岚举着奶油追了出去。两个小的抓着奶油相互抹起来。远处,张岚抓住了陈萍,陈萍求饶,张岚还是把奶油抹到了陈萍的脸上。两个小的手里抓着奶油去追张岚,张岚想跑,被陈萍拖住,于是三人一起将张岚按倒在沙滩上,把手上的奶油全抹到了张岚的脸上、胳膊上。这边四个大人看着孩子们打闹,满面笑意。

张明贤拿起一块蛋糕递给李佑君:"张岚的生日,也是你的母难节,坏小子又让你受了一回难。"

李佑君接过蛋糕,把奶油抹到张明贤的两颊,张明贤却一动不动。"谁让你给我养出这么一个混世魔王,整天就知道和我作对。"李佑君边抹边说。

　　冯小蓉看不下去,叫了起来:"你们这家人一个治一个,服服帖帖的! 张教授,你也抹回来呀!"

　　张明贤用准备好的纸巾擦着脸上的奶油,解释道:"这是我们家特有的生物链,不能打乱。最可气的是张岚,每回整了他妈,就知道我也跑不了。"

　　冯小蓉用手指蘸了一点奶油,抹到李佑君的脸上,说:"我替张教授打抱不平。"

　　冯小蓉跑下沙滩,李佑君蘸了奶油去追冯小蓉。张明贤脸上还有一些奶油,看着大人孩子追逐打闹,他由衷地笑着。过了一会儿,李、冯二人回来,一人走到邓茹琳的一边,一起用手指蘸了奶油往她的脸上抹。邓茹琳先是一愣,然后摆着手跑开。李佑君和冯小蓉二人一同追赶邓茹琳去了……

　　其实生活永远不会缺少快乐,因为快乐是一种心态,就看生活中的人们会不会去创造。

　　张明贤在新加坡只住了九天就得回国,因为南京有一个国际会议安排了他的报告。冯小蓉开车来接张明贤和李佑君,到了楼下,打电话通知他们。张岚第一个出电梯,手里拉着行李箱,张明贤和李佑君随后,陈萍、邓茹琳跟在后面。来到车前,张明贤转身对陈萍说:"记着叔叔教你的方便饭做法。把菜呀、肉呀、米呀、油呀、盐呀什么的放一起煮一大锅,然后分成若干份放进冰箱,要吃的时候拿出来在微波炉里一热就行了。营养齐全,方便快捷。"

　　张岚放好行李,盖好后备箱,接着张明贤的话道:"我们老张家祖传秘方,原本只传男,不传女,你是例外!"说完去了前排坐进车内。

　　李佑君说:"张岚,你和陈萍都去上学吧,你们俩落了不少课,好好补补。没几天了，五六所学校等着你们考呢。"

张岚从车窗伸出头，道："不干！我要去送我爸！"

张明贤俯身对张岚说："昨天你还跟我吵，说我一来你的自由就少了一半。我走了，不是正好吗？"

"哪能啊！您走了，找不到人较劲，挺没意思的。"

"你妈说得对，你该收收心。我等着你的好消息。"张明贤说着拉开了车门。

李佑君带着命令的口吻道："听话，上课去。"

张岚嘟着嘴，一副不情愿的样子从车里出来。

张明贤摸着张岚的头，劝道："只当是当年的韩信，记着，该努一把力了。塞翁失马，焉知非福。"说完，张明贤钻进车内，李佑君、邓茹琳坐进后排，冯小蓉起步，车子滑动，留下张岚依依不舍站在那里，陈萍挥手作别。

车子开到机场，张明贤和李佑君下车，冯小蓉同邓茹琳去存车。由于乘客不多，并且离登机的时间差不太多，张明贤很快办好登机牌，同李佑君来到出关口，被机场保安拦住。张明贤出示了登机牌和护照，走进关口，李佑君留在外面。望着丈夫离去的背影，李佑君情不自禁流下眼泪。张明贤站到黄线外，回头见李佑君难过的样子，忍不住回身走出门外，将李佑君拥在怀里，低头安慰了几句，随后坚定地走向一个空的柜台。检查通过后，他回身向李佑君挥了挥手，消失在通道尽处。李佑君久久地站在玻璃墙后没有离开。远处，冯小蓉和邓茹琳遥望着这感人的一幕，冯小蓉跟着落下眼泪。邓茹琳呆呆地望着远处的李佑君，一种悲哀突然袭上她的心头，她捂住脸竟呜呜地哭出声来。

18

刘妍丽不顾陈东前的反对,一定要去"捉奸",两代人
的性观念发生激烈冲突,其结果是把他们刚刚做上路的
生意搅黄了。

刘妍丽像个大厨师,动作麻利地切着菜。陈东前在一边帮忙
整理洗好待切的蔬菜。

刘妍丽擦了一把汗,道:"这一天到晚的,两头跑,两边做饭、洗
衣服,迟早有一天我得累趴下。"

陈东前讨好地笑笑,说:"有我帮忙,哪能让你累着。"

刘妍丽切着菜,不屑地说:"就你那熊样,帮得了什么?"

陈东前不服气道:"重活可都是我在干!"

"我这哪一件是绣花活?"

"好几十斤的菜,每天扛一回,你以为轻省?"

刘妍丽没好气道:"那才一半。我买菜你怎么不说?"

"可我是半天工,有人租房我还得去跑啊。"

"那你别干! 就你那一月几百块,够干啥的?"

"要不是顾着你这边,我那儿也不至于这样。"

"算了,算了,以后别来,还成了我害你!"刘妍丽生气道。

陈东前赔笑道:"别急呀,说着玩的,咱们俩还计较那些?"

刘妍丽又好气又好笑,问:"谁跟你是咱们?"

陈东前认真地回答:"你和我呀!"

刘妍丽把切好的土豆丝扬到陈东前的脸上,陈东前没躲,咧着嘴笑道:"你是周瑜,我是黄盖,两相情愿。"

"谁像你似的,没脸没皮的。"顿了一下,刘妍丽继续道:"对了,有件事儿我想告诉你。最近我没住这边,李晓惠和姓郭的女孩可能和双人间的那俩男孩住在一起,我经常在男孩的房间里搜出她俩的东西。哪天一大早来堵一回,把她们逮住。"

"你管这些事儿干什么? 他们爱住一起让他们住就是了,只要照交房租就得。"

刘妍丽边切菜边说:"那不行,我这儿成什么了?"

"宿舍呀,还是叫宿舍。英文是 boarding house。"

"二十不到就同居,而且两对住在一间屋里,这算怎么回事?"

陈东前把刘妍丽切好的菜对半分在两个篓子里,说:"现在的年轻人,跟咱们这代人的观念可不一样。别说是在国外了,国内大学生未婚同居的也不在少数。上至教育部,下到他们的老师都管不了,你着的哪门子急呢?"

刘妍丽放下菜刀,"别的地方我管不着,可在我这儿不行,出什么事儿,我也有责任。"

"人家可都是十八岁以上的人,法律上是独立的,有你什么事儿?"

"不行,明天一早我过来看个究竟,要真是那么回事,我把那俩女的赶走,别人跟着学,那不是乱套了!"

陈东前认真道:"听我的没错。你就睁一只眼、闭一只眼,只要不干违法的事儿,咱们管不了那么多。李晓惠那丫头多厉害,回头她要在同学里煽动一下,肯定会坏咱们的事儿。"

"我想治的就是她,没事老跟我这儿过不去。"

正说话,手机响起来,陈东前举起电话:"Hello,小蓉,你好! ……什么? 吴贵发又回来了! ……等着,马上就来。"放下电话对刘妍丽解释:"吴贵发从印尼回来,守在门口不言声,邓姐一开门就钻进去,赖着不走。我过去看看。"

陈东前说着,放下手中活儿,准备出去。

刘妍丽不解地问:"冯小蓉的官司不是已经判了,吴贵发卖房无效,该她住,还有什么可闹的?"

"我猜吴贵发这回惨了,不但要还定金,还得赔人违约金。"

刘妍丽收拾着菜,没好气地说:"活该! 再没有法律治他,吴贵发坏得没边儿了! 冯小蓉也活该,谁让她当初不听你的!"

"所以,刚才说的那事儿你得听我的,不然也得出乱子。"说完,陈东前匆匆离去。

冯小蓉的住所里,吴贵发坐在沙发上,闭着眼不说话,胡子没刮,一副疲倦的样子。冯小蓉和邓茹琳坐在另一只沙发上,沉着脸。陈东前匆匆进门,坐下,见吴贵发没有反应,干咳了两声,他还是没有动静,像是睡着了。陈东前过去拍了拍吴贵发的膝盖,他这才睁开眼睛。

"吴贵发,你怎么又回来了? 不在印尼开卡位 OK 厅了?"

吴贵发有气无力道:"那边在打仗,卡位 OK 没有做。"

陈东前问:"那边住房便宜一些,你回来做什么?"

吴贵发指着冯小蓉道:"你问她好了。"

冯小蓉说:"法院传他,要他还九千块定金,另外还得付一万八的赔偿金。"

吴贵发突然变得歇斯底里地叫道:"我完蛋了,你们可以高兴了!"顿了一下,平静一点,继续道:"你们把我搞臭,没有 agent 要为我卖房子,我把房子卖给你好了。"

"嘿,这人有意思,学会倒打一耙! 我问你,租期没有到,你为什么卖房? 明明是想多骗几个月的房租! 自作自受,现在跑回来想干什么?"陈东前问。

吴贵发答道:"我把房子卖给你们好了。"

冯小蓉冷笑道:"买你这种人的房子,永远清静不了。"

吴贵发说:"那你们搬出去,我另外租别人。你那一点点租金以后还给你。"

陈东前摇着头,一副无奈的样子:"这种馊主意都想得出来,高!你是赖皮高手,陈某佩服!"

"没有关系,你们不搬也是可以,和我一起住好了。只是我的肚子很饿,没有钱吃饭,以后要你们做饭给我吃。"

听了吴贵发的话,陈东前叫起来:"哎哟我的妈呀!这才表扬你一句,看家的本事就拿出来了!"

冯小蓉无奈道:"本想打电话让张岚来收拾他,可是这些天考试,不能耽误他们。想搬走,可这个赖皮害得我够惨的,官司打赢了,末了还得我搬走,实在咽不下这口气!他不让我安宁,我也不能让他好受。"

陈东前点头道:"这种人只有张岚对付得了。我可以住过来,只是白天妍丽那边没我不行。"

"晚上你能来就行,平时我们家里随时有人,只要他一出门,我们就把他锁外面,看他能饿得了几天。"抬手看了一下表,冯小蓉说:"我要去接徐翰,拜托你们守一下了。"说完,拿上挎包出门。吴贵发依旧闭着眼歪在沙发上。陈东前和邓茹琳正襟危坐,对视一下,却是无言。

晚饭后,冯小蓉和徐翰回屋把门锁上,留下邓茹琳一个人在厨房洗碗收拾。吴贵发出现在玻璃门口,小声道:"我很饿,我也要吃饭才可以。"

邓茹琳没说话,将剩下的饭菜倒在一个碗里,放进冰箱,随后对吴贵发指指冰箱,示意他自己拿。邓茹琳擦干手,回自己的房间,关上门。吴贵发进到厨房,打开冰箱,取出饭菜端进厅,放在茶几上,打开电视,边看边吃。

陈东前开门进来,看见吴贵发一副自在的样子,气不打一处来。"小日子过得不错嘛,有吃有喝,还有电视看。"说着,伸手要去抢桌子上的碗,吴贵发抢先把碗抱在了怀里,盘腿坐在沙发上,用勺子往嘴里送着饭。冯小蓉听到动静,从屋里出来,见吴贵发那副样子,咬着牙,生气地敲着邓茹琳的门,"邓姐,你出来。"

邓茹琳出门,紧张地把冯小蓉望着。

"你帮陈先生把冰箱推到你睡的屋里。"交待完,冯小蓉回身进屋,重重地关上门。陈东前和邓茹琳一阵忙乱,冰箱被移进客厅,然后推进邓茹琳的房间。吴贵发一脸不在乎,边吃边观赏着二人搬动笨重的冰箱。陈东前从邓茹琳的屋里出来,看到吴贵发一副自得的样子,嘴角动了动,想说什么,却把话咽了回去,转身进自己的房间,关上门。吴贵发手拿遥控器选着电视频道,最后定在NBA球赛上。很快,吴贵发就被比赛迷住了,跟着电视中的精彩镜头叫起好来。

第二天,刘妍丽起了个大早,准备去第一处学生宿舍"捉奸"。她快步走来,突然看到陈东前坐在路边的椅子上,吃了一惊,问:"你怎么在这儿?"

陈东前坐着没动,说:"知道你要去,在这儿拦着你的。"

"有你什么事儿?回家睡觉去!"刘妍丽命令道。

"放着踏实觉不睡,又有你什么事儿?"

"就因为不踏实,才过去看看。"

"捣什么乱!人家爱睡在一块儿,关你屁事儿?"

"那不成,我非得管管才行。"刘妍丽说着就走,陈东前跳起来,拉住刘妍丽。两人在小路上拉扯起来。最后是陈东前犟不过刘妍丽,两人一同往西边走去。

来到宏茂桥的组屋楼下,陈东前再次劝阻她不要上去,可刘妍丽越发像是临阵的斗鸡冲进电梯,陈东前哪里拦得住。

开门进到厅里,学生们还没有起床,刘妍丽径直推门进了李晓惠的寝室,果然李晓惠和小郭二人不在。睡梦中的两个女孩被惊醒,其中一个坐起来,不解地盯着刘妍丽。

"李晓惠和小郭呢?"刘妍丽问坐起来的女孩。

"不知道。可能是去跑步了。"

刘妍丽用鼻子哼了一声:"跑步?大概从昨天晚上一直跑到现在都没回来吧!"说完退出房门,坐到厅里的椅子上喘粗气。

陈东前从进门后站在那里就没挪窝,他预感到事情会闹大。果然,急脾气的刘妍丽在椅子里坐了一阵儿,等得不耐烦,干脆去敲男生宿舍的门。敲了一阵儿没人应答,陈东前过来劝阻,被刘妍丽推开。突然从屋里传出李晓惠的声音:"有病去医院挂精神科,你们敲错门了!"

听这话,刘妍丽停了手愣住,陈东前反倒笑出了声。

"世界上再也找不出比你脸皮厚的人了,女孩子家家的,自己送货上门!"刘妍丽的嘴也不含糊。

门突然被拉开了,李晓惠气急败坏地站在门口,对着刘妍丽嚷道:"你怎么这么爱管闲事! 真的是神经有毛病!"

刘妍丽先是一愣,很快定下神来,挖苦道:"女孩子家家的,不能把持好自己,将来谁敢要。"

"你没有资格来教训我,被人退了货的二手货,不是什么好货。"李晓惠刁钻的话把刘妍丽气得脸发紫,竟一时不知道如何应对。

陈东前抢上前道:"李晓惠,别不知好歹,我们可是为了你好,才来关心你们。越说越不像话了!"

"你们这些人闲极无聊,没有事干到我这里找事,我马上可以投诉你们,侵犯我们的隐私权,你们要为此付出代价的!"李晓惠反倒有理似的。

看热闹的学生越围越多,看来他俩都不是李晓惠的对手,再吵下去只会越来越被动,于是刘妍丽使出杀手锏:"李晓惠,你给我听着,我这里不是妓院,马上给我搬出去,省得一只苍蝇坏一锅汤。"

李晓惠不是省油的灯,对着他们的同学煽动起来:"诸位,你们都看到了吧,这两个人都是变态,无缘无故地侵犯我们的人权,用最邪恶的语言攻击我们,住在这里还有安全感吗?"说着,对身后的两个男生道:"穿好衣服,我们去找别的 boarding house。"说完,李晓惠率先出门,那两个男孩子跟脚出去了。

看热闹的学生纷纷散去,只留下那个姓郭的女生低头坐在宿舍里。刘妍丽走了进去,陈东前跟进去,随手把门关上。

"小郭,你不是李晓惠那号不要脸的人,怎么跟着她疯疯癫癫?"刘妍丽说着坐到小郭的对面,小郭依然低头不语。

陈东前怕刘妍丽再说难听的话,赶紧接着刘妍丽的话音说:"小郭啊,我们可都是为了你们好,你想想,你父母花多少钱让你们出国读书,指望的是你们能好好学习,将来有一个好的前途,而你这个样子,对得起你的父母吗?"

"我这儿有你们家的号码,这就给你父母打电话,他们要是认为我们多管闲事,以后就不管你们了。"刘妍丽一句威胁的话真管用,小郭马上哭了起来。

"刘阿姨,千万不要给我家打电话,我爸知道了会气死。"

"既然知道能把他们气死,为什么还这么做呢?"刘妍丽逼问。

小郭沉吟了片刻,认认真真地把实情道了出来:"刘阿姨,不怕你见笑,我们在国内考不上好的学校,才花钱出来读书,所以我们的学习压力特别大。出国读书,一下离开家,离开同学,离开熟悉的环境,感觉特别孤单,真的受不了。不仅我们女生这样,很多男孩子也常哭鼻子。说真的,只有找一个男朋友,两个人在一起相互关心、相互安慰,才会觉得不孤单,觉得像是身边有亲人似的。"

小郭的一番话让陈东前大受感动,刘妍丽却不为之动容。"随随便便找一个人住在一起,将来要是觉得不合适怎么办?"

— 194 —

"我们谁也没有想过将来,能合得来就在一起,什么时候要是合不来了分开就是。我们那些同学都是这样。"小郭是如此交代的。

"哟,你们这些年轻人谈恋爱怎么就跟下馆子似的,像话吗?对自己太不负责任了!"刘妍丽批评道。

"刘阿姨,你听了别生气,我们这代人和你们的观念不一样,大家都把这些问题想得很淡,对不同的观念比你们那时候有更大的包容态度。我不敢说是进步,但是真的这样生活起来要轻松一些,不像我们的父辈那么累。"小郭竟然开始教育起在座的两位老树疙瘩。

"打住,赶紧给我打住! 越说越不像话了。什么观念不观念的,我不管那么多,我只问你一点,不小心怀了孕,可是女孩子吃亏,想过这些没有?"刘妍丽又问。

"不会的,都是些基本常识,我们怎么会不懂呢?"

陈东前闻此感叹起来:"咳,这世界咋变成这样了呢!"

"不是所有人都这样,有些人想法就不一样,就像孙文娟,人家眼高,看不上身边的这些男生。我们都理解、尊重她们,同样,她们也理解和尊重我们的选择。"小郭的解释让陈东前感到释然,刘妍丽却不耐烦起来。

"行了,没工夫听你瞎扯。"刘妍丽看一眼手表,说:"咱们走吧,刘虹还得上学。"说完二人准备离去。

小郭追到门口小声恳求:"刘阿姨,别告诉我家好吧。"

陈东前替刘妍丽答应了,小郭才放心地目送二人出门。

刘妍丽回第二处学生宿舍,陈东前赶紧去了冯小蓉的住处。邓茹琳正在安排吴贵发吃早餐,见陈东前进门,先是紧张,随后解释道:"我以为你不回来吃早饭,所以把你那份给他吃了,倒掉怪可惜的。小蓉送徐翰上学去了。"

陈东前心说,邓姐呀邓姐,你这是养虎为患,好吃好喝地待着他,这小子什么时候走人,真是糊涂!可当着吴贵发的面又不好说她什么,于是随口道:"我吃过了,剩饭打发要饭的正好,只不过以后不能让他堂而皇之地坐在桌子上吃。"

陈东前的话是说给吴贵发听的,可吴贵发只当没听到,不紧不慢地坐在那里品尝着美味糕点。陈东前见这景象,气不打一处来,坐到了吴贵发的对面。吴贵发警惕地看一眼陈东前,把那碗牛奶往自己跟前拉了拉,继续吃着。

"吴贵发,你什么时候走人,也省得我们这么大帮人老是陪着你,供奉着你。"

"我不懂你讲的话。"

"我问你什么时候从这间房子走,滚,滚蛋!"

"我不会走的,这是我的房子,我住在这里蛮好!"吴贵发的话没把陈东前气死。陈东前抬头看邓茹琳,邓茹琳赶紧躲开他的目光,干自己的事儿去了。

陈东前叫住邓茹琳:"邓姐,中饭和晚饭我不在这里吃,你计划着少做一点,省得便宜了要饭的。"说完,陈东前离开餐厅,径直出门,留下邓茹琳呆呆地望着房门。

陈东前从冯小蓉处出来,找到一个饮食店,点了一份早餐,一边等煎鸡蛋,一边生邓茹琳的气。这半边的气还没捋匀,刘妍丽的电话惹出更大的气来。

"跟李晓惠一个学校的学生一个挨着一个打电话来要退宿舍。"电话里,刘妍丽如是说。

听了这话,陈东前紧张起来:"你答应他们了?"

"答应了。"

"答应退他们押金了?"陈东前着急地问。

"答应了。"

"我的妈呀,这事儿你也不跟我商量一下。合同写得明明白白的,退宿舍要提前一个月提出,否则押金不退。你倒好,把人都挤对跑了,押金全退,我们这买卖不得赔死,这回连本都回不来了!"陈东前对着手机嚷起来。

"人家不想住,强留一月,成天鼻子不是鼻子脸不是脸的,多难受,不如痛痛快快让他们走了算!回头你去理工学院贴广告,另招些人不就得了。"

"我的姑奶奶,你是站着说话不腰疼!这是什么时候了,学生都找到了住处,谁还上你这儿来呢?等着吧,明年新生入校的时候再招人吧,等不到那个时候,我们只有退房,那些家具又往哪儿堆呢?"陈东前激动得站起来,边说边走,刚端上桌的早餐一口没动。

下午的时候,学生们收拾了各自的行李,一个接一个电话打到刘妍丽那边,要求她马上退费。陈东前与刘妍丽二人的意见不同,陈东前想以拒绝退费将人留住,而刘妍丽觉得已经答应了不退说不过去。最后在陈东前的坚持下,他独自一人前往第一处学生宿舍。陈东前以合同为由,拒绝退费、退押金,这下学生便炸开了锅,纷纷指责他们言而无信,他们声称是刘妍丽答应了退费他们才在另一处学生宿舍交了押金。最后陈东前让步到由他赔偿他们所交的押金,也没能把学生们留住。学生们不停地给刘妍丽打电话,被迫无奈,刘妍丽只有带着钱过来,一个个把押金和剩的费用退还了他们。

学生们陆续搬东西离去,最后离开的是那个名叫孙文娟的北京籍学生,被称为他们小老乡的这位,平时常帮着调解刘妍丽与学生们之间的矛盾。临出门时她对刘妍丽说:"刘阿姨,是您自个儿太爽快,不多长一心眼儿。其实除了那四个,别人都不想搬,碍于面子跟他们去看房子,只要您说个不退费,我们也就推托过去了。可给您打电话,您一口就答应退,我们八人挨个儿给您打电话,您挨个全退,一个也不含糊,逼得我们只有在那边交押金。这事儿的确是您欠考虑。"说完孙文娟挥手告别,留下陈东前和刘妍丽二人面面相觑。

19

动物学的研究表明,发情求偶期的动物都会分泌大量的荷尔蒙,从而使自己在异性面前更具魅力。吴贵发自然不例外,被荷尔蒙燃烧着的他用热烈的目光盯着邓茹琳……

吴贵发住了有一个多礼拜,可把冯小蓉难受坏了。每天早起妇女、孩子一阵忙乱,可吴贵发大模大样躺在厅里的沙发上一动不动、旁若无人。白天,吴贵发守着电视看个不停,好生自在!冯小蓉看着这家伙就来气,所以经常开着车在外面转悠,有时接了徐翰也不回家。冯小蓉感到奇怪,吴贵发从不出门,不吃不喝能坚持这么久?陈东前心里有数,知道邓茹琳私下给吴贵发吃喝,却不便把事情说穿,自己每天晚上过来享受一下冷气倒也乐得。

也许是因为自己受过的苦难太多,邓茹琳特别看不过去表现得很可怜的东西,不管是狼还是犬。吴贵发没吃没喝的,她便想起自己没吃没喝的日子,于是便萌发了帮他的直觉冲动,而不去管他干过多少坏事。

吴贵发对邓茹琳的举动有另一种解读,以为是在讨好他,就像许多的陪读妈妈,到新加坡的首要目的是为了寻找下一任老公,吴贵发认认真真地考虑了这个问题。

在新加坡，结婚容易离婚难，即便是双方都一致同意离婚，也须通过三年的考察，证明夫妻双方确实感情破裂方能解除婚姻，因此，人们对婚姻都是持审慎的态度。单身的陪读妈妈在新加坡很难找到像样的人家，就是那些在经济与德行各方面都是困难户的男人，也不太考虑陪读妈妈，因为通过中介公司，花钱不多就能娶到越南的大姑娘，所以能成功地嫁给新加坡"困难男人"的陪读妈妈也为数不多。

吴贵发快五十了，应该考虑续弦。尽管吴贵发在新加坡是属困难户，可他的要求还不低。他想找一个有钱或者能挣钱养活他的女人，样子得过得去才行，同时还不能管他花天酒地。他觉得邓茹琳应该是比较合适的人选，五官端正，尽管四十出头，人还勤快，再干二十年不成问题。邓茹琳一副憨厚的样子，不会成为他日后寻花问柳的障碍。特别是邓茹琳还带着一个如花似玉的女儿，他现成得这么大一个女儿没什么不好，说不定日后有机会……吴贵发越想越美，于是便对邓茹琳发起进攻。

据动物学的研究显示，发情求偶期的动物都会分泌大量荷尔蒙，从而使自己在异性面前更具魅力。吴贵发自然不例外，在荷尔蒙的作用下，几天来他在邓茹琳面前的确表现出了一定的魅力，至少让邓茹琳不讨厌他。吴贵发经常滔滔不绝地讲述过去的辉煌，借着荷尔蒙的作用，他在演说过程中表现得神采奕奕，甚至显得有些迷人。邓茹琳闲的时候多，没事儿听他说书只当解闷，不管听不听得懂，明不明白，她都会点头，这更激发了吴贵发的演说热情。

"我现在是不可以挣很多，挣多是要还银行才可以，再过一年多银行不要我还钱了。我吴贵发可是有本领的人噢，过去我会挣，of cause，以后我也是会挣的！"吴贵发信誓旦旦地说着，邓茹琳跟着点头。

邓茹琳从沙发上站起，进自己的屋从冰箱里取来一瓶冷饮递给吴贵发。吴贵发没有接，却用着因燃烧荷尔蒙而热烈的目光盯着邓茹琳,直盯得她不自在起来。突然,他一把握住邓茹琳的手,道:"同我结婚吧,我请求你能同意。"

对吴贵发突如其来的求婚,邓茹琳大为意外、不知所措,她下意识地要把手抽回,却被吴贵发紧紧握住。许多年来不曾受到男性这样的呵护,邓茹琳有点受宠若惊的感觉。

吴贵发见邓茹琳没有拒绝,于是不失时机地宣传嫁给他的好处:和新加坡公民结婚,她和陈萍的身份全变了,不但她可以找工作不受限制,陈萍就读政府中学就不用给教育部交赞助费,也不需要交学费,光这一点就能省不少钱。

邓茹琳是个家庭妇女,不用说让她去看问题的本质,什么事儿只要转个弯她就会迷糊。吴贵发对她献殷勤,她便有点云里雾里的感觉。饱受贫寒的人更容易急功近利,邓茹琳大概也是如此,马上可以工作,陈萍上学不要钱,这些对她确实有极大的吸引力,所以邓茹琳也在认真考虑这件事情。

吃午饭的时候,邓茹琳想征求冯小蓉的意见,战战兢兢地把事情的经过同冯小蓉说了。冯小蓉听明白怎么回事,顿时就跟她急了:"怪不得吴贵发住在这里不走,原来有人暗中帮他!邓茹琳,现在我算是把你看透了,为了讨好吴贵发,你不惜出卖我。我没亏待过你吧,为什么要和我作对?"

"我看他可怜,给他一些剩菜剩饭,并不是想讨好他。结婚的事儿是他才跟我提的,我觉得能工作,陈萍上学能省钱,才答应考虑一下,才想着征求你的意见。"邓茹琳辩解。

"要不要同他结婚,那是你的事,和我不相干。你背着我给他吃,把他留在这里,这分明是帮着他把我赶走!想不到你会是这种人!"冯小蓉越说越激动。

"我,我真的没想那么多,我只是觉得他可怜,真的不是要和你作对,一点没有那意思。"邓茹琳一个劲儿地解释,却觉得有口难辩,眼泪跟着流下来。

"邓茹琳,别忘了,当初你走投无路的时候是我收留了你,你不知道报恩,居然还给那个无赖当帮凶!现在你的目的达到了,你走吧,你用不着在我这里干了,去找你的好工作吧,最好把那无赖一起带走。"冯小蓉说着,推开饭碗,把桌上的饭菜全端到厕所倒进抽水马桶。邓茹琳和徐翰二人吓呆了,看着盛怒之中的冯小蓉,谁也没敢说话。坐在厅里的吴贵发好奇地向饭厅这边张望。

见到桌上杯盘狼藉,邓茹琳擦干眼泪,本能地收拾去洗,冯小蓉坐在桌边运气不止。过了一会儿,冯小蓉从屋里取来挎包,数了四百新币放在桌子上,对邓茹琳说:"看来你不需要在我这里做事,我也不留你。洗完碗,收拾一下你的东西回去吧。今天是十月十九号,算二十天,工钱放在桌子上的。"说完,她拉着徐翰回自己的房间,从里面把门反锁起来。

邓茹琳停了手上的活愣在那里,她到这会儿还不理解为一点残羹剩菜冯小蓉会发这么大的火,为此赶走她。未必眼睁睁地看着吴贵发饿死?不可能,那为什么冯小蓉会这样对她?大概是冯小蓉不想再用她了,找茬儿赶她走。邓茹琳想到这里,心里倒觉得坦然一些,几下洗完碗,收拾停当自己的东西,拿了放在桌上的四百块钱准备离开。走到厅里,看着吴贵发坐在沙发上,邓茹琳停下步子不知道说什么好,愣了一会儿,她问吴贵发:"你怎么办?"

吴贵发盯着邓茹琳手上的钱道:"我也是没有办法,还是住这里好了。只是没有钱吃饭。"

邓茹琳拿了一百元递给他,吴贵发接过钱顺手装进口袋,说道:"没有关系喽,同我结婚,马上可以申请准证,我会为你找到工作的。我怎样同你联络?"

邓茹琳不愿意在冯小蓉的眼皮底下同吴贵发多接触,于是给了他电话号码便匆匆离去。

张岚和陈萍参加政府中学的考试,为了保险,他们分别报了几所学校,考试的科目相同但试卷不同。近一段时间他们没有去语言学校上课,在家里忙着准备其他科目的考试。张岚考中三,除英文外还要考华文、数学和科学。华文和数学对中国学生不难,但科学涉及物理、化学、生物等方面的知识,单词面很广,不能不认真对待。陈萍报考中二,不考科学,轻松些。

这日,他们二人在家挥汗读书。房东带人来看房子,原来刘妍丽住的那间现在需要出租。房东领来的人是一位从中国东北来的陪读妈妈,秦姓,三十多岁。看过屋子,来人当场决定要租,付过定金,拿了钥匙,声称还在上班便匆匆离去。送走秦女士,房东见张岚和陈萍一人守一把电扇复习功课,一副热得难受的样子,便不解地问:"这样热,你们为什么不去阅读中心?那里有冷气不好一些吗?"

"要不要钱?"张岚放下手中的书本,问。

"一定是不要钱的,所有的人都是可以去。同我一起去好了,不会很远。"热心的房东这样说道。

张岚听说有这等好事,二话没说,抱着自己的书,拉上陈萍一起跟着房东去了阅读中心。

房东介绍二人去的阅读中心是在组屋一楼开设的一间大教室,室内有很多小隔间,隔间里有桌椅,有冷气,从下午四点到晚上十点对公众开放。有这等好事儿,让张岚和陈萍大感意外,张岚欢喜之余半开玩笑地抱怨房东:"怎么不早告诉我们,让我们受了三个多月的苦。"

房东一面告辞,一面道歉,好像他真的犯了很大的错误似的。房东认真的态度倒让张岚觉得不好意思起来,心说,新加坡人压根没有幽默细胞。其实幽默是有国界的,北京人的幽默不一定走到哪儿都好使。

从此,张岚和陈萍成了阅读中心的积极分子,张岚将此处命名为"避暑山庄"。晚饭后,李佑君也时常同俩孩子一起到"山庄"看书,不只是图这里凉快,因为新搬来的那家人让李佑君心烦。

据搬来的秦女士讲,她带孩子到新加坡有两年时间了,她儿子原来在裕廊上小学,她在这附近上班,相距太远不方便,于是她把孩子转到这附近的学校,搬到这里来住。秦女士不爱说话,不太讲人情世故,甚至连自己不满十岁的孩子也不太关心。李佑君本着同胞之情,尽量搞好关系,时常帮着照顾一下没人管的孩子,秦女士对此却表现得漠然。没几天,李佑君察觉到了不正常。秦女士称自己在饭馆做事,可上下班没有一个准时候,经常整个上午在家睡觉,有时半夜才回家。最让李佑君不能接受的是秦女士常常往家里带男人,而且带来的男人一个个都是贼眉鼠眼的样子,一看就知道不是正经人。李佑君怀疑秦女士做皮肉生意,从而让她觉得在家没有安全感,觉得恶心。尽管她每天都要给共用的坐便器消毒,但仍然不敢放心使用。想到搬家,可还得一个月才能确定两个孩子考到哪里、搬到哪里,没办法,只有忍受一段时间。所以这些天晚上,李佑君常跟着俩孩子来阅读中心看书。

这日,张岚和陈萍在阅读中心学到晚饭的时间,准备回家热一下张明贤教他们的"方便饭"了事。二人回到家吃了一惊,邓茹琳在家做好了饭等着他们回来吃。

多日没见母亲,陈萍上前拉着邓茹琳的胳膊问长问短,好生亲热,却没有看出母亲内心的忧虑与不安。

邓茹琳从冯小蓉处回来,内心一直七上八下,她不知道该怎样对李佑君和陈萍解释,所发生的一切显得太突然、太离奇,远远超出她的应对能力。过了一阵儿,李佑君下班回家,进门见到邓茹琳,随口问了两句。邓茹琳闪烁其词,李佑君并没有太在意,因为她的脑子还没有完全从工作中拔出来。张岚只顾背他的生物单词,陈萍本来就不多语,这顿团圆饭反而吃得沉闷异常。

两家人正在吃饭,同室居住的男孩开门出来烧开水准备泡方便面。李佑君叫他拿过碗来,分了些饭菜给他,男孩道了声谢,端着碗回房间便不再理会灶上烧的开水。李佑君示意张岚去关火,陈萍正要起身,张岚把手里的书往陈萍身上一扔,自己跳起来就去砸秦家的门,"嘿,兄弟! 你把你们家的铝壶烧成了紫砂壶,打算改造我们家的壶是不是? 出来把火关了!"张岚一声吼,那孩子战战兢兢地开门,关了灶上的火,逃回自己的房间。

"这个小弟弟挺可怜的,吓唬他干吗。"陈萍指责张岚。

张岚大大咧咧地坐回桌子边,道:"我是恨铁不成钢,要是让我赶上他那个妈,准得大义灭亲杀了老妈不可。"

张岚语出惊人,李佑君睁大了眼睛问:"张岚,你说什么呢?"李佑君举着筷子半天没动。

"怎么了,瞧把您吓得!"张岚把碗端起来递给母亲,随后解释,"昨天下午姓秦的带了个小老头回来,俩人进屋,把她孩子赶出门。那孩子就那点出息,只知道坐沙发上哭鼻子。我看着来气,见着厨房里的菜刀手痒痒,真想帮他剁他妈两刀。世上居然有这种妈,当她儿子面卖淫!"

"别说得那么难听,小孩子家家的懂什么! 人家在找对象。"李佑君言不由衷。

张岚与陈萍对视一笑,道:"别以为我们什么都不懂,哪有谈恋爱每回换对象的。像姓秦的这种坏人就该开除球籍,流放到阎王星上冻一冻,反省一下。"

李佑君从心里感觉到问题的严重性,可表面上有意要淡化,说道:"世界上没有绝对的好人坏人之分,很多事情是不得已的。没你们的事儿,好好把试考好才是重要的。"

"谁说没有好人坏人之分,咱们放下姓秦的不说,我只问您吴贵发是好人还是坏人? 您怎么不说话了?"张岚步步紧逼,李佑君只有承认吴贵发是坏人。

"行了,行了,我辩不过你。赶紧吃饭,吃完去阅读中心。"李佑君把话题封杀掉,于是四人又沉闷地吃着饭。

饭后,张岚和陈萍去了阅读中心,家里只剩李佑君和邓茹琳。

不像面对冯小蓉,在李佑君面前,邓茹琳不是那么紧张,于是她一五一十地把事情的经过说了一遍,当然,邓茹琳有意地淡化吴贵发向她求婚的事情。尽管她很想听听李佑君对这桩婚姻的意见,但她怕表现得过于想得到反而会像冯小蓉那样引起不必要的误会。李佑君听完半天没有开口,她马上意识到事情已经到了无法挽回的地步。起先她听着生气,觉得邓茹琳太没原则,冯小蓉不能容忍是可以理解的。邓茹琳这一闹,以后她们娘儿俩的生活没了着落,李佑君知道自己不能不管,好端端的生活让邓茹琳搅乱了,换谁白白往外掏钱都会有想法。紧接着,李佑君意识到此刻最麻烦的是冯小蓉,这种时候她身边最需要一个人帮她,没有一个可靠的人帮她守好家,要赶走吴贵发几乎是不可能的事。李佑君一直沉思着。

邓茹琳见李佑君半天没说话,忍不住追问道:"佑君,你觉得可不可以考虑跟他结婚?"

听她这么一问,李佑君是真生气,正准备责备邓茹琳,电话响了,李佑君离开餐桌去接电话。

"李姐,能不能让张岚过来把吴贵发赶走,我是实在受不了了。"电话里冯小蓉几乎是在哭求。

"别着急,我马上过去。"李佑君放下电话,转身对邓茹琳交待:"吴贵发的事儿千万不能让张岚知道。"她不想张岚出面管这事儿,不仅怕影响考试,更怕张岚一时冲动干出不可收拾的事情。

邓茹琳一脸茫然地只顾点头,李佑君匆匆出门。

李佑君赶到冯小蓉住处的时候,陈东前已经到了。冯小蓉见只有李佑君一个人前来,顿时感到失望。

吴贵发一副无所谓的样子独自在厅里看电视。他趁冯小蓉母子二人去吃饭的当儿,大敞门蹿出去买了一堆食品回来,大有准备打持久战的意思。李佑君和陈东前坐在餐厅的桌边商量对策,冯小蓉无精打采地坐在旁边搂着徐翰,显得无奈、无助。

"找警察或找议员来评理。"李佑君这样建议。

"没用！吴贵发没处可去，就是议员来，调解的结果不外乎房租怎么重新计算，吴贵发还是要住进来。再不就是我们搬出去，他没钱退房租只有欠着。可这位欠了多少人的钱，一辈子也别指望能还。"陈东前分析得句句在理。

"这里需要一个人守着，只要他离开就把他关外面。可这段时间我负责的设计碰到难题，实在是请不出假。"李佑君的言外之意想陈东前担此重担。

"妍丽这几天闹情绪，我要是不管还真的不行。那边走了十二个学生，剩两个，这边一直只有七个学生，两边跑，两边都得管吃喝拉撒，还得往里赔钱，不知道这事儿是怎么闹的。"陈东前抱怨道，以证明自己没有时间担此重任。

二人绞尽脑汁也想不出把吴贵发请出门的办法，冯小蓉在一旁越听越不耐烦，心想几个秀才遇上土匪是讲不清又打不赢，只有张岚有邪招治得了吴贵发，可明摆着李佑君不愿意她儿子出面，再提显得过分，一群大人对付不了一个无赖，非得靠一个孩子，是有点不像话。最终冯小蓉摆了摆手，道："算了，只有一个办法，那就是我搬走。我先找个宾馆住，麻烦陈先生尽快帮我找房子。"

陈东前和李佑君对视一阵，二人都是欲言又止，冯小蓉起身回自己的屋开始收拾。

"这事儿怎么这么窝囊！我真他妈想……"陈东前挥着干瘦的胳膊停在半空，自觉苍白无力，于是咽下了后半句话。

李佑君推门走进冯小蓉的卧室，见冯小蓉在收拾东西。她只将一些重要的东西收进她从中国带来的那个不大的皮箱里，大量来新加坡后购买的用品只有丢弃不要。收拾完，冯小蓉盖上箱盖，准备离开。李佑君一声不响站在那里看冯小蓉收拾，眼中燃烧着愤怒的火焰。

冯小蓉拉着皮箱，徐翰跟在后面，李佑君尾随，三人走出卧室进到客厅往大门方向走去。陈东前从饭厅出来，叫道："这就走呀？

太便宜了这王八蛋!"

陈东前骂人,吴贵发只当没听见,反而拿起食品袋,从中挑出一包巧克力,得意地吃了起来。见此情景,冯小蓉肺都要气炸了,放下手中的箱子,冲上前一把抓过食品袋扔在地上用脚一阵乱踩。吴贵发从沙发上站起来,推开冯小蓉想去抢回食品袋,因为用力过大,冯小蓉被推倒在地。就在吴贵发弯腰去拾袋子的时候,李佑君冲上去一把推翻吴贵发。吴贵发那肥胖的身体重重地倒在沙发前,他挣扎着爬起来,怒不可遏地举起拳头冲向李佑君。

陈东前在旁边见势头不对,想上去助阵,可转念一想自己作为老爷们儿,动了手这场冲突就得升级,而且自己上去只有挨打的份儿。情急之下,陈东前对着气势汹汹的吴贵发大喊一声:"你敢打他妈,张岚会杀了你!"

这一嗓子真管用,吴贵发收住拳头,可心里的那股气难以平息,于是照着食品袋踢了一脚,面包、蛋糕等物散落一地。吴贵发坐回沙发,冯小蓉从地上爬起来,随手抓起果酱盒,冲上前胡乱地砸吴贵发。吴贵发用手去挡,果酱流了他一头一身。冯小蓉扔掉手中的空盒,抓起桌上的遥控器又要打吴贵发,被李佑君拉住。

也许是因为在文明社会中受过熏陶,知道男不可与女斗的基本道理,再许是因为张岚的威慑力太大,吴贵发放弃争斗,自顾揩拭身上的果酱。

"这种人会有报应的!"李佑君拉开冯小蓉,从自己身上摸出餐巾纸替冯小蓉擦去溅在身上的果酱。看了一眼狼狈不堪的吴贵发,冯小蓉整理了一下衣着,拉上皮箱,扬长而去。李佑君拉着徐翰头也不回地跟出门,只有陈东前站在厅中央,幸灾乐祸地看着吴贵发,心里觉得痛快,正要挖苦几句,吴贵发转头恶狠狠地盯着陈东前,突然站起。以为吴贵发要冲他来,陈东前紧赶几步逃到门口,再回头,却见吴贵发去卫生间清洗身上的污渍,陈东前这才快快离去。

是夜,李佑君几乎一宿没合眼,各方面的压力让她感觉透不过气来。最大的压力来自工作,NASA 的项目遇到难题,她和陈友和二人似乎已是黔驴技穷,为此钟生准备派他们二人去美国的大学进行交流;新来的房客不仅让她担心自己和孩子们的生理卫生,更担心张岚的心理健康;冯小蓉被吴贵发挤对走了让她难过且内疚,内疚的是自己强行不让张岚插手致使吴贵发轻易得逞。可她不能拿自己的儿子开玩笑,张岚太容易冲动,万一他闹出个好歹! 完全可以理解,对中国的家长来说,孩子是命根,每一个做家长的都口口声声地称他们的奋斗都是为了自己的孩子,这多半都是真实的——伟大而又可悲的事实。

20

投资黄色光碟再次发财的项昆二下成都,正赶上汪萍的婚宴。项昆当众将汪萍花数千元缝合起来的圣洁撕了个粉碎,致使她无地自容,跳楼自杀。

北京的初冬,天气渐寒,项昆找人帮他把门窗贴上窗纸,所以小黑屋是越发的黑,连白天也得开灯。项昆换了一个二百瓦的白炽灯,屋内还是昏暗,有什么办法呢,光线一落到黑墙上就被吞没了。地上一只红外线烤火炉发着微红的光亮,项昆守在炉前烤火,身上披着长大衣。

手机铃响,项昆有气无力地问:"哪位?"

"我,黑子。你丫躲哪去了? 打你手机老没人接。"

"住院了。"

"是不是播种机用多了? 最近又开垦了几个处女地?"

项昆不耐烦地骂道:"狗嘴里吐不出象牙! 有屁就放。"

"你不是想找挣钱的路子吗? 我帮你找了一条道。"

项昆提起精神说:"说吧,我听着的。"

电话里,黑子的声音:"我跟中关村那帮倒光盘的主走了趟南方,把他们进黄碟的路子摸着了。这可是赚钱的买卖,十万进,三十万出,一月一倒手,要是有五十万,一回能挣一百万。哥们儿我穷光蛋一个,别说五十万了,五千块钱我也拿不出来。"

"这事儿你自己干吧,别找我。要是被抓住,不但钱得赔光,还得进去坐几年。"

"这叫不入虎穴,焉得虎子。你丫要敢给老虎接生,那虎崽子得值多少钱!你有文化,这里头的道理不用我多说。这么着吧,你出钱,我出力,挣到钱咱俩半儿劈。要是让他们抓住,我去蹲大狱,你赔点钱就是了。话说回来,没有胜算,我也不敢冒险。你想想吧,干不干,明天给我准信。"说完,对方挂机。

项昆合上电话,呆呆地望着炉子里的电阻丝。看着看着,回想起了那日在护城河边的一幕,想起邵彦的话,"你连浪子都不是。浪子至少应该是一条汉子,需要的时候能为我遮风挡雨。如果真是浪子,我会用心去感化,等到他回头的一天。而你不配,你连当恶棍的胆量都没有。"项昆的耳畔一直重复地回响着邵彦的最后那句话,"你连当恶棍的胆量都没有"。项昆难以忍受地捂紧耳朵,那声音还是在小屋里回荡。最终,项昆实在忍受不了,声嘶力竭地嚷道:"去你妈的!我就当一回恶棍给你看看!"

项昆拿出手机,给黑子回拨了过去。

大约两小时的工夫,有人敲门,黑子在门外问:"项昆住这儿吗?"

"进来,门开着的。"

黑子,一位中年人,方脸平头,身着皮夹克,推门进来,带进一股寒气。关好门,黑子找了一把折叠椅,打开,吹了一下灰,坐到项昆的对面,环顾四周,道:"哥们儿,你怎么住这种地方?"

项昆不以为然道:"有钱的时候是有钱的过法儿,不挣钱了,就该是穷活法。"

黑子递了一枝烟,帮项昆点燃,说道:"不像你的风格。是不是在躲什么人吧? 藏这地方,刑警要找你都不容易。"

项昆不耐烦道:"行了,你有完没完?"

"让我来,是不是打算合作?"

项昆回答:"有些事儿我得问清楚,才能给你钱。"

"我告诉你吧,万无一失。那边船到了,给我一电话,现款现货。路上我找的车,就差架着机枪开路,没人敢查!中关村那帮人我多熟,上回让我黑邵彦的网站,我找的人第二天就让它玩儿完,还不要我一分钱。有什么信不过哥们儿的?"黑子信誓旦旦地说着。

"我不是担心这些,毕竟是高风险投资,说不定会出事,我们得统一口径。不管走到哪,这钱是借你倒服装,听见没有?是我看在咱们过去的交情上,推不过你死缠烂磨,才把钱借给你的。记住没有?"项昆认认真真地交待。

黑子不屑地说:"我明白,你怕我口不紧,把你吐出去,拉你一块去蹲大狱。当初哥们儿落难的时候你帮了我,我一直记着的,不说报答吧,也犯不上把你一块儿拽进去。不是我说你,想干点事儿,前怕狼后怕虎,像个男人吗?"说着,凑近项昆小声问:"你丫那玩意儿还在不在,是不是让人给骗了?"

项昆让黑子挤对得有点不自在,骂道:"去你妈的,三句话不离本行!什么事儿做到有备才无患。"

黑子不屑地说道:"书读多了的人都这样,肉巴叽叽的,阳刚真气全他妈让书本儿吸没了。"

项昆丢掉烟头踩灭,骂道:"闭上你的臭嘴!"说着,从身上摸出一张卡递给黑子,"全在里面。"

黑子没接,说:"那么大的数,得你本人带身份证才能取。"

"不用,分三回就取完了。"

黑子疑惑地问:"多少?"

"二十万。"

黑子丢了烟头,叫起来:"哥们儿,不是打发要饭的吧?"

项昆苦笑道:"我只有这么多,全部家当。"

黑子摇着头道:"不够意思,原来你有多少钱我不知道,市局退的有五十万,我没说错吧?"

项昆由苦笑变成苦恼:"那五十万……"叹了口气继续道,"让人拐走了。"

黑子盯着项昆问:"跟我玩阴的,是不是?"

"都是哥们儿,我骗你干什么?要不我怎么去住院!"

黑子跷着二郎腿摇晃着,看着项昆等他的下文。

项昆微低下头小声道:"知道那个谭玉颖吧,让她拐走的。"

"我不信!"

"真的。去年九月,我带她去厦门出差,给她下了安眠药,没想到第二天,她从哪儿弄了支录音笔,把我们说的话全录进去了。五十万,就买那支破笔。"说着,项昆指指柜子,"抽屉里的,有兴趣自己去拿出来听吧。"

黑子抓耳挠腮,一副不可思议的样子,说:"哥们儿,你丫的太下作了!就为一小丫头,五十万!俄罗斯小姐够买一个团回来的。你他妈还算是买卖人,这点经济头脑都没有!让我怎么说你好呢?"黑子一个劲地摇头,没再说话,随后身子倾向项昆,问:"汪萍那儿也没少给吧?"

"前前后后,也有四五十万。"

黑子往后一仰,靠到椅子背上,批判道:"两个,就他妈两个女人,一百万!还把老婆丢了!你这号的,属于最臭的那种男人,有色心,有色胆,没谋略。你跟汪萍拉咕那会儿我劝过你吧,别在身边的女人那儿找乐子,你不听,应了我的话了吧?把邵彦气跑了不是?没想到你还大方,给了那么老些钱,值吗?几百块的事儿,比她们漂亮的有的是!"

项昆喃喃道:"我怕让警察抓住。"

黑子哼了一声,道:"说了半天,还是色胆儿太小害的!跟我说呀,保你万无一失。再说了,就是被抓住,交几千块钱就放人,绝不

212

会通知你老婆，人警察办这事儿也讲职业道德。别管怎么说，都是人不知、鬼不觉，不至于落得你这个份儿上。"黑子说着，又给自己点了一枝烟，继续道，"得空我给你上上课，这里头学问深了去了！不是吹的，能达到哥们儿这种境界的没几个，一分钱不花，要风得风，要雨得雨。"黑子直说得满口流油，项昆听得眼神发直。

黑子抬手看看表，道："今儿个没工夫跟你细说，想不到我心目中的项大老爷也只拿得出二十万。就这么地吧，二十万，全当头一回是实习。"黑子说着站起来，要过卡离去。

大约过了有十一二天，黑子给项昆来电话："哥们儿，我，黑子！货办成了，全出手了。现在我手里有六十的数，你那四十还你呢，还是让我再用一回？"

听了这话，项昆那个高兴！对黑子大加赞美一番，满口答应把钱留给他用。放了电话，项昆竟哼上了小曲在小黑屋里转着圈溜达开来。项昆算了笔账，十来天，二十万变四十万，再过十来天，四十万变八十万，八十万又成一百六十万，要不多久，他又能成百万富翁！照这速度富下去了得！

又一个十多天过去，黑子来电话了："哥们儿，货我全办回来了，这回货多，得要些时候才能走得完。完了事儿我找你。"

又过多半个月，一直没有黑子的消息，项昆着急了，给黑子去电话，手机压根就不开。项昆心里开始嘀咕，黑子手里攥那么多钱，不会脚底抹油溜了吧？再不就是舍不得拿出八十万，那小子开始玩花招了。项昆担心起他那二十万的本钱。当时给钱的时候，没有让他写个借条，这下既没人证也没物证，要是不认账，还真拿他没办法。越想越着急，越着急越想，项昆一连几天没睡成好觉。那二十万要是有个闪失，他项昆真的就成了无钱阶级，以后还怎么活呀！

一连几日，项昆是茶不思饭不想，一天到晚守着那盏红外线灯烤火，直烤得上下嘴唇都起了泡，靠在藤椅里，时而昏迷，时而清醒,总觉得浑身发冷。

就在项昆昏昏沉沉当儿,有人敲门,项昆含糊应着,那人推开门,闪身进来。项昆被来人带进的寒气一击,清醒了几分,定睛一看,竟是黑子,项昆一下紧张起来,不觉浑身发抖,连忙用大衣将自己裹紧。

黑子见项昆这副模样,伸手在他额头上摸了摸,吃惊地说:"哟,发烧了。我送你去医院瞧瞧。"

项昆强打精神:"不用。那买卖办得怎么样了?"

"不怎么样。"黑子说着,从墙根边搬来折叠椅,用嘴吹灰,竟然迷了眼。项昆看着黑子扔下椅子一个劲儿地揉眼睛,心一个劲儿地往下沉。项昆心想,看来那二十万不知道猴年马月才能还得了,他这是来推脱的。

黑子揉了一阵眼睛,另外端了一只小板凳坐到项昆的对面,叹气道:"不运气啊!赶上扫黄打非,咱们的买卖两头都沾,打击的重点。"

"货被没收了?"项昆焦急地问。

"别一惊一乍的,货要是落在他们手里,我还能见得到你吗?"黑子的话让项昆定了定心。"风声一紧,那帮胆小的下家全躲起来了,所以,这货就走不动了。东躲西藏,不是绝对可靠的下家不敢出货,你想想,多难!"

项昆心说,这就开始叫苦了,明摆着是要拖我,我得想好怎么说,先把那二十万的本要回来,别的压根就不想了。项昆凝神想着心事,黑子的眼睛在这屋里转了几圈,突然道:"货放你这儿绝对保险,我怎么没想到呢?改天我弄一部分过来。"

听了这话,项昆连忙摇头:"我这儿可不行,门都锁不紧,放这儿太危险了。"

"谁会进你这破房子?不是我挤对你,收破烂的都比你住得好。所以我是真的服了你,做到深藏不露。"

"不行,绝对不能放在我这儿,要是出了事儿,我怎么办呢?"项昆的口气十分坚定。

黑子摇着头道:"得,得,得,我不提放你这儿。知道你胆小,我还吓唬你干吗!"黑子说话的样子显得比项昆谱大,让项昆老大不高兴,心想,还真的是应了那么一句话,借了钱就能当大爷。项昆正在思索如何开口向黑子要钱,只见黑子从兜里摸出项昆的那张卡递给他。"你的,八十万,全在里面。"

明明白白一句中国话,项昆好像没听懂,他用力把自己裹得更紧,疑惑地看着黑子没说出话。

"怎么着,不信里面有八十万?回头自个儿上银行对一下。我黑子是什么人你还不知道,为哥们儿可以两肋插刀!这批货才卖出去八十万,钱我全给你送过来了,剩下的那堆货是我的,留着慢慢儿卖。咱哥们儿够意思吧?"黑子说着把卡扔在了项昆的身上。

项昆像是发抖一般摇着头,黑子瞧着不顺眼:"哥们儿,你丫这是怎么的了?"

"你,你怎么会,会这么好?"项昆的声音带着颤抖。

"当初你项大人待咱哥们儿不薄,这回要不是你的二十万起步,我也成不了百万富翁。尽管我那一百万还是一堆货压手里的,过不多久,风声一过,我的货保证抢手,没准儿能多卖些钱。够仗义吧?"表白完了,黑子站起身,道:"我瞅你是烧糊涂了,哥们儿送你去医院。你等着,我去招辆车进来。"

"我刚从医院回来,吃了药。你就别管我了,明儿就好。"项昆这会儿一心就想去银行查一下卡里有多少钱,又不好当着黑子的面提这个,于是只想他早点走人。黑子是个干脆人,项昆不用他帮忙,便告辞走了。

黑子一走,项昆迫不及待地穿戴整齐,直扑银行,在提款机和柜台上反复验证了三遍,确信卡里当真有八十万,病一下全好了,连嘴上的几个水泡也消下去不少。那张沉甸甸的卡放在贴胸的里兜,项昆直奔高档餐厅,吃了顿半年来最踏实的饭。夜里攥着八十万的卡睡了个好觉,做了个好梦,梦里汪萍和谭玉颖全都回来了。

一觉醒来,项昆靠在被窝里痴痴地回想着梦中的情景,这会儿他是真想汪萍。他想起汪萍说过要开饭馆,这回他有钱了,把她接回来,开个馆子,像原来那样,小日子过得有滋有味,加上汪萍床上的功夫了得!项昆越想越美,伸手拿来手机,打电话订了一张当天去成都的机票,这才下床吃早饭,美了头发修了面,拿到机票奔向机场。

下午五点来钟,项昆很快找到了汪萍在九眼桥的公寓,铁门上的大红囍字预示着事态的变迁。项昆怀疑走错门,横轴和纵轴坐标反复地核对数遍之后,确认就是这个单元门,就是这一层的这户是汪萍家,这才怀着惴惴不安的心情开始敲门。屋内没人,敲了一阵儿,对面的人家开门,出来一位小保姆,一打听,汪萍今天办喜宴,对面这家的男女主人也被邀请去吃席。小保姆说不清楚是在哪个酒家办喜事,机灵的她给项昆献计,让他打她家主人的手机,并把项昆让进屋打电话。项昆问清酒家的地址,打车奔着汪萍的喜宴去了。

这是个中等规模的酒家,大约有二百平方米的大堂摆了十几桌的酒席,司仪指挥着身着礼服的新郎和身穿婚纱的新娘表演着各种节目,气氛很是活跃。这会儿汪萍和新郎汤某在给来宾分发喜糖,有的来宾要求新郎和新娘把糖纸剥开喂他们,大家正在取乐,汪萍忽然看到站在门口的项昆,一下愣住。

新郎察觉到异样,小声问:"来的是哪个?"

"我在北京时候的同事,不晓得咋个来了。"

"那么远来了,请他进来就是了。"

汪萍赶忙说:"要不得。我去让他走,有事以后再说。"

汪萍的父母认出项昆,吃惊不小,觉得这时候新娘出面不好,于是挡住汪萍,二老前去应付。汪萍不时地瞥望门口,气氛很受影响,来宾们也有所感觉,有人向门口方向张望。

汪萍的父母同项昆越说越激烈,越说声音越大,项昆要往里走,被二老拦住。项昆拨开二人冲进来,众人的目光一下集中到了他身上。走到汪萍面前,项昆大声质问:"汪萍,你是我的人,怎么可以跟别人结婚!"

汪萍先是一怔,随后反应过来,对着众人大声道:"这个人是个疯子,把他打出去!"

汪萍的话音刚落,上来几个小伙子,连推带搡地把项昆往外赶。突然,新郎大声喝道:"慢点!有话当面说清楚,免得不明不白,我汤某人以后咋个做人!"

年轻人停了手,项昆跟跄着站直身子,擦去嘴角的血,指着汪萍骂道:"汪萍,你够狠!不说我们一起有两年,就是一日夫妻也有百日恩,你还让人打我!"

"放屁!"新郎大吼一声,对着众人大声道,"这个龟儿尽在打糊乱说,我可以证明,我老婆结婚前还是处女!"

项昆狂笑起来:"她跟我的时候就已经不是处女了,就是因为不是处女,让她男朋友甩了才跟的我。"

闻此,新郎上前狠狠打了项昆两个嘴巴,项昆刚要还手,被一帮人连打带搡地往门外推。接近门口的时候,项昆大声地喊道:"我那里有照片,可以证明我说的是实话!"几个人停住手,项昆继续大声道,"我带来的手提电脑里就有我和汪萍的照片,全是光着身子照的。当初她把那些照片给我老婆看,害得我们离了婚。你要是不信,现在就跟我去宾馆看。"

汤某将愤怒的目光转向汪萍,质问:"他说的是不是真的?"

汪萍在众目睽睽之下低下了头,新郎一下变得歇斯底里,一把抓住汪萍的头发吼道:"你给我说清楚,是咋个回事!"

汪萍挣脱开新郎的手,自己掩面痛哭起来。这时的新郎像一头发疯的狮子,掀翻了几张桌子,嘴里骂着,手里砸着。突然,汪萍分开众人冲向阳台,纵身翻过栏杆,从四楼跳了下去。一声沉闷的声响把所有的人震呆了,汪萍的父母哭喊着冲向楼梯间。众人纷纷跟下楼。

身着洁白婚纱的汪萍躺在黑色水泥地上,口鼻里溢出鲜血。项昆第一个冲下楼,抱着汪萍哭喊着,汪萍的父母跪在两边哭成泪人。众人围了里三层外三层。新郎走来,大家给他让出一条路,汤某走到汪萍脚边,看了两眼,取下自己佩戴的小红花扔在汪萍身上,拂袖而去。

救护车开来了,汪萍被推上车,项昆和她父母一同乘车送她到医院。

汪萍醒来的时候,发现自己躺在医院的床上。慢慢地,她回忆起自己在婚礼上受辱的情景,回忆起自己在空中飘荡着的感觉,她知道自己没死,说不清楚是庆幸还是遗憾。她想动一动,可身子死沉,同她此刻的心情一样,是麻木的。

"她醒了!""她醒了!"汪萍听到有人在她身边惊呼,有一个声音是亲切的,那是她母亲在说话;另一个声音她也熟悉,但那声音让她想吐,她想起就是当众羞辱她的那个声音。一张面孔移进她的视野,尽管是扭曲变了形的,可她一下认出了,就是照片里那个,光着身子抱着她的人。汪萍又想起了自己定格在电脑屏幕上赤裸的丑态,一阵恶心,引起食道痉挛,从而刺激了插在鼻子里的胃管,一阵难受,口鼻盖着氧气面罩,想咳咳不出来,汪萍挣扎起来,引得护士一阵紧张。

医生把项昆叫到办公室。入院时是项昆交的费,所以他们错以为项昆是汪萍的丈夫,医生对他说:"病人的情况现在看起来还可以,内出血已经控制住了,如果没得其他的意外,可以不用开刀止血。从CT片上看,没得颅内出血,但是还要继续观察。手臂骨折不是大的问题,总的来说,基本上没有生命危险了。"

项昆把这个好消息告诉了汪萍的母亲,汪萍的母亲又打电话通知在家做饭的父亲。当然,汪萍也听到了,对此好像没有什么反应,过了一会儿她便睡着了。

一连数日,项昆殷勤地守候在病床边。汪萍的伤势日见好转,胃管、尿管相继拔掉,监护仪也不用了,不但可以说话,而且可以吃东西。汪萍始终不与项昆说话,更不要项昆碰她一下。项昆却总是无怨无悔地守在边上,每日一束鲜花送上,感人的情话奉上,象征他身价的银行卡也愿意献上。此情此景,就是铁石心肠的人也会为之所动,可汪萍却只重复着一句话:"你走,永远不想见到你!"

到了第七天,汤某派手下的伙计送来一封离婚协议书,内容大致是这样:汪萍通过处女膜修复手术进行婚姻诈骗,故此协议离婚,二人的共同财产归男方所有,女方另需支付二十万元的名誉赔偿费。

半躺在病床上的汪萍看过那份协议书,转过脸闭上眼没有说话。汪萍的父母看过协议书便炸开了锅:"姓汤的好过分哟,装修新房,买家具、买电器我们出了十万,给他就算了,还想要钱!"汪萍的母亲首先叫了起来。

"啥子名誉赔偿费,分明是在讹诈,世界上还有这样的男娃子!"汪萍的父亲不服气。

"都是你害的,还没有结完婚就要离婚,人也受了伤。"看在项昆一掏就是两三万的住院费,并且知道过去与她女儿之间的关系,汪萍的母亲没有给项昆脸色看,事已至此,抱怨几句也是自然的事情。

"那会儿我不同意去做那种缺德的手术,你们娘儿俩看了广告就像着了魔一样,非要做不可,这下子好了,让别个抓到去,好被动嘛!"汪萍的父亲站在男人的立场,从一开始就觉得那种手术有伤风化,是对男性极大的不恭。

项昆看到汤某要离婚,心里别提多高兴了,难免喜形于色:"离就离吧,想讹诈可没那么容易! 和他打官司。"

本来平静的汪萍,听了这话激动起来:"滚,给我滚出去,你这个魔鬼!"汪萍说着,用没有受伤的左手抓起床头的杯子砸向项昆,杯子没有打到项昆,落在地上砸个粉碎。项昆快快地站在那里,汪萍怒目以对,一个劲儿地叫喊着让他滚。汪萍的母亲半劝半推地把项昆赶出了门。

关了门,回身坐到床边,汪萍的母亲便开始劝汪萍:"妹儿,我看姓项的是真心对你好,哪里像姓汤的那娃,只认到钱。你也听他讲了,别个有本事,做生意又挣了几十万,这回他来带了八十万,他还愿意在成都来和你一起发展,我看他是真心实意想和你好。姓汤的要离就离,项昆不嫌弃就和他结婚,都在成都,两个人一起做生意,我们两个老的还能帮上忙……"

"不要讲了要不要得?"汪萍打断母亲的话,扭头显得很疲倦的样子,慢慢把眼睛闭上。

汪萍的母亲好像还有话要讲,被汪萍的父亲拉住,二人静静地离开病房。项昆贴着门在听里面的动静,突然门被拉开,令他十分尴尬。汪萍的母亲先是吓一跳,随后明白是怎么回事,便上前拉着项昆往外走。

三人来到医院外的一个餐厅吃午饭。天府之国的菜肴是又好又便宜,项昆在这种场合下更是大点出口。汪萍的母亲像是自家人出门吃饭一般,将项昆点的菜全盘否定,然后细致地问过每一道菜的配料和工艺之后,才定下刚好三人够吃的饭菜。

席间,项昆请求二老帮他做汪萍的工作,让她回心转意。汪萍的父亲没有表态,她母亲却一口应承下来:"我这个妹儿我最了解,气性大得不得了,过一阵气消了,啥子事都没得了。"随后,汪萍的母亲妈竟然鼓励项昆要主动接近汪萍。汪萍的父亲在一旁为汪萍母亲的失态感到难为情,却也无可奈何。

汪萍住的是带卫生间的单人病房,除了治疗与查房的时间以外,医生和护士少有打搅。为了项昆有更多的时间与汪萍独处,随后几天汪萍的母亲有意少来。汪萍的病情已经好转，可以下床行走，除了输液的时候，大小便已经能够自理。

这日上午输液，左等右等也等不来妈妈，汪萍想小解，不得已，只有请项昆帮她举着药瓶进卫生间。汪萍指挥项昆将药瓶挂在墙上，然后请项昆出去。项昆借故汪萍的右手绑着石膏不方便，坚持要留下来帮她，被汪萍断然拒绝。项昆转身正要离去，突然回身跪下，一把将汪萍的病号裤拉到膝下，抱着她赤裸的下身疯狂地亲吻起来，嘴里一个劲地叫着："你是我的女人。"汪萍用左手抓扯项昆的头发，可一切挣扎和反抗都无济于事，她只有流着愤怒和羞愧的泪水，任他亵渎。过了一会儿，项昆站起来向汪萍求欢，汪萍借机一口咬在项昆的胳膊上，疼得他大叫一声，放开她，逃出卫生间。汪萍从里面将门反锁，坐在马桶上哭泣起来。项昆在门外不停地求饶，叙说自己多么后悔，有多想念她，又有多久没有碰过女人。

过了许久，汪萍调整过来情绪，对着门外大声道："你马上走，否则我打110，告你强奸罪。"这招是真灵，项昆连忙答应着，溜出了病房。

病房里有中央空调，温度总在二十多度，但卫生间里很冷，汪萍在里面呆了那么久，加上一番惊吓，出来的时候浑身颤抖，面如土色。因为与项昆打斗触及了针头，滴液漏到静脉血管外，她的左臂肿了起来。汪萍全然顾不上这些，一头钻进被子，捂得紧紧的，半天才缓和过来。细心的护士发现汪萍太长时间没有换药瓶，前来察看，才发现汪萍的胳膊已经肿得老大。胳膊不能输液，只有改输脚，这下更没行动自由，而她母亲迟迟不来，汪萍不禁潸然。汪萍明白母亲的用意，她知道从一开始母亲就钟情于项昆这个"快婿"，因为是从他那里得来的钱使得他们从小县城搬到成都，改变了他们一家的生活。

其实这些天汪萍不是没有犹豫过，作为一个弱女子，这个时候多想能有一个肩头可以倚靠，况且项昆声称的八十万身价也是吸引力。但是，只要想到项昆有老婆孩子，暗中又有她这个情人，居然还要去迷奸一个二十不到的少女，汪萍便感心寒，同这种人结婚，一辈子都要担惊受怕。然后她会想起她离家时项昆那般绝情，竟一言不发，甚至连看也不看她一眼，汪萍倍感心寒。不由得让她想起她临离开那个家的时候放在枕边的那件三角内裤，如果此刻项昆要是能够拿出它，便能证明项昆还是将她珍藏在心里的，她会不顾一切地扑到他的怀里，其他的什么都不用去想，可是项昆没有，连一个字都没提到它。汪萍在心里对那件内裤的命运做过一百种设想，可是她怎么也想不到，那件象征女性荣辱的信物至今还挂在他们原来那个家窗下的一棵枯树上，经过数月的风吹、日晒、雨淋，由深红变成浅红，现在已经变成苍白。只有等到它彻底腐朽，那件印有女性烙印的信物才会从枯枝上落下，从人们的视野中消失，最终埋入地下，埋葬一段羞辱。当然，是项昆将那件内裤扔出窗子的。

最让汪萍痛恨的是项昆在她的婚礼上，当着她所有亲朋好友的面，将她的伪装、将她用数千元钱缝合起来的圣洁全都撕了个粉碎，这让她以后还怎么做人！成都是不能呆了，否则别人的目光都能将她击毙。这一切都是项昆这个王八蛋害的！

可汪萍毕竟是女人，女人是感情脆弱的生物。面对项昆的猛烈进攻，落难之中的汪萍不会不为之所动。平静时她处于麻木状态，而当她激动地赶他走的时候，反而是她快要坚守不住了，这个时候项昆只要抱住她，或许只要紧紧地握住她的手，汪萍心中的坚冰就会融化。可每每这个时候，项昆都会退却，说明他并不了解女性。

汪萍的母亲来了，看见项昆蹲在病房门口，头发凌乱，一副可怜相，好像明白了什么似的，把他拉进病房。汪萍见到母亲迟迟才来，又见她把项昆一起拉了进门，便按捺不住嚎叫起来："你们串通好了来对付我，滚，让他滚，不然我就报警。"喊叫过后竟呜呜哭起

— 222 —

来。

项昆乖乖地出了门。汪萍的母亲不明白她为什么会这样冲动，正在愣神，发现药瓶已经空了，忙按呼叫器叫护士。护士来撤掉输液，汪萍的母亲才发现肿起的手臂，心疼地抚摸起来。汪萍让护士叫医生来，她要出院。主管医生和主治医生来了，甚至连主任医生也来了，汪萍哭着闹着非要出院不可。

医生们回去研究过后，将项昆和汪萍的母亲请到了办公室，认真地对他们说："从各项检查和病人状态上看，已经没有什么太大的问题，病人坚持要出院不是不可以，只是目前的精神状态让人担心，这要靠你们亲人多给她一些安慰。另外给她开点抗焦虑的药，必要的时候给她服用。"医生交待了一些问题，便开具了出院通知。

一辆出租车开进支路，在小院的门前停下。汪萍的母亲从车内出来，开前门扶着汪萍下车，随后从车内及后备箱里卸下住院用的各种物品。就在汪萍站在一边等她母亲的工夫，她已经强烈地感到了周围像箭一般射来的目光。路边摆着几桌麻将，打牌的人停下手中的工作，目光全都聚焦在她身上。熟人从身边走过，怪异的表情，匆匆的脚步，仿佛在回避一个艾滋病人。汪萍有所不知，住院十来天的工夫，她已经成为了这一带方圆若干里的知名人士，她的"事迹"成为了茶馆里、牌桌上的热门话题。大众的热衷以及群众的智慧几乎成就出一部中国当代《茶花女》，传说生动地描绘了汪萍如何从一个十几岁的坐台小姐成长为北京城的名妓；如何由一个老板转会到另一个老板以提高身价；在国外出了若干本写真集，不懂的人要问啥叫"写真集"，当然是各种姿势的光屁股照片；后来又是如何与老板的手下私通，就是来找她的那个小白脸，甚至二人还生了个私生子；黑社会如何追杀，汪萍如何逃回成都；现代医学又是如何神奇地将一个生过孩子的女人还原成处女，就连肚皮上的孕妇纹都能消掉，以至于见识过无数女人的汤老板也会上当受骗；小白脸又是如何死里逃生，及时赶到，劫走新娘……

每一个传诵者都会加入自己的理解和创意,以至这个故事日趋完善,如果有人将它整理出来定是一部世界名著。

中国的人口太多,每人一口吐沫就能形成山洪淹没一批人,更何况国人又有随处吐痰的习惯!

迫于周围舆论的压力,迫于项昆和汤某的双重压力,回家后的第四天,汪萍不辞而别,离开了成都,谁人都不知她的去向。有传言她去了广州重操旧业,也有传言她再一次修好了处女膜嫁给了一位台湾富贾,然这些都不足为信,只有一点是可靠的,项昆在成都同汪萍的家人一同寻找了她半个多月却杳无音信,项昆只有灰溜溜地返回北京。

21

　　这一天,邓茹琳与吴贵发登记结婚,随后尽了做妻子的义务。……邓茹琳像是一具没有灵魂的行尸,从杨厝港走回碧山的住所,走在烈日当头的大街上她竟感觉浑身发冷。

　　自从冯小蓉走后,没两天吴贵发就把房子搞成猪圈一般。这不由得让他想起勤快的邓茹琳,时常给她打个电话,可邓茹琳似乎很冷淡。女人越是冷淡,常常越能激发追求者的猎取心。其实邓茹琳只是拿不定主意,她很想同李佑君商量,但连日来李佑君显得很烦躁,以致邓茹琳迟迟不敢开口。过了几天,李佑君同陈友和去美国出差,一走半个月。李佑君走后,邓茹琳终日魂不守舍,那边吴贵发不断打来电话,这边又找不到一个可以商量的人,让她六神无主。

　　同住的秦女士上午不出门,一来二往,两个口音相近的东北人便唠起嗑来。邓茹琳一直憋得难受,所以情不自禁地将吴贵发追求她的事儿对秦女士讲了。秦女士最初完全不相信邓茹琳的话,可听她说得有根有据,让她不能不信。秦女士用一种很奇怪的目光盯着邓茹琳,心说,傻人有傻福气,我秦某比你年轻漂亮,打着灯笼照遍了整个新加坡也没有挖掘出一个,你倒好,顺道就捡一个,还有公寓房！在秦女士的大肆怂恿下，邓茹琳坚定了信心，决定投桃报李对待吴贵发。

吴贵发的电话，秦女士接的。"哈　，是不是密斯邓？"

听到是新加坡口音的男子，秦女士没有把电话给邓茹琳，模仿着邓的口气与之周旋："最近几天过得怎么样？"

"可以啦，只是很想念你。几多天没有见到你，可不可以来？"

"好的，我这就去，请你等一等。"就这样，秦女士帮邓茹琳安排好了第一次会面。

在秦女士的鼓动下，邓茹琳果真去了吴贵发的公寓。公寓里一片凌乱，就连冯小蓉洒下的果酱还粘在沙发上、地上。邓茹琳花了几个小时将房间整理好，又去买菜、做饭，俨然一个家庭主妇。吴贵发还是那么大模大样地坐着看电视，似乎是在考验邓茹琳的耐性；而邓茹琳却不在意这种从一开始就不平等的恋爱模式，任劳任怨地干好她认为是分内的事情。吃完饭要离开的时候，吴贵发想与她亲热，可在这方面邓茹琳还没有作好足够的准备，所以她的婉拒让吴贵发显得失望。

之后数日，邓茹琳每天上午去吴贵发处给他做饭洗衣服，下午回来照顾两个孩子的生活。张岚他们考完试，每天上午又去语言学校上课，所以没有注意到邓茹琳的异常行动。几天下来，吴贵发便感觉到再也不能离开邓茹琳的照顾，所以他加紧了进攻的节奏。吴贵发是个缺少创意的那种人，他的进攻手段只有一种方式，就是在一起吃饭的时候不停地赞美邓茹琳的厨艺，随后直言不讳地告诉邓茹琳他非常需要她的照顾，接下来就是催促邓茹琳一起去婚姻登记局登记。

邓茹琳是个没有什么主见的人，像这种重要的问题她想等李佑君从美国回来征求一下她的意见，可是吴贵发不断催促，邓茹琳忍不住再次向秦女士征求意见。秦女士的话对邓茹琳最终迈进深渊起了决定性的作用："咋个你有毛病！这些天你买菜、做饭，还得自己掏腰包,不就为了等他这句话。还犹豫啥,赶紧跟他去登记,这样他的财产你也占一半,将来你们陈萍在新加坡也有一个根基,多少人求之不得,我不明白你还犹豫啥?"在秦女士一阵数落般的教导下,邓茹琳翻出了自己的护照去了吴贵发的公寓。

这一天,邓茹琳同吴贵发登记结婚,随后邓茹琳尽了做妻子的义务。六年多来邓茹琳还是第一次与男人有肌肤之亲,这让她不由得想起陈萍她爸。邓茹琳像是一具没有灵魂的行尸,从杨厝港走回碧山的住所,烈日当头她竟感觉浑身发冷。回到家,她把陈萍她爸的骨灰取出来,摆在桌子上,点燃一炷香,对着骨灰盒默默地念叨着:"萍儿她爸,请你原谅我,我这都是为了陈萍,为了我们娘儿俩在新加坡能活命。我是不得已呀!"这样说着,眼泪像涌泉一般洒落下来。

邓茹琳面对骨灰呆坐,脑子里一片空白,当然也忘了准备晚饭。将近六点的时候,张岚和陈萍从阅读中心回来,发现邓茹琳像一尊木雕坐在屋里不动,引得陈萍一阵恐慌。

"妈,怎么了?妈,你说话呀!"陈萍跪在地上,一个劲儿地摇着邓茹琳的腿。邓茹琳只是落泪,一言不发。

"妈,是不是出去找工作没人要你?别着急,很快我就能进政府中学了。"说着陈萍从书包里取出一封信拿给邓茹琳看,"妈,你看,新山中学来信了,我们都被录取了。张岚哥说不着急,等一下另外四所学校的通知,我们有权利选好的学校。只要我进了学校,你就能工作了。"

陈萍把录取通知函递给母亲,可邓茹琳不但没接,甚至连看都没看一眼。陈萍从来没有见过母亲这种样子,所以她禁不住跟着哭了起来。

张岚手把门框看着她们母女二人,却不知道如何是好。

忽然,邓茹琳抓过陈萍手中的通知书供到陈萍爸爸的骨灰盒前,扑通一声跪在地上向着骨灰盒连连磕头,嘴里诉说着:"她爸,你看到了吧,陈萍进中学,要给政府交一千新币的赞助费,还要交学费。我们哪来那么多钱啊!我这是没有办法的事,只有这样陈萍才能免掉这些费用,我是不得已的呀!"

邓茹琳的话让陈萍莫名其妙,她站起来,扶着母亲坐回椅子。"妈,我听不懂你在说什么。"陈萍摇着木讷的邓茹琳,不停地问着。

邓茹琳抬头望着陈萍,嘴角动了动,想说什么,可一眼看到站在门口的张岚,又把话咽了回去。张岚是个机灵鬼,转身走开,把自己屋的门重重关上,自己却躲在邓茹琳的门后,竖起耳朵听着里面的动静。

邓茹琳见张岚走开,便转向陈萍,拉着她的手,小声道:"萍儿,你听妈说,妈是不得已,给你找了个后爸。"

邓茹琳的声音虽小,但陈萍听得真切,她瞪大眼睛看着母亲,仿佛不相信自己的耳朵。"不,我不要后爸,没钱我不上学都行!"陈萍说着跪下求邓茹琳:"咱们回家吧,新加坡不是好地方,呆在这里我老是害怕。妈,我求你了,带着爸爸的骨灰回大连吧。"陈萍摇着邓茹琳的腿,强忍着不让眼泪掉下来。

"房子卖了,还欠着好几万,天底下哪有我们穷人安身的地方。"邓茹琳苍白的声音在空气中回荡,像铅块一样沉重,压在两颗幼小的心灵上。

沉默了一阵儿,邓茹琳以平和的语气对陈萍解释:"孩子,我们没有回头路了,为了活命,妈只有这么做。好在吴贵发还有一套房子,有了它,将来你在新加坡也算有了根。"

陈萍没有完全听懂这番话,傻傻地看着母亲。张岚听明白了,从门后冲出来叫道:"吴贵发那王八羔子没安好心,他在哪儿?我去收拾他!"张岚一嗓子把母女二人吓了一跳。

邓茹琳连忙道:"这事儿和你没关系。"

陈萍来回地看二人,问:"妈,到底怎么回事?"

张岚见邓茹琳迟迟不回答,便说:"你妈给你找的后爸就是吴贵发,对吧,邓阿姨?"

邓茹琳低下头不说话,陈萍一个劲儿地追问,不得已,邓茹琳点了点头。

"妈,你疯了! 吴贵发是个坏蛋!"

在陈萍和张岚面前,邓茹琳不知道该说什么。只见她脸色苍白,胸口阵阵地绞痛,悲伤与痛苦交加,使得她的表情越发难看。陈萍看到母亲这副模样,伸手去摸邓茹琳的额头,关心地问:"妈,你是不是生病了?"

邓茹琳强忍着痛苦摇摇头,却不由自主地弯下了腰。在陈萍和张岚的搀扶下,邓茹琳躺到地铺上,手捂胸口缩成一团。两个孩子呆呆地站在那里,此刻他们的心就像这间房间一样,空荡荡的。

这一宿,张岚翻来覆去睡不着,半夜爬起来在日记本中记下这样一段话:"面对她们母女,本侠我竟无能为力。惭愧! 等着吧,有朝一日我要用诺贝尔的钱赈济穷人,开着航天飞机撒银子。当然,我要先把邓阿姨从苦海里救出来!"抒发完了,解了气,张岚爬上地铺才得以入睡。

第二天,张岚独自一人去学校上课,陈萍在家陪生病的母亲。吃过早饭,邓茹琳感觉无恙。吴贵发见邓茹琳没有过去,便打电话来催他们母女赶快搬过去。从谈话中,陈萍感到情况不妙,再三追问,邓茹琳把实情告诉了陈萍。没想到她所担心的事情不但是真实的,而且已经成为了法律上不可改变的事实,本来就胆小的陈萍忽然感觉自己的母亲是那样的陌生,甚至那么丑恶、可怕。她一句也不争辩,畏缩在沙发上,抱紧自己,看着母亲忙上忙下地收拾东西。

邓茹琳收拾出了几个包,唤陈萍一起来搬。陈萍缩在沙发上,不管母亲如何做工作,就是不动。没有办法,邓茹琳只有自己提上部分包裹走了。陈萍本想等张岚回来,好让他劝劝母亲,或者给她出个主意,可左等右等不见他回来,于是步行沿着平日他们骑车上学的路去迎张岚。

张岚放学后没有直接回家,而是按照报纸广告上的地址去找part time 的工作。首先他去大巴窑工业园应聘印刷工。别人看他是个孩子,婉言回绝了他。然后他又转到地处小印度的一家快餐厅应聘侍应生,这家餐厅可以接收假期学生打工,可经过交谈发现,张岚的英语口语不过关,人家不要他。张岚缠着经理软磨硬泡,经理答应考虑一下第二天给答复都不行,死活要他当场答应才罢休。经理犟不过张岚,只有接收了他。

回家的路上,张岚一边骑车,一边吹着口哨,那个高兴劲儿别提了。他算着一个半月下来能挣一千新币,刚好够陈萍交教育部的赞助费。

回到碧山的时候天已经黑下来。进家门看到邓茹琳守着一堆行包落泪,却见不到陈萍的人影。问清了情况,张岚重新拿上车钥匙往外走。邓茹琳在后面说:"周围我全转遍了,没找到。这孩子心重,别出什么事儿。"

张岚没有理会邓茹琳,自顾打开车锁,推车往电梯间去了。

张岚的判断没错,他相信陈萍是去找他,而他绕道小印度,两人在路上错过了。在上学的路上,陈萍正埋头往回走,疲惫的脚步拖动时长时短的身影,路灯下一个单薄、孤独的女孩却承载着山一样重的一颗心。忽然,一个高大的影子挡住了她的去路,抬头惊喜地发现是张岚,巨大的委屈袭上心头,陈萍蹲下身,捂住脸失声痛哭起来。

张岚哄了好大一阵儿,也没把陈萍哄住。"警察过来了,以为你蹲地上拉屎,罚款来了!"张岚的话让陈萍站了起来,她四下张望没有看到警察,明白自己上当后竟破涕为笑捶打着张岚。

张岚拉着陈萍坐到路边花台,对她说:"我找到工作了,在小印度一家快餐店跑堂,每天下午三点到晚上十点,一月七百,放假这一个半月能挣一千,够你交赞助费的。"

陈萍明白了张岚的用心,充满感激地望着张岚。

"不能让吴贵发得脸,仗着早来新加坡几年能帮你们,我张岚,人称张大圣就能靠这双手帮你们挣出来!"

"张岚哥,你帮我去说说,我也打工挣点学费。"

"那不成,一看就知道是个童工,不到十六岁谁敢用你!"张岚俨然一副长者的口气。"走吧,赶紧回去,你妈在家快急死了。"说着,张岚站起身拉陈萍。

陈萍坐着不动,一提到她妈,小嘴马上撅了起来。

"你妈是急糊涂了,一时没琢磨过来。这回我挣钱了,还有我妈帮着你们的。世上没有过不了的河,我们回去劝劝你妈。"

张岚又要去拉她的手,陈萍躲开,说:"结婚证都办了。"

张岚沉吟片刻,突然兴奋地叫起来:"太棒了,就这么办! 咱们也涮他吴贵发一回。"张岚不由分说拉起陈萍走向自行车。

"你又有什么好主意了,快点告诉我。"陈萍坐在后座一个劲儿地催问。

张岚边蹬车边说:"既然办了结婚证,你的赞助费和学费可以免,从今往后不理吴贵发,让他做梦去吧!"

"能行吗?"

"怎么不行! 那个王八蛋坏事做绝,这回落在咱们手里,我非得让他趴地上再学一回狗爬不可。"

就这样,二人有说有笑,张岚绘声绘色地描述着吴贵发会被气成什么样子,进一步勾画出吴贵发各种可悲的下场。

张岚走后,邓茹琳感到踏实了许多。陈萍与张岚一见如故,形影不离,邓茹琳看在眼里喜在心上,能攀上这么好的人家她大可一辈子放心。所以邓茹琳想好了,如果陈萍不愿意过去同吴贵发住,就让她留在这边。要不说邓茹琳头脑简单呢,这种纯属一相情愿的想法,李佑君绝对不会同意。

张岚领着陈萍回家后,把自己的歪点子说出来,邓茹琳听了一个劲儿地摇头，把她了解到的情况给两个孩子一说，张岚顿时像泄了气的皮球一个劲地翻白眼。新加坡的法律、法规特别向着本国国民，从而造成很多不平等的跨国婚姻现象。为了防止异国女子的骗婚行为，只要丈夫向当局提出申诉，当局就会收回女方的准证，限期离开新加坡。就是说，结了婚，她们母女能不能留在新加坡从此便掌握在吴贵发手里。

第二天，邓茹琳撇下陈萍，自己重新收拾了部分物品去了吴贵发处。上午，张岚、陈萍同往常一样去语言学校上课，中午张岚将陈萍送回家，随便吃了点东西便赶去上班。张岚的热情与活跃带动了整个餐厅的服务，令经理对张岚点头称道。

陈萍一人在家倍感孤独寂寞。母亲执意改嫁吴贵发让她对前程感到一片茫然；张岚为了给她挣学费跑去打工，留她一人苦度时光。尽管有邻屋的小男孩在家，可他一回来就关在屋里不出门，话也没有一句，更让陈萍感到空气都要凝固似的。傍晚时候雨很大，邓茹琳打个电话来，告诉陈萍，她同吴贵发一同去办她们俩的家属准证，跑了一天累了不能回来，让她自己弄点吃的。外面电闪雷鸣，陈萍因害怕畏缩在铺上独自落泪。雨过天也黑下来，张岚不回来吃饭，她也没有心情做饭，更没有心情读书复习功课。夜里十一点钟，张岚才回到家，见陈萍坐在铺上靠着墙发呆，张岚问她话，她只是摇头不吭气。张岚在外一天累了，洗完澡，爬上铺就睡着了。

胆小的陈萍从来没有自己单独睡过，前段时间母亲不在的时候是李佑君陪她睡。灯开着，陈萍坐在铺上死死盯着门，此刻她想念母亲，想念李阿姨，也想张岚能来陪陪她，深夜的寂静留给她的是莫名的恐惧。进入十一月的雨季，新加坡的天气转冷，陈萍裹着被单依在墙角，就这样不知不觉地睡着了。

第二天，张岚一觉醒来，九点过，已经迟到。平常总是陈萍先起叫他，今天这是怎么了？张岚开门出去，见陈萍的房门还是关着的，便上前去敲了敲，里面没有动静。推开门只见陈萍缩在墙角还在熟睡中，一副可怜的样子。张岚走过去，本想揪她的鼻子整醒她，却发觉陈萍的脸色不对，一摸额头烫手！张岚赶紧取来体温计给她测体温，同时搬动陈萍让她躺好。

陈萍缩成一团躺在铺上一个劲儿喊冷，张岚取来自己的毛巾被给她盖上，坐在一旁，嘲笑道："没见过坐着睡觉的，你怎么不学骡子站着睡呢？"

"我害怕，一人不敢睡。"陈萍迷迷糊糊地答道。

"坏了，我怎么忘了这茬儿！敢情我们这位大小姐压根儿就没长胆。早说呀，我来给你把门就是了。得，今儿晚上该我放哨。"张岚的话把陈萍逗笑了，睡意去了大半，却觉得头涨痛。

体温测出三十八度五，张岚着急，一时不知该怎么办。想了一阵，决定给远在美国的母亲打电话咨询，可母亲电话已经关机，一算时差美国这会儿是半夜。没办法，他给远在北京的父亲打电话，张明贤让他把常备药箱拿出来，二人讨论了一阵，定下用药，张明贤又嘱咐了一通该怎样照顾病人，这才放下电话。张岚笨手笨脚地热了一碗牛奶，让陈萍服了药、喝了奶。喝过奶，陈萍又昏昏沉沉地睡过去。

快到中午的时候，邓茹琳提着菜过来准备给两个孩子做午饭，见女儿生病，心疼一阵。

吃过午饭，吴贵发左一个电话右一个电话催邓茹琳去应聘工作。邓茹琳嘱咐了张岚几句，自己便离去了。

张岚让陈萍服下第二道药，看看挂钟，是去上班的点了。张岚准备辞职，可人家经理破格录用他，不说一声就不去了太不够意思，所以他决定当面提出辞呈。没想到经理把张岚当成了不可多得的人才，再三挽留，张岚答应"妹妹"病好之后再上班。

经过一天的休息，陈萍烧退了。吃过晚饭，屋里热，二人便到楼后的公园散步。因为身体有些虚的缘故，陈萍不自觉地像挎母亲的胳膊一样挎着张岚走路。有生以来这是第一次有女孩挎他的手臂,张岚顿时感到不自然,胳膊腿变得僵硬。陈萍意识到不对劲,马上放开了张岚,黑暗中,她的脸红了。

这天夜里,李佑君从美国回来,发现张岚和陈萍二人睡在同屋,气得她血往头顶冲,径直冲进邓茹琳的房间把张岚打醒。张岚揉着眼发现是母亲回来了,正要高兴,李佑君沉着脸问:"你怎么跑这儿来睡?"

张岚站起来往外走,嘴里嘀咕道:"有人来换岗,回去睡我的踏实觉去喽。"

李佑君越想越不对劲,追回自己屋,把已经睡下的张岚从铺上拉起来,严肃地审问:"为什么不回答我,为什么去对面屋睡觉?"

张岚一个劲儿地眨眼,不解道:"有什么大惊小怪,您不知道那位没胆儿?昨天晚上一人不敢睡,坐了一宿坐出病来。我不去陪她,明天就得送火化场!"

"她妈呢?"

"说来话长了!你要是想听,咱俩这宿就都别睡!"张岚说着又躺下,接着补一句,"您倒时差不睡,还要拉个垫背的!不过您回来我真高兴,这些天够我累的。"说完张岚转过身睡觉。

平静下来,李佑君后悔自己的冒失,她猜不出走后这十来天发生了什么,加上时差没有倒过来,一夜她几乎没合眼。

第二天,从两个孩子的嘴里了解到事情的经过,她回想起邓茹琳曾提过同吴贵发结婚的事,当时她没有在意,认为是吴贵发为了骗取几顿饭搞的小把戏。当然,就是她在家,她也不会强行阻止邓茹琳。不像其他的女人喜欢掺和他人找对象,李佑君从来不会对别人的婚嫁问题说三道四。你好心帮着说成了,过得好是他们天生合得来,谁也不会认为是你的眼力好;要是过得不好,二人都会骂你当初多管闲事。世上婚姻的事情最说不清,有时挺好的两个人就是过不到一起,而说不定臭味相投、不是东西的两个东西凑在一起还成了五好家庭!社会学家都没能把这个问题研究清楚,李佑君作为自然科学工作者更是无心插手这个社会学的哥德巴赫猜想。

事已至此,李佑君更不会对邓茹琳的婚姻品头论足,她只是觉得陈萍再留在他们这边不合适。趁着两个孩子还不省事把他们分开的好,要是二人真的产生了那种感情再来干涉就来不及了,特别是昨天夜里那一幕真的让李佑君捏一把汗。这样想着,李佑君便开口动员陈萍过去同她母亲一起住。

李佑君的话让二人震惊,张岚盯着自己的母亲,仿佛陌生人,"妈,您的魂儿是不是还留在美国哪?那边这会儿是深夜,您说的是梦话吧?"

"孩子理应和自己的母亲一起过。"

"可吴贵发不是好东西,跟这样的后爸陈萍肯定受气!"

"我们不可能老是多租一间房,这样白白增加不少开支。"李佑君又找出一条理由。

"好办,我睡厅。"

李佑君知道自己说不过张岚,于是不再吭声。张岚以为母亲被自己说通了,于是又去餐厅上班,在那里不但能够表现自己,还可以锻炼英文听说能力,特别是得到同事和领导的赞许让他特别愉快。张岚毕竟还是孩子,就喜欢别人捧他。

夜里,张岚回家不见陈萍,得知母亲已经把她送到吴贵发那里,顿时急了:"您可太自私了!您想想,吴贵发那儿是什么地方,整个一虎狼窝!您就不怕陈萍过去受委屈?明天您不去把她接回来,我去!"

张岚的话掷地有声,让李佑君无言以对。李佑君知道张岚说到就会做到,如果由着他胡闹这事儿会越发不可收拾,于是趁张岚去洗澡之际,李佑君打电话求助张明贤。张明贤同样反对李佑君的做法,但李佑君坚持己见,张明贤怕两只犟牛再次干起来,这才勉强答应做张岚的工作。

张岚从卫生间出来，李佑君把手机递给他，"你爸的电话。"

"每回您输了都得抬出我爸来压我。我怕谁呀？真理在我手里，政治局的决定我照样推翻！"说着，一把接过电话嚷道："这回您再不帮我说话，以后我没法儿服您了！"

"你妈这事儿办的是有毛病，我说她了。"

没等电话里张明贤把话说完，张岚高兴地叫起来："这还差不多，二比一，民主投票我赢了！"

"别急，听我把话说完。"

"我就知道您又要拐弯。"张岚打断张明贤，"给句痛快话，赞不赞成我把陈萍接回来？您要不赞成我马上就挂机。"

"要是上午打电话给我，保证我会制止你妈把陈萍送过去。陈萍这孩子怪可怜的，小小年纪要承担这么大的心理压力，我们不能不帮她！可终归她也得接受这样的事实，我们应该帮助她勇敢地面对现实，不可能鼓动她跟她妈决裂吧？这事儿你妈是操之过急了，但是既然已经把她送回去，就得想别的办法帮助她，你就是去接她，她也不一定跟你走，因为她已经有想法了。一会儿送，一会儿接，这算怎么回事儿？你现在能做的就是经常过去找她玩，一方面开导开导她，另一方面也是给吴贵发一点警告，他要是敢虐待陈萍，有人收拾他。听说你的能耐不小，能把吴贵发治得服服帖帖。陈萍以后还得靠你们想办法多帮帮她，帮她乐观地面对现实。"

张明贤合情合理的分析说服了张岚。

22

吴贵发以肮脏的世界观教育孩子，却每每被张岚驳得体无完肤。"人要是都为自己活着，这世界乱套了。总统把国库搬回家，国防部长带着海陆空三军抢银行，像你这样的还能活吗？"

刘妍丽"捉奸"事件气跑十二人，四室一厅里只剩下两个寄宿的学生。一周后没能补充上生源，刘妍丽便把那两个学生集中到靠近碧山的宿舍，因为她不可能为两个人再起一摊。陈东前着急呀，他算了本账，开业不到两个月，累死累活挣了两千多，房子还得空一个多月，抵了以后剩不了几个钱。而他垫资买的这些家具成了麻烦，扔掉可惜，不扔往哪里堆呢？碧山那边也有这么大一堆家具，他真怕刘妍丽再捅出些事儿来，他可就血本无归了！

冯小蓉从吴贵发那里搬出来，一时找不到公寓，而刘妍丽空出的房子离徐翰的学校不远，所以陈东前安排冯小蓉在此暂住。这里条件是简陋了点，但至少有空调不会受热。

这时，邵彦带着东东来到新加坡，找到陈东前。陈东前同样将她安排在空房里，与冯小蓉同住。邵彦原打算过了春节再到新加坡，提前几个月向单位里提出辞职，以便安排人接替她的工作。单位上下得知邵彦的义举，自发地组织了为陪读妈妈捐款的行动，钱虽然不多,但表达了同胞们的一片深情厚谊。就这样,邵彦带着祖国人民对海外游子的深切关怀提前来到新加坡,开始了她的"陪读妈妈联络所"的筹建工作。

冯小蓉十分佩服邵彦,在她看来,区区几十万的家当就敢站出来,竭尽所能为社会办一点好事,精神实在可嘉。冯小蓉整天闲得无聊,她便帮邵彦张罗社团登记等开创工作。一来二去,加上二人还挺谈得到一块儿,两位女士便将对方当成自己的知心朋友。

邵彦的想法很简单:开通一条单向收费的手机电话,在报纸上打一则广告,提供咨询服务;租一套房子,给生活特别困难的陪读妈妈提供住处,直到她们找到合适的工作为止。她算过一笔账,像这样的四室一厅,新加坡人称之为五房室的单元至少可以收纳十家人,一个月各种开支用四千新币了不起,她带来八十万人民币至少能顶三年。三年里还能募集到一些捐助款,有了工作的陪读妈妈们也可以回馈一点,加上自己打工挣点儿,这项事业能坚持四五年也就差不多了。

晚上没事儿干,邵彦和冯小蓉坐在屋里聊起今后的发展。

冯小蓉建议道:"恕我直言,在新加坡的陪读妈妈数以千计,生活困难的不在少数,一个收容所只是杯水车薪。倒不如用这些钱投资生意,挣的钱用来做慈善事业,这样才可能长久,而且还能解决一部分陪读妈妈的工作问题。"

邵彦摇着头说:"这个不是没想过,但我从来没做过生意,要是做赔了,几个钱两下折腾光,啥事儿也别想干了。"

东东把玩具车搬在床上开,邵彦将它放回地上,说:"车轮脏脏的不可以放在床上。你去找哥哥一起看电视,妈妈和阿姨说会儿话,行不行?"

东东很听话,蹲在地上推着车子去了厅里。

"我考察过,新加坡人工作忙,自家开伙做饭的不多,搞餐饮是个方向。"冯小蓉继续道。

"新加坡是东南亚美食城,餐饮业相当发达,中餐、西餐比比皆是,还有马来海鲜馆、印度饮食更是锦上添花。从每天报纸上餐馆的广告就能看出竞争有多激烈。这里门脸租金太贵,装修要求高,谈何容易。"邵彦如是说。

"世界上哪一行竞争不激烈?"冯小蓉反问,"饮食是个很特殊的消费,人们喜欢尝试新鲜,有特色的新品种容易被人接受。我差不多转遍了新加坡,中国的火锅还很少见,我去过一家,生意一直不错,但是他们保留了中国合餐的习惯,不太容易让新加坡人,特别是上等阶层人士所接受。我考虑过开个火锅馆,重新设计一下锅,符合这里的分餐习惯,这样可以吸引更广泛的食客。"

就在冯小蓉振振有词地讲述自己的看法时,徐翰在外面高声叫起来:"邵阿姨,快点来呀!东东尿裤子了!"

邵彦抱歉地看看冯小蓉,起身出门。

很快,申办陪读妈妈联络所的批文寄来了,邵彦转租下刘妍丽租的这套房子,并把床、柜等家具也买下来。

广告在报纸上登出,询问电话和报名入住的人络绎不绝。有一位母亲带着孩子和行李前来,一进门便哭诉自己的不幸遭遇。这位河南妇女经人介绍来到新加坡,新加坡的中介人收了她半年的房租和三千新币的中介费,安排她们母女住下,等着办孩子入学。可才住三天,房东就把她们赶出门,理由是租他房子的那位先生已经退房,这间屋子另外有人租了。再打中介人留给她们的电话,手机已经停机。带来的钱花得差不多,母女二人在组屋底层的石椅上熬过几个昼夜,正准备买回程的机票,看到邵彦的广告,抱着一线希望找到这里。邵彦当即收留了她们,并着手帮孩子联系小学。

几乎每一个前来登记的陪读妈妈都能讲述一段凄苦的经历。冯小蓉帮邵彦从近百位有困难的陪读妈妈中挑选十二名相对贫困者入住联络所。陪读妈妈们陆续搬入,四间屋和厅都挤得满满的。

冯小蓉在附近租了一套三室一厅的组屋单元单独居住,邵彦也另外租了间屋子自己住下。

自从广告登出,邵彦一天到晚忙得不可开交,大量的求助电话让邵彦应接不暇。很多邻里纠纷或劳资纠纷的问题也找邵彦,而她毕竟不具律师资格,只能好言相慰,帮着想想办法。陪读妈妈们所面临的最大的困难是工作问题,因此邵彦开始考虑冯小蓉开餐馆的建议。

对冯小蓉来说,投资不是问题,她认为自己是个帅才,运筹帷幄可以,但处理日常琐碎的杂事她不行,因此需要一位像邵彦这样有头脑又实干的合作者。邵彦重提开馆子的事,冯小蓉顿时来了劲头,一下把她考虑了多时的方案和盘托出。冯小蓉设计得滴水不漏,令邵彦十分佩服。

冯小蓉和邵彦每人首度出资八万新币在新加坡商业中心乌节路上开了一家"中国火锅城",大堂、雅间共设大小十八桌,可以容纳近百人用餐。内部装修特具浓郁的东方气息,门上的字牌更是别具一格。冯小蓉设计的铜锅最为巧妙,锅分单人锅、双人锅、三人锅直至十人锅,用餐者每人各自独立一格,格间的汤料互不流通,体现了较文明的分餐习惯。多人锅的外形设计非常新颖,宛如莲花盛开,人见人爱。用餐者可以在六种口味的汤料中选择自己喜爱的一种,六种汤料分别冠以名称:北京涮羊肉、重庆麻辣烫、内蒙小肥羊、广东海鲜汤、福建野山菇、江南胖鱼头。广告词的设计更具号召力:看得见的卫生,尝得到的快乐。

中国火锅城的广告在中英文各大报端登出,很快引来如潮的食客,订座电话不断,令她们始料不及。火爆的生意带来丰厚的利润,更重要的是解决了近二十名陪读妈妈的就业问题。

火锅馆装修时,陈东前作为工程总监理干得有声有色,这人就爱张罗这种事儿,按他自己的话说,整个篡夺了工头的职位。在招选服务员时,陈东前建议与邓茹琳取得联系,优先考虑她。别的事情可以依着陈东前，就是这事儿冯小蓉坚决不从。邵彦了解到邓茹琳的全部遭遇后两次前往探访都没有碰到她，只是从吴贵发的口中得知她已工作。

邓茹琳与吴贵发结婚后，没等家属准证批下来，吴贵发便迫不及待地领邓茹琳到牛车水的一家按摩店上班。

按摩店设在一座大楼的四楼上，门外有按摩女在招揽生意。进门有一排长沙发，上面坐着三位按摩女等生意，粉红色的彩灯使得室内显得神秘而又浪漫。一道重重的门帘隔开接客厅和几个按摩小间。邓茹琳初来的时候显得很不自在，老板娘是个开朗的人，亲自教导她按摩的手法和程序。经过两三天的实习，邓茹琳便能独立操作。按照行业的规矩，按摩女的收入是从她本人接客的收入中提成五十巴先(新式华语，百分之五十的意思)，客人给的小费全部归按摩师。也就是说每位客人收费四十元，按摩师可以得二十，每天只要等到四五位客人，一个月就能有两三千新币的收入。

邓茹琳一上班，可就苦了陈萍，整日地买菜、做饭，打理家务，而吴贵发一天到晚守着电视看个没完。自从李佑君强行将她送回邓茹琳身边，陈萍便不再去语言学校上课，家庭的动荡变化让她无心学习。一连几天，张岚打电话找她，陈萍都不予理睬，最后张岚实在憋不住，上门去找陈萍。敲门之后，陈萍从里面打开木门，看见铁栅栏门外的张岚，沉着脸问："你还来找我干什么？"

张岚咧嘴一笑："没事儿，我来看看你过得好不好。"

"我过得好不好不用你管！"说着陈萍就要关门，张岚赶紧伸手进去挡住。

"别，别……"话未出口，陈萍猛地关上门，张岚急忙抽手，门"嘭"的一声关上。张岚站在门外，眼珠一转，大声喊疼，蹲到地上。

陈萍重新开门，见张岚捂着胳膊歪在墙角一副痛苦的样子，以为自己闯了祸，连忙拿来钥匙打开铁门，出来察看究竟。

陈萍蹲下身关心地问："压着手了是不是？我看看。"

"胳膊折了。"

"胳膊怎么会折呢?"平常张岚鬼把戏多,陈萍不太信。

"两扇门一别,不折才怪!"说着张岚站起身,左手托着右上臂,轻轻晃一下,下臂就像吊在树干上的断枝来回摆动。

陈萍信以为真地惊呼:"那怎么办呢? 疼不?"

"不疼? 脑门上的汗哪儿来的?"果真,张岚一脸的汗水。

"赶快去医院吧!"

"没钱!"

"我给李阿姨打手机。"陈萍转身就要进屋。

"又出国了!"

"那怎么办呢?"陈萍回身,一脸的惊恐。

"没关系,脱臼了,我自个儿能接。"张岚边说边往屋里走,"当初设计我的时候考虑到我这种产品不老实,所以我妈把我做成可以自动装配的那种型号。"说着,张岚用左手握着右腕使力一拉,然后活动活动胳膊说了声"好了"。

陈萍眨动眼睛,没明白怎么回事。张岚见她呆愣在那里,于是开始表演霹雳舞,先是走了几个太空步,然后做了几个 POP 的擦玻璃动作,见陈萍还没有反应过来,于是再次重复刚才的模拟残疾人断臂的动作。这下,陈萍明白上当,一气之下按住张岚一阵捶打。发泄一通过后,陈萍捂住脸蹲在地上失声痛哭起来。尽管她时常爱哭,可这回却哭得那样伤心,好似要把一肚子的委屈全都倒出来。陈萍的哭声让快乐王子手足无措,张岚的眼眶也跟着湿润起来。

哭过一阵,陈萍擦去眼泪,嘶哑地说道:"你回去吧,过会儿他回来没饭吃又该冒火了。"

"你妈呢?"张岚问。

"上班,晚上才回来。"陈萍说完去卫生间洗脸。

张岚这才注意到桌子上理了一半的菜,于是叫了起来:"姥姥!

给丫吴贵发做饭？便宜他了！"

陈萍从卫生间出来,顺口答道:"我也得吃饭。"

张岚拉着陈萍往外走,"以后中午我请你吃快餐。"

陈萍挣开张岚的手,说:"别闹了！闹完了你一走了之,我还得跟着他们过。不想让我妈生气。"

看到陈萍可怜巴巴的样子,张岚体内的热血在沸腾,暗下决心要好好地收拾吴贵发。

平和了一下情绪,张岚对陈萍说:"这顿饭我来做。"说完把短袖口拉上肩头,伸手拿起一棵芹菜。

陈萍从心底里感激张岚,李佑君赶她走的气完全化解了。但她担心吴贵发回来看到张岚在家里会说她,更怕他闹出事来连累自己,所以一个劲儿地催他快走。张岚看出陈萍的担心,想起父亲的教导,他明白自己的任务是保护陈萍,而不是同吴贵发置气,于是他想好了下一步怎么做。

张岚一边理菜一边给陈萍讲故事,陈萍听入了神也就忘了催他走。

"我们院儿有一个比我大一岁的孩子,那小子个头和力气都比我大,更可气的是这位不比我傻,打小我从他那儿就没占过一回便宜。终于有一天……"张岚说到这儿停下来。

"终于有一天你战胜他了是不是?"陈萍追问。

"不,跟他讲和了。"

"你也有认输的时候?"

"人啊,全都欺软怕硬,包括我张大圣。所以你以后对吴贵发不能软,否则他就得欺负你。"顿了一下,张岚继续道,"我教你几招四两拨千斤的办法。"

"我可不敢和吴贵发打架。"陈萍边炒菜边说。

"没让你和他动手。这第一招,他生气说你的时候别上心,就当没听见,有事儿没事儿再哼上一曲,能把他气死！死过两三回他就不会找死了。"

"我可不敢,他要是急了打我怎么办?"

"敢!你只要对他喊一声'张岚来了',他就得乖乖住手。记住,这算第二招。"

"可他不冒火,也不打人,光赖着我和我妈给他做饭。"

"好办,接下来的第三招是这样的。"张岚说着,取来一个盘子,把陈萍炒好的菜拨出小半,然后往里撒了一勺盐拌匀,"这盘咱俩的,这盘给吴贵发。"

等陈萍炒出第二道菜,张岚如法炮制给吴贵发准备了一份。

这时,吴贵发摇晃着肥胖的身形进门,一眼看到张岚,先是一愣,随后绷着脸对陈萍道:"不可以让别人到家,OK?"

张岚迎着吴贵发走到他的面前,理直气壮地喝道:"出去!门也不敲一下就进来!"

吴贵发一惊,站在那里不知怎么应对。

张岚坐到沙发上,跷起二郎腿,严肃道:"这房子我从冯阿姨手里转租过来了,限你七天的时间给我搬出去!"

张岚的这招真灵,吴贵发明知道他在诈唬,可自己理亏,怕激怒张岚他会动真,所以马上换了一个态度搭讪道:"没有关系,你们玩好噢。"

张岚不想把事情搞僵以免陈萍为难,于是顺水推舟:"好说好商量。吃饭吧,尝尝我的手艺。"

陈萍已经摆好饭菜,张岚进到饭厅,把给吴贵发准备的那份推到他面前:"吃吧,别客气,这顿我请客。"

吴贵发夹一口菜往嘴里送,陈萍紧张得屏住呼吸,张岚得意的表情已经浮在脸上。吴贵发觉得不对味,一口菜在嘴里含了半天没能下咽,张岚嘲讽道:"我的手艺不错吧?别客气,这两盘都是你的。"说着把盘子往吴贵发跟前推了推。

吴贵发明白又让张岚整一回,却不敢发作,端着手中的白米饭去厅里,边看电视边对付着填肚子。

整个假期里,张岚每天上午来找陈萍,下午去快餐店打工。大多数时候吴贵发在家,起初他还想给张岚点脸色,却不敢奈何于他,后来见两个孩子玩得热闹,情不自禁地要来凑。三个人一起玩扑克,张岚没把这只大笨熊放眼里,可一旦吴贵发学会游戏规则,越玩他们二人越不是吴贵发的对手,于是张岚要求换种玩法,可不久又是吴贵发占上风,张岚一换再换,短短几天吴贵发学会了"争上游"、"五十K"、"板子炮",甚至连"斗地主"也学会了。最终吴贵发道出实情,原来他有钱的时候迷恋过桥牌,所以分析记牌的能力很强。张岚不服气,可他和陈萍联合起来依然输多赢少。三人酣战,时常顾不上吃饭,中午泡点方便面对付着过。有张岚这个活跃分子,大家都觉得很快乐,陈萍不但开心了,而且也不再拘束。

吴贵发有机会就要吹嘘,他说曾与某某部长打过牌,与某某董事长交过手,"他们打不过我的,我赢过很多的钱。"

"无聊!你们这帮赌棍都不会有好下场。你就是个反面教材。"张岚边摸牌边说。

"你不懂,赌博是一种娱乐,很多的国家都有赌场。我去过云顶,去过澳门,很好玩的!"吴贵发得意洋洋地说。

摸完最后一张牌,张岚把小鬼进贡给陈萍。陈萍悄悄问他缺什么,张岚不以为然道:"随便给一张。大老爷们能赢能输,不玩赖!"

吴贵发听懂了张岚的话,非但不赞扬,反而指责道:"赌场就是战场,只要能打死对手,什么办法都是可以,只是不要让别人知道而已。人的一生就是在赌博,老实是要吃亏的。"

"你以为像你这样就好?走到哪儿赖到哪儿,最后让人把你当过街老鼠喊打,这种日子好过吗?"

张岚的话让吴贵发不自在,边出牌边嘴里嘟囔着:"过去我可是很体面,只是运气不好,破产掉而已。"

于是三人不再说话，专心打牌。这回吴贵发抢先走完，张岚让着陈萍，又落个下游，垂头丧气地洗牌。得意中的吴贵发话又多了起来："过去我很体面噢，我的妻子很美的。现在她还是美美的，去夜总会，很多老板还要泡她。"

这话让张岚觉得恶心："这种事儿也拿出来炫耀，无耻！"

吴贵发以为张岚在帮他声讨其前妻，便接着说："对喽，那个女人很坏，我给她很多钱，可是我破产她就和我离婚。"

"乌龟专找大王八，没有一个好东西。"

张岚的话刺伤了陈萍，她把手里摸了一半的牌扔到桌上，生气道："要打牌就好好打，废话说个没完。"

张岚刚好摸到一手好牌，舍不得就此罢休，连忙抓起纸牌塞入陈萍的手中。"好，好，好，不说话了还不行？"

张岚不再说话，可吴贵发还在喋喋不休："那个时候我有很多钱，每一个礼拜都要去夜总会泡女人。黑的、白的都有，都很美噢！同那些女人睡觉很有趣……"

张岚把手上的牌往桌上一摔，打断了吴贵发。

"什么东西！有几个臭钱就忘了自个儿是人还是兽。你以为人活着就为了钱！钱是什么东西？破纸上画了几个数字！世上有多少人就因为没有这些破纸活不下去，钱多了花不完的时候你该想想他们。将来我要是挣到大笔的钱，用飞机运着到世界上最穷的地方撒美元。好好想想吧，那是什么场面，那是什么境界，学着点儿吧！人要是都为自己活着，这世界乱套了。总统把国库搬回家，国防部长带着海陆空三军抢银行，像你这样的还能活吗？"说着，张岚拉着陈萍往外走，边走边自嘲："我有毛病，跟这种死不悔改的人废那么多话干什么？"

23

公司一旦破产,李佑君的就业准证就会被吊销,想回过头申请作为陪读妈妈留在新加坡也已经是不可能的了。面对残酷的现实,坚强的女人禁不住在众人面前落泪。

最近一段时间,李佑君心情很差,烦心的事情一桩接着一桩。同住的秦女士给孩子们的不良影响让她担心,可气;吴贵发挤走冯小蓉,自己却无能为力,憋气;强行送走陈萍自己也觉得过意不去,无奈!而最大的压力来自工作。公司接了 NASA 的项目,看上去不难,可航天用的电路要求在非常极端的条件下可靠地运行,就连体积和重量都有严格的限制,这就使得器件的选用和电路的设计两方面都没有现成的资料可供参考。同一项目有三家公司同时在进行设计,另外两家是日本和美国的知名公司。NASA 将从三个设计中选择最优的一个付给丰厚的酬金。落选者只有达到基本要求,NASA 才会付给开发费用;要是达不到那些基本的指标,一分钱也得不到。对钟生的公司来说,应付这么大的设计需要倾其所有财力,如果成功,他的公司能跻身世界强者行列;一旦失败,只有倒闭的份儿。

到目前为止,三个多月过去,两套方案都已经失败,大量的投入已经化成泡影，再这样下去，等待他们的结局就是公司破产。一旦破产，钟生个人的命运会变得很悲惨，李佑君也会受到连累。陈友和已经拿到绿卡，破产后可以留在新加坡再找工作，而李佑君不行，她的就业准证会被取消。而张岚已经年过十六周岁，她再没有资格重办陪读准证，只有马上离开新加坡，否则就成了非法滞留。

事态的发展越来越严峻，所剩的时间已经不多，公司上下人心浮动。每周的例会上，钟生坐在长桌的一边，左右是陈友和和李佑君，三人的表情异常冷峻。二十几个员工分坐在会议桌的两侧。只是短短三个月，钟生的头上已现出斑斑白发。

"我了解另外两个公司，他们也是没有好的办法，听说日本公司已经放弃，不懂是真的还是假的。我们一定是不可以放弃的，现在放弃已经来不及了。希望各位能够讨论，找到一个办法。"钟生给他的员工打气。

一阵窃窃私语后，李佑君提高嗓门道："现有的控制芯片都不能在这么低的温度下正常工作，问题已经转化成寻找一种新材料制造控制芯片，而这超出我们的工作范围。"

"就是因为这样子我们才需要另外想办法。"钟生想要扭转话题。

李佑君摇了摇头，说："我已经和硅谷的同学取得了联系，他们的看法是不可能有这样的半导体材料满足我们的要求。"

会场一片骚乱，钟生和陈友和的表情都显得很严肃，李佑君沉默了一阵，轻轻干咳两声，表示她还有话要说，于是会场又安静下来。

"如果能从理论上证实符合要求的材料是不存在的，那么其他的两个公司也不可能成功，到时我们联合起来向 NASA 申述，证明他们的条件是不科学的，要求 NASA 补偿我们开发的费用。我认为这不是不可能。"

李佑君的话引起在场员工的热烈反应，有赞成的，也有反对的。经过一阵争论,大家不能达成共识,钟生觉得再这么无休止地争论下去不会有什么建设性的结果,于是他轻轻地敲了敲桌子,众人安静下来将目光投向钟生。

"大家工作很辛苦,过两天是圣诞节,我已经联系了一间旅行社,我们大家一同去马来西亚玩一玩。带着你们的太太或是先生,还有小孩子,放松一下子,大家看可不可以?"

钟生的提议得到在座青年员工的响应。简单讨论了一下行程之后,钟生宣布散会。

李佑君刚刚在实验室里坐定,手机响起来,拿出来接听,是陈友和打来的。"李老师,能不能到低温室来一下?"

李佑君放下手机,转身来到隔壁的低温室。进门见只有陈友和一人在里面,李佑君知道他有事想单独与她谈,于是将门关上,拉过一把椅子坐下,等着他开口。

"我不明白你怎么在会上说那些话,这个时候需要鼓舞大家的士气。我们应该帮助钟生渡过这个难关才是。"不太多言的陈友和第一次对李佑君说重话,看来他对她刚才的发言很不满。

"我是替钟生着急!"李佑君指着身旁的低温设备道,"为了这个项目添了多少仪器,一旦项目失败这些东西全变成了废品。我怕钟生再做盲目的投入,到时连他的家当都得变卖光!"

"对钟生来说已经没有退路,这个项目不成他只能破产。必须另辟蹊径,达到 NASA 的基本要求,至少保证收回成本。"陈友和的语气低沉但却坚定。

"所以我想证明是 NASA 的要求超出当代的科学水平,这样也好向他们索回损失。"

陈友和摇头表示反对,说道:"美国人一样不相信眼泪!更何况有的集成块在低温下能正常工作,所以你的想法是行不通的。我现在考虑的是采用一组芯片代替控制块的功能,这样有希望通过低温测试。"

"这个问题我不是没想过,组合起来的模块首先在运算速度和可靠性上都无法达到要求。"李佑君反驳道。

接下来是良久的沉默,二人都在蹙眉凝思。

"如果项目失败,你打算怎么办?"陈友和打破了让人难受的沉默。

"我?只有回国。我在想,命运对钟生太不公平,这么好的一个人会落到这样的结局!"

"孩子怎么办?"陈友和问。

"留他一人在新加坡,还能怎么办?"

"到时我帮你照看。等我找到工作以后,我会力荐你的,只是不一定有把握。"说到这里,陈友和看着李佑君的眼神恢复了往日的那种温存。

李佑君抬头望一眼陈友和,点点头,目光充满感激。

"这几个月我们在一起合作得非常愉快。你的人格魅力最吸引人。你的先生能娶到你是他的福气。"陈友和说出这番话似乎是费了一番努力的。

"您的夫人怎么不跟您一起来呢?"李佑君话刚出口便觉得不妥。

陈友和眼望窗外,迟迟才回答:"我们是下乡时结婚的,公社书记的女儿,所以我才被推荐成工农兵学员。她来过,住不惯。"说到这儿,陈友和笑笑,欲言又止。

李佑君抱歉地笑笑,不知道该说什么。

面对一位端庄美丽的女子,特别是在面临分道的时候,久违情感生活的陈友和一反平日的沉稳,心中泛起许多涟漪。

又是一阵的沉默之后,陈友和开口道:"去马来西亚的时候带上你儿子,让我和他有机会多接触一下,到时你不在的时候我们之间不会显得太拘束。"

"马来西亚我不打算去,我想利用这几天搬家。张岚考进了义顺的一所中学,我已经在义顺找了一间房,过几天就搬过去。"李佑君这样解释。

"马来西亚还是应该去一下。我理解钟生的用意,他是想让大家分手之前换个气氛接触,加深彼此的友谊。你应该去的。"

李佑君叹了口气,感叹道:"钟生是个好人,什么事情都想得那么周到。"说完,二人再次陷入久久的沉默。

一辆旅游大巴在新山到吉隆坡的高速公路上行驶,路两边大片的热带作物林吸引了车内不少游客的目光。车里的气氛同车外的气温一样热烈,几个青年和几个孩子争抢麦克风做即兴表演。张岚和陈萍坐在后排,也许是不熟悉的缘故,张岚一路都没想表现自己。这时众人一致要钟生唱歌,他唱过一首闽南歌后,大家还不放过,于是钟生重新拿起话筒道:"其实我们这里还有一位很活泼的人到现在还没有表现,他就是我们李老师的儿子张岚同学,大家欢迎他给我们唱歌好不好!"

众人回头把目光投向张岚。

突然被点到名,张岚稍稍迟疑一下,起身走到前面,接过话筒,道了声"谢谢",然后抓耳挠腮,一副勉为其难的样子。"其实我唱歌老跑调,忽高忽低,忽左忽右的,这点我妈可以证明,每回我一唱歌我妈就会晕车。"张岚的话和他的表情引起哄笑一片。"如果你们不想受煎熬的话,我还是不唱的好。"说完张岚就要把话筒还给钟生,众人全都不依,有人建议张岚说一段相声,张岚再次抓耳挠腮,"好吧,我给大家讲个笑话。"于是所有的人鼓掌欢迎。

"就说说我们来新加坡后发生的事情吧。"张岚停顿一下继续道,"我发现新加坡的华语受英语的影响特别大。英语里头只有一个量词'a',什么都 a 一下就行了;a pen, a man,不管什么东西,前面加'a',OK 了,多简单!哪像中文,量词还得跟着东西变,一个人、一只狼、一口锅、一幅画,这量词不能乱套,否则就会闹出笑话。然而你们新加坡人真的不管那么多,逮着一个量词不把它用足是誓不罢休。"

张岚看看众人笑眯眯期待的目光,继续讲:"我们来新加坡的第二天,房东买了些日用品来看望我们,他看我这么壮,这么高大,情不自禁地夸了我一句,差点没把我的鼻子气歪了!您知道这位说了句什么话?"张岚卖个关子,把听众的情绪调动起来后,才模仿新式华语大声道:"哇噻!你的儿子很大只耶!"

待笑声过去,张岚继续:"好吗,我成什么了,一只人!"众人又笑,张岚接着讲:"以后常听人表扬我'很大只',我也不生气了,而且越听越美,越听越爱听。上个礼拜我和陈萍去动物园玩,看到一只大猩猩,又高又大,我就在猜,是我大只点还是它大只点,于是我站在笼子跟前让陈萍帮我照张相,回去仔细比较一下谁比谁大只。就在这个时候,一位小姐对着我们俩惊叫起来,'哇噻!好大好大只噢!'当时我就在猜,小姐到底是表扬我呢还是表扬猩猩?我一回头,看到她的 boy friend 手里举着很大、很大一只……ice - cream!"

就这样,一路上,张岚与同行的人又说又笑,不知不觉车子开到了吉隆坡。第一天他们在双峰塔——世界最高的摩天大厦及市内各处观光购物。第二天一行四十多人去了云顶,东南亚最大的赌城。由于不满十八的未成年人不得进入赌场,所以钟生带着张岚、陈萍等八个年龄不等的孩子在游乐园度过属于他们的美好时光。晚上天黑之前,他们一行又驱车来到另外一个风景名胜——法国村,这是坐落在群山之中的模仿法国古典建筑的一条街,古色古香,别有一番情趣。

吃过晚饭,陈友和和钟生一道,在宾馆里探视每一个住下的员工,最后来到李佑君和陈萍住的房间,张岚也在里面。两个孩子见到他们都很亲热,陈友和主动地与张岚攀谈,但他原本就不擅言辞,所以二人只说了几句客套话便没话可说了。白天在游乐场里,钟生照顾不过来那么多的孩子,是陈萍一路细心周到地关照比她小的弟弟妹妹,因此钟生特别喜欢陈萍的善解人意,专门给陈萍准备了一件贝壳做成的工艺品以示表彰。陈萍也是个不擅言表的人，真诚地感谢之后就没有太多的话语了。

李佑君一直心事重重，钟生看出来了，打趣道："拜托，不要这样辛苦喽，高兴一点！"

张岚并不知道李佑君所承受的压力，对母亲近来的脾气很是不满，所以讽刺道："也不知道谁欠了您五斗米没还，告诉我，我帮您要回来就是了。"

钟生知道张岚的嘴厉害，生怕他出言不逊伤害了李佑君，所以忙解释："你的妈妈很敬业，她还在考虑工作的问题。"

张岚端坐在椅子里，像领导般询问："有什么困难说说看，我帮您想想办法。"

"别闹了好不好，没个正经的时候。"李佑君批评道。

陈友和反倒表扬张岚有参与意识，于是耐心地向他解释他们面临的技术难题："你一定知道太空中的温度很低，我们设计的电路要求在低温下正常工作。但目前的问题是有些集成块在低温下不能正常工作，它们像我们人一样怕冷。"

"那还不简单，给它们多穿几件衣裳不就得了！"

"我们也考虑过进行保温控制，但是重量和体积都有严格限制，一点儿也不能超标。"

"为什么有些集成块儿能正常工作，有些就不能呢？"

张岚的问话让陈友和吃惊，惊叹眼前的少年竟有这么敏锐的思路，于是他又耐心地解释下去，希望从讨论中帮助张岚建立科学分析的思维方法。"我们在实验中发现，小块的芯片在低温下都能正常工作，而大块的芯片往往出现逻辑运算的紊乱。"陈友和进一步解释。

"这个问题很好解释，这就像游冬泳，裹着棉坎肩儿在岸上做准备活动，胳膊腿露在外面冻得要命，这时候最难受了，下到水里全身都凉下来反而感觉好多了。您琢磨琢磨，芯片大了，有的地方热,有的地方凉,不抽筋才怪! 所以您回去试试,把电路板泡在水里没准儿就好了。"张岚这样建议。

"胡说,物理是怎么学的? 电路泡水里不短路?"李佑君质问张岚。

"还说我没学好,难道您不知道纯水不导电吗?"张岚一脸的正经。

陈友和做了一个手势让他们不要吵,自己沉思起来。过了一阵,陈友和抬头对张岚说:"你点醒了我的思路,我回去就照你说的试试。小伙子,你将来会是个了不起的科学家!"

李佑君和钟生都疑惑地望着陈友和,觉得陈友和不会是那种开玩笑的人,怎么把一个孩子的话当真了。

"张岚分析得有道理,大块儿的集成芯片在低温下温度分布会出现较大梯度,造成内部电阻率不均,从而造成逻辑运算出错。我们只要在芯片上附上一片高热导率的金属,或许问题就能迎刃而解。"陈友和严肃的话让李佑君不再怀疑陈友和是在取悦张岚。

"Marvelous!"钟生兴奋地叫了起来,"我们可以有事情做了!"随即转向张岚道:"无论如何我都要奖励你,你想要什么? 手提电脑还是数字的摄像机?"

李佑君笑了,别人夸奖她的儿子比赞美她本人还高兴,可嘴上却说:"不要把他宠坏了,电脑我俩人手一台,而且他把公司发给我那台好的抢去用了。"

"国家机密怎么能泄露? 特别是当着您老板的面,您就等着挨批吧!"张岚的话引来一阵笑声。

"那你是要摄像机喽?"钟生又问。

"谢谢,摄像机我用打工挣的钱买。我只想要一样东西。"

"什么东西?"钟生问。

张岚指指陈萍手上的贝壳,"我想您也送我一个贝壳。说实话,您真够偏心的,给陈萍买也不送我一个!"

众人笑,陈萍红着脸把手上的工艺品递给张岚。钟生连忙解释:"今天你玩得很开心,陈萍帮助我管理小孩子没有玩好,我一定是要补偿她的。你喜欢我会给你一个的。"

张岚接过陈萍递给他的贝壳,道:"OK啦,这个归我,明天您再买一个给陈萍就是。"

李佑君的手伸向张岚的耳朵,张岚逃开,众人愉快地笑起来。

从马来西亚回来后,陈友和着手验证张岚的提议,李佑君却对孩子的想法认真不起来,她认定是器件材料的问题,所以请了一天的假搬家收拾东西。

搬完了家,恰逢周末,李佑君电话通知冯小蓉、陈东前、刘妍丽和邓茹琳到义顺小聚。而这个时候火锅城才开张,冯小蓉反过来邀请大家到火锅城一聚,所以礼拜天的中午,大家都赶往乌节路的火锅城碰面,只有邓茹琳推托要去上班。

李佑君母子赶到火锅城的时候,陈东前和刘妍丽母女已经在包间里等候。张岚和陈东前一见面竟相互拥抱在一起,一对冤家多时不见还真想得慌。冯小蓉介绍李佑君、邵彦二人认识。二人早就听说了对方的事迹,尽管是第一次相见,却不陌生,像老朋友一样攀谈起来。

大人们相互谦让着坐下,只有张岚转着圈在看墙上的画。

"张岚,你也坐下来好不好?"李佑君终于忍不住了。

张岚指着墙上的画说道:"冯阿姨,这些画儿还没我用 photoshop 画出来的好。赶明儿我送您几张,让他们换了!"

邵彦笑着说:"这些可是有名的画家画的。"

张岚拉了把椅子坐到李佑君旁边,说:"我也有名呀!张岚,艺名张弱智,IQ 不及格,人称张大笨蛋是也。"

李佑君伸手要打张岚,被陈东前拦住。"好久没听他臭贫,倒想看看他幽默感有没进步。"接着又问张岚:"听说你小子绝食闹着要回国,今天这顿是不是可以省了?"

"这都哪辈子的事儿了,提它干什么!我这个弱智要在新加坡平反昭雪,回头从美国毕业,我妈要是还在这儿,我就在这间包房设宴请你们各位。"张岚指指墙上的画,道:"只不过这些画儿全都得换成我的作品。"

"你们在这里坐一会儿,我回去接徐翰,他早就想见张岚哥哥了。"说着冯小蓉离座,刘虹追上前要跟着一起去接徐翰,东东也要去,被邵彦抱了回来。东东耍起小性子,邵彦在耐心做工作,张岚自告奋勇把东东抱了过去。别说,张岚挺会哄小孩,马上就把东东逗得直乐,这边张岚给东东讲故事,另一边,四位大人也聊得开心。

过了一会儿,张岚叫起来:"邵阿姨,你们家孩子的下水道是不是有毛病?"

"坏了,这孩子尿哥哥身上了!"邵彦连忙接过东东,张岚的短裤已经湿透。

徐翰兴高采烈赶到的时候,张岚已经回家换裤子去了。看看人都到齐了,李佑君建议不等张岚,因为往返一趟义顺没有一个半小时回不来。荷花锅端了上来,三位服务员热情地为老板和老板的朋友们服务。刘妍丽自报也是陪读妈妈,与几位服务员亲切地攀谈起来。在座的基本上是北京籍的人,所以大家全都要了涮羊肉。锅开了,大家没等张岚,动起筷来。

陈东前提议第一杯酒应该祝冯小蓉和邵彦开业大吉,随后冯小蓉端着杯单独敬李佑君:"李姐,你是我们几个的主心骨,在我最困难的时候,你给我上了重要的一课,现在我们夫妻的感情好多了,都是你的功劳。我代表我们全家敬你一杯!"

李佑君端着杯子面带愧疚道:"小蓉,有一件事儿我在心里憋了很久,一直没有机会当面向你解释。上次吴贵发捣乱,我没让张岚出面,显得很自私。我真的怕张岚闹出事儿,那孩子控制不了自己,在学校打架差点被开除……"

不等李佑君说完,冯小蓉抢着表白:"李姐,你想哪儿去了!本来就不应该让孩子帮大人的事情。其实从吴贵发那里搬出来还好了，省得一天到晚同他争斗，不值得！当时只是为了赌气。"冯小蓉通情达理的说法让李佑君如释重负。

"那会儿你们不想着我，我去了准有他吴贵发好看的！"刘妍丽抢白。

徐翰趴在刘虹的耳边轻轻说了声"吹牛"，顿时刘虹尖叫起来："妈，徐翰哥哥也说您吹牛！"

陈东前拍了拍徐翰的肩膀："都是跟张岚学坏的，上梁不正下梁歪！"

邵彦举杯向李佑君示意："李姐，我早就从小蓉和妍丽那里听到很多你的故事，我为咱们陪读妈妈有您这样成功、为陪读妈妈争光的人感到自豪！我敬您一杯。"

听了邵彦的话，李佑君非但高兴不起来，脸上的表情很不自然，非常勉强地挤出了一丝笑模样应付着。坐在李佑君对面的刘妍丽看出异常，觉得李佑君对邵彦很不礼貌，于是快人快语道："李姐，邵彦的话没哪点儿得罪你吧？"

刘妍丽的话让李佑君的脸红一阵、白一阵，低头不语。邵彦转到李佑君身边，拉着李佑君的手真诚道："李姐，我相信不会是我的话得罪你什么，你肯定有事儿憋在心里的。"

李佑君抑制住自己的情绪，拍了拍邵彦的手背："谢谢你这么善解人意。可能我在新加坡呆不了多长时间了。"

"为什么？"邵彦焦急地问。

"我在的公司接了 NASA 的一个项目，拼了老本到现在都不成，时间不多了，项目一旦失败公司就得倒闭，到时我的 EP 就得吊销，又不可能重办陪读准证，我就得离开。"李佑君把心里的压力道了出来。

"赶紧在公司倒闭之前另外找一家公司。"陈东前建议。

"我想过，这样对我现在的老板打击很大。其实最可怜的是我的老板,他将一无所有。他是好人,我不能伤害他。"顿了一下,李佑君又说,"我很想现在就辞职,成天没事干,每月拿人那么多的工资心里有愧! 只是张岚还没有安排好,现在还不能离开。"

听了李佑君的话,大伙全都沉默下来,谁也顾不上吃饭,沸腾的汤锅与沉闷的气氛形成巨大的反差。李佑君意识到自己的失态,带头拿起筷子,劝大家吃饭。

"李姐,你的心眼儿好得过分,都自身难保了,还管那么多干什么? 凭你的能力,再找一份工作不难,赶紧动手吧,不然来不及了。你不能把张岚一人扔在新加坡不管吧!"陈东前坚持自己的意见。

李佑君不想再为她的事情影响大伙的兴致,于是说:"对不起,我不该这个时候说这些。"

为了宽李佑君的心,邵彦郑重地表态:"放心吧李姐,到时我会照顾好张岚的。"

刘妍丽、陈东前及冯小蓉也纷纷表态,李佑君会心地笑了。

张岚换了裤子赶回来的时候,大家已经吃完。给他换了一口单人锅,张岚一人在包间里吃饭,其他的人在冯小蓉的带领下参观火锅城的建设,只有刘虹一人留下来陪张岚。

刘虹倒满两杯啤酒,递给张岚一杯,自己端起一杯,学着大人的样子说:"张岚哥哥,我敬你一杯!"

"得了,小孩子家家的,喝什么酒!"

"你说的呀,女孩喝了酒,脸红红的,特别好看。"

"那是逗你们玩儿的!"张岚一口喝完手中的酒,抢过刘虹的杯子,又一饮而尽。

"哥,你答应过长大了和我结婚,不会变卦吧?"刘虹站一旁天真地问。

"行了,别再提了,为了咱俩的婚事,差点跟你妈打起来,你怎么就不长记性!"张岚边吃边应付着。

"本来和你们一起住得好好的,就我妈,非得搬走。在那边住着真没劲,我妈老跟那帮学生吵架,他们都联合起来不跟我玩儿。"

听了这话,张岚注意到刘虹眼神里的悲伤,心里一阵发紧,搂过刘虹,在她的额头上亲了一下,说:"别怕,以后哥哥我去找你玩,谁敢欺负你我宰了他们! 好不好?"

刘虹高兴得跳了起来,凑到张岚的嘴边就要去吻张岚的嘴唇,被张岚一把推开。

"你往哪亲呢?"被张岚这么一推、一吼,刘虹清澈的眼底起了泪花。看她这样,张岚又觉得心疼,将刘虹抱到自己的膝头,给她饮料喝。张岚心说,这段时间是怎么的了,邓阿姨冒傻气嫁了吴贵发,我妈脾气变得不可理喻,就连虹丫头这么开朗的小孩儿也变得压抑,我回头得上网查查,不知道是地磁有变,还是太阳黑子爆发,再不然就是扫帚星光临。

"要亲只能亲脸蛋,"张岚指指自己的腮帮说,"亲这儿。"

"可我看电视里的人都是亲嘴,还有住在我们那儿的大哥哥和大姐姐都是亲的嘴。"刘虹撅着小嘴反驳。

"你还小,不懂。世界卫生组织规定的,小孩只能亲脸,长大了才能亲嘴,懂了吧?"

刘虹点点头,然后在张岚的脸颊上重重地亲了一下,跳下地,一边往外跑一边高兴地叫喊:"妈,告诉你们一个好消息,张岚哥哥又答应跟我结婚了!"

张岚把筷子往桌上一扔,道:"坏了,第三次世界大战即将爆发!"

21

关于男女之间有没有友情的古老命题不知折磨过多
少成熟的男女，此刻也在折磨着李佑君这位自命理性的
女人。……异性之间的友情发展到一定的程度都会引起
生理的欲望吗？

告别了冯小蓉和邵彦，张岚去国家图书馆借书，李佑君一人独
自回家。刚进家门，陈友和打来电话，电话中的声音似乎在颤抖：
"李老师，请你来一下，重要的事情。"

李佑君放下手机，给张岚留了张纸条便匆匆赶往公司。低温
实验室里只有陈友和一人，仪器设备都亮着灯，显然他在加班做实
验。

见李佑君进门，陈友和兴奋地迎了上来，向她介绍这几天他的
工作："现在放在低温箱里的是我们的第一套设计，我只是在几个
出问题的芯片上用硅胶粘了一层三毫米厚的银片，其他都没变。
我已经把温度降到了零下二百度，比 NASA 要求的绝对一百度还
低，五个多小时了，各种测试全都正常。"

李佑君一边听陈友和的介绍，一边观察各个仪表和显示屏，她
几乎不能相信这一切是真的，用力揉了揉眼睛再看，然后她望着陈
友和声音颤抖问道："就是说我们成功了？ 我们公司有救了？"

"严格地讲是你儿子的想法成功了!"陈友和订正道。

李佑君激动得热泪盈眶,张开双臂与陈友和兴奋地拥抱在一起。陈友和拥着李佑君,女性特有的气息和起伏的酥胸令他亢奋,突然,他扳过李佑君的头热烈地亲吻起来。

李佑君推开陈友和,挥手打在陈友和的脸上。尽管这一巴掌并不重,却让他冷静下来。低头沉默一阵,陈友和轻声道:"对不起,是我想入非非。记录在桌子上,我先回去了。我很累。"说完,陈友和收拾了一下桌子上散放的食品袋及没吃完的饼干,低着头,慢慢走出门。

陈友和突然的鲁莽让李佑君很生气。看着他日益消瘦的身影,再看这么大一堆干粮袋,便就知道陈友和在这里连续工作不知多长的时间。她后悔出手打了陈友和,想道歉,又觉得不妥,只能目送那清癯的轮廓从她眼前消失。

李佑君忘记了实验记录,呆呆地靠在桌子边想心事。不知过了多长时间,听到外面有开门声,钟生出现在实验室门口。钟生眼里闪着惊喜的光芒,进门就同李佑君热烈地握手,然而发现李佑君并不兴奋,便问:"陈生不在? 楼下没有看到他的车子。"

"他很累,回去休息了。"李佑君淡淡地回答。

"我们成功了,你为什么不高兴?"钟生问。

"高兴劲已经过去了。想到我们走了那么多的弯路,想到我们为此付出的太多,高兴劲儿就全都没了。"

"这个好消息告诉张岚没有? 他可是立了很大功劳。"

李佑君摇头:"没有。新搬的家里没有电话。"

钟生见李佑君一副疲惫的样子,以为是工作累了,于是劝她回去休息,由他继续下面的实验。

这夜,李佑君失眠了。

关于男女之间有没有友情的古老命题不知折磨过世代多少成熟的男女,此刻也在折磨着李佑君这位自命理性的女人。为什么异性之间不能有一种柏拉图式的纯粹的友情呢？难道柏拉图式的爱情与柏拉图式的友情都不存在？简单地说，异性之间的友情发展到一定的程度都会引起生理的欲望吗？李佑君想了一宿也没能想明白，她想找出一个堂堂正正的理由为陈友和的鲁莽开脱，因为她敬重他，珍视他们之间的友情；同时她也想找一个理由为自己情不自禁地拥抱陈友和开脱。当然她更想能理性地把握好友情的尺度。

第二天是星期一，李佑君带着一脸的倦意去上班，陈友和没来。第三天陈友和也没来。第四天是元旦节放假，李佑君想给陈友和打个电话沟通一下，但忍住了。元旦节一过，是新加坡中小学新学年开学的第一天，李佑君上午送张岚和陈萍到学校报到。张岚读中三，陈萍读中二，李佑君分别与两个孩子的老师交谈过，了解一些学校的要求，下午便赶回公司上班，但依然没有见到陈友和。实验还在进行，那些常规性工作无需李佑君动手，连日来她把自己关在一间小屋里准备项目验收的答辩，但却无法集中精力。

后来从钟生那里得知，陈友和告假，钟生要李佑君代理一部分陈友和主持的工作。一晃就是一个月，这天李佑君正在安排对改进后的设计进行数据测试，钟生打来电话，要她去他办公室。

推门进去，钟生背对着站在窗口，一直没有回头，李佑君预感到有大事发生。过了许久，钟生还是背对着她，声音低沉道："你知道不知道，陈生生病了。"

"什么病？"李佑君一惊，焦急地问。

"晚期肝癌，医生说只有三到六个月的时间了。"钟生的声音很轻，却像一声惊雷在李佑君的耳畔炸响，跟着泪如雨下，随之泣不成声。

"我要去看他。"李佑君止住哭，重新戴好眼镜。

"现在不可以，我才把他送回家，应该睡了。"

"不，一定要去！告诉我他的地址。"李佑君像在命令。

想了片刻，钟生从窗边往门外走去。"我载你去。"

李佑君擦干了泪水,快步跟出门。

钟生将李佑君送到陈友和租的组屋楼下,自己开车回公司。找到陈友和的家,见铁栅栏门后的木门是开着的。听到敲门声,陈友和答应着,拿着钥匙打开铁门,李佑君脱鞋跟进屋。

"你没有睡?"李佑君坐到沙发上问。

陈友和给李佑君倒了一杯水,放到茶几上,"我猜到你会来。"

看到陈友和如此镇定,李佑君怀疑陈友和还不清楚自己的病情,于是随口问道:"身体还好吧?"

陈友和一笑:"钟生不会没有告诉你吧?"

李佑君点点头,但马上又摇头。

陈友和拉了一把椅子坐到李佑君的对面,笑着说:"要钟生没说的话你也不会马上跑来。其实没有什么大不了的,至少我还有三个月的时间。"

李佑君再也控制不住自己,埋头抽泣起来。

"上帝是仁慈的,他见我在这个世界上受这么多的煎熬,于是伸出了仁爱的手把我接进天堂,有什么不好?"陈友和这样安慰李佑君。

"对不起,那天我动手打了你。"

"是我不对,我还想找机会向你道歉。都怪我,几十年来没有接触过女性,太容易进入幻觉。其实我的人格很不完善。"

李佑君不想再提此事,便问:"在新加坡治病,还是回国?"

"我在这里有医疗保险。将来把骨灰带回国就是了。"

"嫂夫人知道了吗?她什么时候来?"

"我不想告诉她,就是告诉她,也不一定来。真的来了,一天到晚吵吵闹闹的,反倒死得不痛快。"

李佑君不解地瞪大了眼睛,陈友和埋下了头。过了良久,陈友和抬头慢慢说道:"我的事情从来没有对别人讲过,不过应该告诉你,否则让你觉得我是那种浪荡的人,我死也不能瞑目。"

"我们不提那事儿了好不好?"李佑君抢着说,"你在我的心目中永远高大。"

"谢谢,谢谢!"陈友和感动得不知说什么好。

"会不会是误诊?"

"不会,B超、CT和胸片都看到了。"

"为什么不去住院治疗?"李佑君又问。

"没有用,已经转移到肺上,也有腹水了。医生说肝癌对化疗不敏感,大剂量做化疗人很受罪,不如好好过一段时间。"陈友和的语气仿佛是在讨论另外一个人的病情。

"你一定不能放弃,只要自己有信心,癌症并不可怕。"李佑君此刻的心情焦急万分。"听说北京有一家中医院专治各种癌症,我陪你去北京治疗。"

"我们是学科学的人,应该相信科学,同时也要相信科学有所不能。新加坡的中医不比中国差,为什么要舍近求远呢?"

"我这就去打听中医师。"说着李佑君起身往外走,走到门口回头道,"还没有吃午饭吧,我这就去买。"

李佑君从超市买了些蔬菜、水果和肉回来,准备给他做一顿可口的饭菜,却发现陈友和这里连炒菜的锅都没有。无奈,李佑君再次出门打饭回来,同陈友和一起吃完,便到处走访中医师。她先到了中华医院打听,又去中医学院,业内人士一致推荐新加坡中药学院的院长是这方面的专家,于是李佑君赶在下班前找到中药学院,同院长预约时间。

第二天,在李佑君的陪同下,陈友和开车来到欧南园。在中药学院刚刚讲完课的院长,在他的办公室为陈友和专门问诊。

号过脉,院长对李佑君说:"你先生气血两亏,现在不敢用药。像他这种身体状态,不管是中医排毒还是西医化疗都会受不了的。他的消化功能也是很弱,用药不慎还会引起肠胃黏膜受损。我先开一剂补血养气的方子,服用三日后再来找我。"写完药方,院长郑重地说:"服药期间一定不能有房事,OK?"

二人对视,脸都红了,陈友和连连对院长点头。

陈友和服用了固本调理的中药两周后,院长开始给他使用攻下的排毒药。陈友和服药后便上吐下泻,反应剧烈,但那位专家说是正常的,停了药很快就能恢复,而且很快就能见效。然而,这五天里陈友和罪可受大了,到最后一天他几乎不能站立。幸亏有李佑君不分昼夜地服侍左右,陈友和才挺了过来。

这日深夜,陈友和又进了厕所。过了一阵,听到沉闷的声响,李佑君在外面叫着陈友和的名字长时间没有响应。推门进去,见陈友和摔倒在地昏死过去。李佑君连拖带拉把他放在自己的地铺上躺好,陈友和这才慢慢睁开眼,抱歉地对李佑君笑笑,站起来时眼前一黑,想抓窗台没有抓到就倒下去了。

李佑君到厨房里热了一碗稀饭,加进肉松,一口一口喂给陈友和吃下,然后扶陈友和在床上躺好,自己这才和衣躺在地铺上睡下。过了一阵儿,陈友和突然问:"睡着了没有?"

"还没有。什么事儿?"

"没事。只是想到 NASA 的那个项目应该做完了吧,什么时候去美国验收?"陈友和问。

"下礼拜钟生去美国。本来该我去答辩,我推掉了。"

"你应该去。在这种场合作为主设计人参加答辩,对你今后的发展影响很大。你去吧,不用管我。"

"睡吧,我困得很。不讨论这个问题好吗?"

陈友和觉得过意不去,便不再吭声。

停药后,在李佑君的精心照顾下,不出十天,陈友和的体质明显增强。再做检查,肿瘤有明显缩小的迹象。

这天晌午,李佑君在公司安排好工作后赶到陈友和那里做饭,发现他不在家。开门进屋,在桌子的明显处压着一张纸条,上面用铅笔写着:李老师,我出去一下,很快回来。在"李老师"三个字的前面隐隐可看出被擦去的"亲爱的"三个字样。李佑君笑了笑将它放回桌上，着手煎药，准备午饭。一切收拾停当还不见陈友和回来，李佑君从挎包里拿出手机正要给他打电话，听到钥匙开门的声响，陈友和兴冲冲地进门。

"对不起，银行排队的人很多，回来晚了。"陈友和解释。

"没关系，我也才做好饭。"

二人坐下吃饭。吃完饭，陈友和从公文包中掏出厚厚一叠千元面值的新币放在李佑君面前，"这里是十五万块，是我的私房钱。以后我用不上它了，给张岚念大学用吧。"

李佑君吓了一跳，站起来往后退。"陈生，你这是干什么？"

"只是想给你减轻一点压力，没有别有意思。"

李佑君边收拾碗筷边说："你要是这样，以后我不敢来了。"

"没关系，我都想好了，你要是不收，下午我就去捐献给慈善机构。只是以后你别再来我家了！"陈友和的语气坚定。

"应该寄回去给孩子用。"

"这几年我没少寄，他们还嫌不够，左一个电话右一个电话就知道要钱。那家人是个无底洞，我已经对得起他们了。"陈友和越说越激动，最后竟跪到了地上求李佑君收下他的钱。

李佑君放下手中的碗筷，提起挎包往外走。走出门又转身回来，把钥匙放在桌上，看了一眼跪在地上的陈友和，竟毫不迟疑地离去。

"那孩子不是我的骨肉！"陈友和歇斯底里地吼了一声，跪在地上低下头。

李佑君像钉子一样被钉在门边，心里却似翻江倒海。再看一眼陈友和被内心的痛苦所扭曲的表情，李佑君鼻子一酸，踅回身将陈友和搀起坐到沙发上。

"不要逼我好不好！我做人是有原则的。"李佑君说。

陈友和也不言语，抢过李佑君的挎包强行把钱塞了进去。

"这些钱你得留着治病。"

"我还有,而且我有保险。"

李佑君不忍心为此同陈友和搞僵,于是道:"我先帮你存着,等你病好了还你。万一……"李佑君自知失言,没有把想法说出便改口道:"不会有万一,你一定能好起来的。"

见她收下了钱,陈友和的脸上露出满意的微笑。

"不想听听我的身世?"陈友和问。

李佑君摇着头说:"不愉快的事情讲它干吗。"

"我想应该告诉你,这样你才能心安理得地收下那点钱。"随后,陈友和慢慢地道出了伤心的往事。

"我初中毕业后就去了江西老区的农村下乡。我的成份不好,父母都是右派,所以别人一个接着一个回城,而我一干就是五年。由于我的表现出色,大队选我当团支书,这样有机会到公社办事,有机会接触到公社书记。我的目的是想给他一个听话、顺从的好印象,以便早日回城。可万万没想到,我的表现把我自己害了。

"一天,书记把我叫到他的办公室,给我倒水,让我受宠若惊。我还以为能回城了,没想到书记一开口就问我愿不愿意娶他的女儿,如果愿意,有一个工农兵学员的名额可以给我。"

陈友和非常懊悔地用十指插在头发里埋下头,然后接着讲下去:"我不知道怎么鬼使神差地就答应了,连对方长什么样也不知道。我真的在农村干怕了!

"一周后举行婚礼,尽管那时不兴办酒席,但公社书记的女儿结婚,场面好不热闹。婚礼上我第一次见到了她,心里的一块石头总算落了地,不瞎、不瘸,人长得挺好,年纪不到二十。所以那天我特别高兴,和那些闹洞房的人打打闹闹到深夜。等人都走光了,我想上床却被她推了下去,我只有到隔壁屋睡,一连几日都这样。

"几天之后,书记就把我俩送到我要读的那所大学,在附近租了一间平房住下。离报到还有一个月,我不明白这是为什么,却不敢多问。就是那天晚上，脱了外套我才看清她的肚子是鼓起来的，这下我才明白，她怀了别人的孩子。

"她的情人在修水库的时候被上面掉下来的石板砸死了，而她已经怀上那人的孩子，死活不肯打掉，她爸才想出这个办法把她嫁给我，省得丢她家的脸。

"其实她也蛮可怜的，如果她安心和我过，也不见得不原谅她。可那天她的态度让我终生难忘！我现在还记得清清楚楚，她高高地坐在桌子上，用手指着我的鼻子说：'你们这些地富反坏右的狗崽子，便宜不了你们！别想动你老娘一下，否则让你戴高帽去游街！'那个月，她和她妈睡床上，我睡床下。

"其实有没有老婆对我来说是一个样，我住在学校的宿舍里很少去那间平房，除非书记本人进城看她们母女的时候我必须露个面。她们从不到学校找我，倒也相安无事。那年夏天她生下一个男孩。

"第二年我与同系的一个女生开始恋爱，她知道我的遭遇，对我挺好，我也很爱他。"说到这里，陈友和的脸上有了一丝满足，笑了笑继续道："你也知道，那个时候的人真的很……很老土，我和她恋爱有半年多，连她的手也没牵过一次。

"不知怎么，我和女生恋爱的事让她知道了，她抱着孩子闹到系里，后来又闹到学校。我向学校申明我的遭遇，要求解除婚姻，实质上除了那张红纸外，我们之间没有任何关系。学校的工宣队把我当成现代陈世美，大会批、小会批，就连那个女生也站出来批我，并声称不知道我是有妇之夫，说我骗了她。我觉得没有必要把她拉下水一起挨批，所以也就默认了。等他们觉得我这个人再没有批斗价值的时候，就把我开除学籍，遣送回原公社。

"回去后我想回原生产队，可书记不准，必须还像一家人一样住在他家，并威胁我要是把实情说出去，就开我的批斗会。农村的批斗会你可能没有见过，绝不可能像在大学里那样坐着挨批，而是要坐几个小时的'土飞机',被斗的人很惨。所以我成了他们家的长工,白天干粗活,夜里睡门板。这些我都可以忍,最不能让我接受的是两岁不到的儿子白天在外叫我爸爸,晚上一回家就改叫我'牛鬼蛇神'。

"终于盼到恢复高考,七七年我考上南京大学,之后不久,我父母也得到了平反,回到南昌,在省委工作。我父亲是个老革命,心眼实,尽管知道我们夫妻是个什么样的关系,但还是把他们母子的户口办进城,还给她安排了工作。

"如果说从那以后她要是能够找准自己的位置,好好地过日子,或许我也能原谅她。毕竟极左的思想曾影响了一代人。可她并不是简单的极左,而是一种劣根。当初她爸爸是公社书记的时候她是那么得意,可'四人帮'一倒,她爸被革职回队务农,那段时间她像得了精神病似的。我爸把她办进城,没多久便学着城里人把自己打扮得像妖精似的,而且到处张扬自己是某某省级领导的女儿,专门在公开场合左一个'爸'、右一个'爸',嗲声嗲气地叫个不停,连我爸都说直起鸡皮疙瘩。甚至还冒充自己未婚在外交男朋友,太爱虚荣!只要一提离婚就会闹得全家不得安宁,而我父母的身体不好,不想给他们找麻烦,所以再没提离婚的事了。

"好在有很多年我在南京,读了大学又读研究生,毕业后分在高校教书。可我总不能老是把负担推给我父母,特别是他们母子总惹两个老人生气。我不在家的时候,她去做过人流,我不生气,可我妈被气得半死。还有那孩子,从小学会偷东西,先是偷家里的钱,后来偷别人家的东西,气得我爸直跺脚。

"八八年我把她调到我们学校的实习工厂,那时她已经三十几的人了,不求能照顾我多少,只求安安静静地别让我分心科研就行。从她到南京起,就天天缠着我要性生活。你说我对这种人能有兴趣吗?我只有谎称自己有病。接下来她就偷偷在我的饭里下药,一段时间我觉得身体特别异常却不知是怎么回事。这一手不灵,她就威胁要到外面寻求满足,我答应了她,条件是不要让大家难堪就行。此后一段时间,我们达到了一种平衡:我挣钱养家,她做饭我吃,其他的事情我一点儿也不干涉她,而她却把我盯得很紧,就连同女研究生讲话她都会干涉,后来我干脆不招女学生,她也难找到话柄。

"可你也知道,在中国,别人的口水能淹死人,什么'性无能'、'缩头博导',甚至还有人帮我数有多少顶绿帽子。那儿年我过的是什么样的日子可想而知。这是我放弃国内稳定的工作跑来新加坡的主要原因,钟生还以为是高薪把我俘虏来的。"说到这里,陈友和竟哈哈地笑了起来。

"到新加坡这六年是我这一生过得最舒心的一段时间,事业上有所成就,生活单调却很充实。只是挣了那么多的钱有什么用呢?她爸她妈生病了要钱我给,买房要钱我给,她儿子结婚要钱我给,哪次我不给她寄钱,她就跑到这里来,让我不得安宁,于是还得给。我就像一部挣钱的机器供他们拼命地花,为什么?只为当初她爸用工农兵学员这个诱饵引我在那张红纸上按下了手印,从此我把灵魂出卖给了魔鬼,纠缠了我一生。"

陈友和用平和的语气讲述了他的故事。沉默之后,李佑君评论道:"只怪你太软弱,应该坚定地跟她离。"

"哪有那么容易的事情!每回提出离婚,她总是要死要活地闹得我没有一分钟的安宁,最终只有我自己去撤回上诉。你是没有见过她,见过她的人没有不怕她的。"

又是久久的沉默,突然李佑君问:"你最想要什么东西?"

"一个爱人。"陈友和不假思索道。

李佑君笑笑,拍着装钱的拎包道:"对不起,这个我没办法帮你买到。"

短短十几天,李佑君明显瘦了。家里有张岚要她照顾;工作她要考虑,特别是钟生去了美国,日常工作要她主持;重病中的陈友和更是需要她。最令她担心的是陈友和下次排毒治疗之前钟生要是不回来，她真的就无分身之术。眼看着陈友和的体质日益好转，李佑君是满心的欢喜。

这天吃过午饭，安排好陈友和的晚饭，李佑君端着煎好的中药来到卧室，见陈友和闭着眼躺在床上，她轻手轻脚地把药放在床头柜上正要离去，陈友和突然开口："佑君，辛苦你了。"

第一次听到陈友和这样称呼自己，李佑君心头一热，停下脚步望着他。陈友和侧身移动到床的另侧，给李佑君让出了一块地方，李佑君迟疑了一下，坐到床边。

陈友和的眼中闪着幸福的光芒，轻轻地说道："我多么希望时间能够停止，永远定格在这一幕。"

联想起陈友和的身世，李佑君鼻子一酸，泪水涌上眼眶。为了不让陈友和看到自己的情绪变化，李佑君扭头摘下眼镜，借着擦眼镜悄悄擦去泪花。当她觉得一只颤巍巍的手放在她的腿上时，一下呆住了，脑子里一片空白。这只颤巍巍的手轻轻地抚摩着她，笨拙地掀开裙角向里摸索。当手触及到她的敏感部位时，一阵从未有的强烈刺激震撼全身，李佑君下意识地搬开陈友和的手按住在床上，紧张、颤抖，语无伦次道："不……不，不，不！不行……他不会原谅。对不起……其实我……不，不能这样……"

"我……我一辈子也没见过女人是什么样子。"陈友和也在发抖。

"我知道，但……但不能。我走了，对不起。"说着，李佑君起身冲到门口，却停下了脚步。回头看到陈友和绝望的目光，李佑君的心真要碎了，眼泪湿透了眼镜。

"友和，不要逼我好不好。我何尝不想让你没有遗憾，但是我……"李佑君再也说不下去了。

"你走吧，你在这儿我会更难过的。"陈友和有气无力道。

李佑君低下了头，内心的挣扎让她苦不堪言。终于，她拖着沉重的脚步慢慢走回床边,陈友和的眼中再次燃起渴望的光芒。就在李佑君准备坐回床上的时候,脑海里有一个声音在向她呼唤,她知道那是张明贤的声音,于是她掉转头,疯狂地逃走,跑得很远很远,直到喘不过气为止。

是夜,李佑君再次失眠。

25

　　李佑君是个非常理性的人,什么事情都要追求一个
满意的答案才能心安,然而世上很多事情是不会有答案
的,特别是涉及情感的问题。这正是感情能够折磨世人
的原因所在。

　　开学后,张岚满怀热情投身到新的学校生活中。他和陈萍都
很自豪,因为他们进的是四年学制的快捷班,如果成绩不好,就会
被降到五年的 N 水准班,所以压力还是挺大的。可张岚很快发现
即便是快捷班也不像想象的那么紧张,每天只有半天的课,下午没
课,各种课外活动任选。其实张岚比谁都好玩,这样的安排应该符
合他的意愿,可他一心想把 O 水准考好,摘掉"弱智"的帽子,所以
最初他实在不能接受这种松散的教学。后来一打听所有学校都是
这样安排的,这才踏实下来。

　　所有的课程除华文课外,都是用英语上课,这就强迫学生必须
用英文进行学习思考。刚开始,张岚不太适应。对于差生,老师会
热情地邀请并约定方便的时间补课。一上来张岚就受到了三位老
师的邀请,英文以及与英文相关的历史和社会老师都在邀请他去
补课,他是班上受邀最多的一个,让他很没面子。张岚心想,不就
想多从我这儿挣几个补课费吗,我懂! 没想到新加坡的老师也这

么无聊；好在新加坡的老师想挣你的钱还要跟你商量，不像中国老师那么霸道，补不补由不得你。但很快就发现是他错怪了老师，补课不但不多收一分钱，时常还能得到一杯老师送的饮料，并且老师还会感谢你同她配合，按张岚的话说，这才是人间正道！

的确是这样，一个社会，如果医生们的道德败坏了，反映了这个社会的现在已经败坏；要是连教师们的道德也败坏了，那么这个社会的将来也会败坏。

张岚和陈萍每个月的学杂费是二十九块，同当地学生一样，因为他们持有家属准证。如果是外国学生，每月的学杂费是一百四十四块，每两年还要向教育部交两千新币的赞助费。除了规定的收费外，平时不用再交任何费用。学校的食堂每天提供两顿饭，收费相当便宜；学校小卖部有文具出售，价格也比市面便宜很多。张岚和陈萍每天上午十点在学校吃一顿便宜餐，如果有课外活动，下午三点也可以在学校用餐。每回都是张岚抢着给钱，一说就是他打工挣的，好像那一千块钱永远用不完似的。

有趣的是各种课外活动组在新学年开学的时候都要在校园内摆摊设点，大肆宣传各自的特点，以招募新成员。张岚是个活跃分子，各种课外活动中可以大显身手。走到篮球队，一场分组赛下来，负责的老师追着他的屁股要他入队，而且把他当成绝对主力。走到乒乓球组一看，水平太低，不可同日而语，他没参加，可每回他们出去打比赛都要把他抓去当男一号。校足球队他是临时前锋。电脑硬件小组的老师有事外出的时候找他去代课，只有在 IT 组里他才真正学到了一些编程与网页制作的知识。很快，张岚在校内声名鹊起，就连声乐和民乐组的人也对他虎视眈眈，想把他收编进去，因为陈萍参加了声乐组，张岚常去，给那群女孩子带来不尽的欢笑。那些女孩缠着张岚要他加入，可把张岚吓坏了，因为他知道自己只有不多的几个音乐细胞还是变了质的，七个音符到他嘴里每回至少唱丢三个。

新加坡各校都有自己的校服,连鞋袜和皮带都要求统一,所以在学校无法从外表上区分出各自家庭的贫富差别,尽量给孩子们一个平等的环境。三、四、五年级的校服是短袖长裤,一、二年级的校服是短袖短裤或裙子。不论什么时候进学校,都必须是那一套装束。最初张岚不知道,放学回家后发现地理书忘带,穿着自家的短裤就去了学校,结果让老师抓住,罚了他周末半天的公益劳动。

　　新加坡女孩多男孩少,中学里每个班的女孩都要比男孩多一倍还多。张岚成了全校众多女生心中的偶像,就连他们年级 B 班的那位受众多男生追捧、名叫 Amy 的华印混血姑娘也是张岚的崇拜者,但她们看到他同陈萍亲密无间的样子后便知难而退了。放学或课外活动后,两人总要等齐,张岚把陈萍送到地铁站才回家。张岚这孩子天生具有亲和力,不管是华族、马来族还是印度族的同学都喜欢和他一起玩,经常是张岚带着一帮男孩,热热烈烈地先把陈萍送到 MRT,然后一伙人轰轰烈烈地打球踢球。

　　张岚不满的是他们学校很小,不大一块儿运动场所,就连体育课跑步都得上马路。全岛有田径场的中学屈指可数,大部分是张岚形容为"袖珍型"的那种学校,两三栋不大的教学楼中间夹一块不大的空地,一圈高高的绿色铁丝网围起来,就是一所学校。有什么办法,整个新加坡只有这么大点儿!

　　最让张岚尴尬的是第一次阶段性测验他的华文竟然不及格,气得他冲进办公室找老师评理:"没有搞错吧? 我可是从正宗华文发源地来的,我会不及格?"

　　华文老师一点也不生气,把张岚的卷子翻出来,摊在桌子上让他自己看。"你的作文没有对,要求你写记叙文,你写成议论文,所以没有分数。还有,这篇要求改写成短文的文章,你好像是没有理解到原文的意思。还有……"

　　老师一气数落出一堆错误,张岚见从卷面上争不回面子,于是便笑嘻嘻地对老师说:"我听说过这么一个故事:有一位特别爱好中文的美国孩子,想到中国上大学,跑到中国参加高考,结果只差两三分落了榜。您知道他哪一门功课没有考好?"

老师摇头,表示不知。

"英语,不及格!"张岚严肃道。

在场的老师全都笑起来。华文老师拍着张岚的肩膀笑道:"我懂你的意思,你是想说考试不代表你的真正水平。可以这样认为,你失败的原因是因为你对新加坡的考试不习惯,所以你需要补课。能不能安排给我一点时间为你补课?"

听了这话,张岚差点"晕倒"。

华文补课给张岚的刺激挺大,而另外一件事情让张岚忍无可忍:陈萍班上一位名叫秦阿柄的男生对陈萍"居心叵测"。一连几天张岚到陈萍的教室外等她,总是发现有一瘦高个子男生坐在陈萍的旁边辅导她写作业。张岚忍了几次没说话,最后终于憋不住了,他从教室的门外对着陈萍喊:"我站这儿都快长出根儿了,还没完没了!"其实他才来没有两分钟。

"马上,这道题讲完了就来。"陈萍这样答应。

还是秦阿柄体谅张岚,马上催促陈萍走,并说好有问题电话里讲。

陈萍不太高兴的样子收拾好书包往外走,秦阿柄也跟了出来。陈萍介绍:"他是我哥哥张岚,我的同学秦阿柄。"

"认识你很高兴。"秦阿柄主动向张岚打招呼。

张岚先是想给他点脸色,让他以后不敢接近陈萍,可一想这样显得我们中国人不懂礼貌,于是满脸堆笑,伸出手与秦阿柄握手。秦阿柄刚一握到张岚的手便疼得直叫唤,张岚坏笑着,假惺惺地抱歉道:"对不起,真没想到你就像豆腐捏的似的,下回一定小心,一定小心!"

秦阿柄红着脸道:"没有关系啦,下一次我会戴铁做的手套同你握手。"说完,挥手告别。

"你整人家干吗?"陈萍不愉快地抱怨。

"谁让他有事儿没事儿老缠着你的。"

"人家是在给我讲题。新加坡的同学都挺友好的,男生、女生都要帮我。"

"连着几天我只看到他一人缠你。"张岚的语气连自己都觉得怪怪的。

"他是班长,学雷锋,帮助我这个差生。"

"以后我帮你!"张岚信誓旦旦。

"可每回你都讲不到点子上,我们俩学的不一样嘛。"

张岚不说话了,满脸不高兴,只顾走自己的路。

陈萍见张岚真的生气,便摇着他的手说:"你这是干吗呀? 要是你不喜欢我问他问题,以后不问了还不行吗?"

张岚笑了,拉着陈萍去追赶前面自己班上几个要好的男生。

接下来的几天,果然不见秦阿柄和陈萍讨论问题,可好景不长,几天后又看到秦阿柄和陈萍在一起,这回二人有说有笑,张岚是真看不顺眼。发现张岚在外等候,二人这才收住话题,收拾好东西一同出门。秦阿柄有礼貌地向张岚问候,然而却把手藏在背后。见到这情景,张岚咧嘴一笑,讽刺道:"忘了带铁皮手套吧? 今天就不握手了,记着下回带上!"

张岚一路不高兴,陈萍喃喃解释多遍:"他想练习华文口语,要我和他对话,我没办法不答应。别生气了好不好?"

第二天张岚去找陈萍,又看见陈萍在教秦阿柄说华语。等二人出来,张岚拦住秦阿柄,道:"哥们儿,你是不是真的想学华语? 我来教你!"

秦阿柄愣了一下,连声道谢,却明显躲着张岚。

张岚一把拉过秦阿柄往相反的方向走,陈萍知道张岚要使坏,却想不出办法救秦阿柄,只有跟着二人。张岚回身挡住陈萍,"今儿你自个儿回家吧,我得给这位朋友上一课。"

"张岚哥,你别闹了行不行?"陈萍苦苦哀求。

"没你的事儿,给我回去!"张岚命令道。

陈萍一步三回头地走了。张岚把秦阿柄带到一座组屋的楼下,指着空座椅说:"我们就在这里上课吧。"说完,率先坐下。

秦阿柄站在旁边没动,一字一句地说:"我懂得,你一定会有事情同我讲。"

"非也! 你不是想学华语吗,我教你。"

"我有讲要学华语,是想能够和陈萍讲话。我喜欢同她在一起。"秦阿柄的坦诚和直率让张岚吃惊。说实话,张岚与陈萍在一起生活了那么长时间,还不曾明确告诉自己他喜欢她,只是觉得同她在一起愉快。有同学开玩笑说他在恋爱,张岚否认。

靠! 新加坡的孩子真是脸皮厚,十四五岁说出这种话,准是外国片儿看多了。张岚在心里这样骂着,马上转了个方向开导秦阿柄:"你们班上女生那么多,只差一点儿就是女儿国了,你干吗死缠陈萍呢?"

"因为她是学校里最美丽的一个。"

尽管这话不是张岚说的,可他听着都觉得脸红。

"小子,你给我听清楚,你们都还小,不准你缠着她,更不准你对她说这种不要脸的话!"张岚义正词严道。

"我不会同她讲的,我会慢慢让她喜欢我,就像我喜欢她。"

秦阿柄的话让张岚哑口无言。

第二天一早,张岚在 MRT 等到陈萍,陈萍问起头天的情况,张岚只是简单地应付了几句。一路上张岚显得心事重重,他想警告陈萍提防秦阿柄,可又说不出口来。走进校门,张岚发现秦阿柄跟在后面,于是他一把搂住陈萍的肩膀,趴在她的耳边轻声道:"告诉你一件重要的事情。"

见他神神秘秘的样子,陈萍不解地问:"什么事儿?"

张岚有意要表现出亲热,所以凑得更近说:"上次我们去马来西亚,我给我妈公司出的点子他们实验成功了。"

"这事儿你跟我说过。"

张岚又趴到陈萍的耳边:"钟生送了我一台最新款的数码摄像机,还能照相。放学了上我那儿去,我让你当一回模特。"

就在这个时候,值勤的老师走过来,把他们二人叫到一旁,记下了班级、姓名,罚他们两人周末参加公益劳动,理由是他们的行为有违学生规范!

倒霉事儿是一桩接一桩,近一段时间他母亲的情绪时好时坏,有时说一声事情多,几天都不回家。张岚跟他爸一样不会照顾自己的生活,李佑君不在的时候,他饱一顿、饥一顿地对付。好在他的体质好,能扛得住。

这天打完球回家,见母亲已经回来,可晚饭没有着落,李佑君坐在床头发愣,一点儿没有做饭的意思。张岚洗完澡,等了一阵还不见母亲动手做饭,他的肚子饿得咕咕叫,于是问道:"是不是打算出去吃?"

李佑君没有说话,依然坐在床头,一脸的木然。张岚感到奇怪,关心地问:"怎么了,妈? 哪儿不舒服?"

见他妈没理他,张岚又问:"想来点什么? 我给您带回来。"

李佑君只是摇头。

张岚带着满肚的狐疑离去。隔壁的房客下班回来,在厅里走动,并且把电视的声音开得很大。李佑君将自家的屋门关上坐回床头。

李佑君自幼是一个原则性非常强的人,从来不会含糊。但这次对待陈友和的问题,她突然觉得自己的原则立场在消失,她感到不寒而栗。她后悔陈友和把手放在她的腿上的时候没有断然拒绝,接着又会叹惜陈友和一生也不曾得到过爱。她问自己对陈友和所做的一切是否出于爱。"不,不可能是爱!"李佑君在内心里对自己说,"只能算是同情。"但是如果仅仅出于同情,完全可以请女佣照顾他，而自己对他却总是挂念在心，难道……不，不可能!

李佑君是个非常理性的人，什么事情都要追求一个满意的答案才能心安，然而世上很多事情是不会有答案的，特别是涉及情感的问题。这正是感情能够折磨世人的原因所在。

张岚吃过饭，带回麦当劳的汉堡、薯条、鸡腿，可李佑君一点胃口也没有。等张岚看完 U 频道十点新闻后回屋睡觉，见买回来的东西一口没动，母亲还坐在床头发呆，于是上前关切地问询，结果让李佑君一句"想问题呢，别捣乱"就给轰到一边儿去了。张岚不想自讨没趣，在地上铺好自己的地铺，躺下睡觉。为了不影响张岚休息，李佑君把灯关掉，自己也躺上床。夜已深，李佑君又爬起来坐着。其他的一时想不明白不要紧，最关键的一个问题她必须作出决定，明天应该以什么样的态度对待陈友和? 把十五万新币摔回他的脸上，然后扬长而去? 不，不行! 显然陈友和并不是想用这十五万进行感情交易，更不是用它做肉体交易，他的所作所为完全是真情的流露，不行，我不能这样对待他。同他声明不能有身体的接触? 陈友和是个知书达理的人，这话不用说，在他理智的时候应该明白。对待一个生命就要走到终点的人，如果还是那么理性地要求他未免太过残酷，更何况他有权利追求自己的爱。很显然，是自己对陈友和的关怀诱发他对爱的渴望，而自己的所作所为完全出于本能，难道这就是爱? 于是问题又回到了起点!

李佑君的心整夜都在挣扎。

第二天，李佑君昏昏沉沉地来到公司，简单地安排了一下工作，便又坐下发呆。几次拿起电话，几次又放了下来。中午，员工们都去吃饭，她一人坐在办公室没动。想到陈友和该吃饭了，又想起陈友和该喝药了，于是她拿起电话拨了起来。电话通了，一直没人接。过了二十分钟，李佑君再次拨通陈友和的电话，依然无人接听。李佑君预感到情况不妙，毫不迟疑地赶到陈友和的住处。开门进去，厅里没人，卧室的门关着。李佑君伸手开门，却拧不动，门是从里面反锁着的。门上用不干胶带贴住一个信封,李佑君取下信封,抽出信看了起来。

李老师:

当你看到这封信时,我已经离开了,到一个任何人也找不到我的地方。

请原谅我这样做,只有这样才能结束这段不该发生的感情。

首先我要对自己的行为向你致以最深的歉意,这是我这辈子干的最坏的一件事,明知道你有爱人,而且是深深爱着的人,我却做出了为人所不齿的行为。幸好当时你拒绝了我。我差一点毁掉你的生活,毁掉你的幸福。你可以把我当成卑鄙小人。

我害怕自己以后会再犯同样的错误,更怕你会可怜我。

其实我该知足了,这辈子没有见过女人的肉体,却看到过一颗女性最美的心。

对不起,真的不是有意要伤害你。我不是神,也有兽性。

李佑君看完信,噙着泪离开。她突然明白这就是爱,这段情值得!陈友和走了,她无愧、无悔,同时感到了轻松。

再见了,友和,也许这样是最好的结局,毕竟你不属于我。李佑君心里默默地想着。

五天以后,警察到集成电路设计公司来调查陈友和,大家很紧张,特别是李佑君,不知道发生了什么事。

原来,李佑君第二天赶到他的住处时,陈友和已经在卧室内自杀了。他在自杀前给李佑君写了那封信贴在门上,然后又给警察局寄了一封信,通知警方去收尸,并附了一把钥匙在信里。第三天,警方收到信赶到指定的住所,发现陈友和割断了自己的动脉,已经死了多时。在现场勘查中,细心的警官发现了一个无法解释的现象:一注血从床上流到了地上,一直流到门边,突然拐了一个弯向回流到不会被人察觉的墙角。其实那血是有灵性的,它想投奔爱人,却又不忍伤害于她。

李佑君得知陈友和自杀的消息,当场晕倒,被送进了医院。当她醒来时,张明贤已经坐在了她的身旁。趴在爱人的怀中痛哭之后,李佑君将发生的事情毫无保留地告诉了张明贤。张明贤陷入于沉思之中。李佑君一再追问他能不能原谅,张明贤的嘴角动了几次都没有说出话来。就在李佑君的心即将沉入海底的时候,张明贤低沉而有力的声音说道:"陈生是个真正的汉子,他用生命捍卫了他所爱的人的尊严。"

张明贤决定要放弃国内的事业,到新加坡谋求发展。

李佑君用陈友和给她的十五万建了一座墓碑,墓志写道:一个高尚、完整、有爱、被爱的人。

26

　　邓茹琳一步一步走向海里,水面荡起浅浅的涟漪,直到整个人都没进水中,那些涟漪渐渐散开,很快水面又恢复了往常的平静。一个人的生命就这样消失,在人海里荡起一丝涟漪之后就再也找不到一点点曾经存在的痕迹。

　　刘妍丽的学生宿舍一直坚持到新学期开学,非但没有招到新人,老的八个学生中有三个因为不满刘妍丽的态度搬了出去。与中学、小学不一样,理工学院是夏季招生,所以这个时候别想有新生源。无奈,刘妍丽放弃了要死不活的生意,去了火锅城当一名侍应生。

　　不久,冯小蓉和邵彦在武吉巴督开了一间中国火锅城分店,看到刘妍丽能干,加上人情,把她安排在新店当经理,工资由八百提到一千八。刘妍丽没有辜负众望,生意打理得有声有色,这样她的心情也好了起来,生活有了盈余。

　　到目前为止,同来的四家人中最可怜的要算邓茹琳一家。尽管她每月也能挣到一千七八,但怎奈吴贵发自己不工作却成天伸手要钱,母女二人的生活是一省再省。自从嫁给吴贵发后,邓茹琳从来不与李佑君等人谋面,也幸好没人见过她,就连张岚经常到陈萍家也没有见到过她。要是让他们见到，不知道会有多别扭！这时的邓茹琳让吴贵发打扮得实在不像话，描眉画脸，特别是那对眼袋画得跟大熊猫似的。

邓茹琳在按摩店几姐妹中是生意最差的一个。别人不计私下的小费一月都能挣四五千，而邓茹琳两千都挣不到，原因是邓茹琳不但不做那种买卖，甚至连过火的按摩她也不做。好在她在按摩的时候非常卖力，否则更少有人找她按摩。

开始的时候，吴贵发以为是她手法还不熟才挣得少，可一连几个月都挣不回多少钱，这才明白是怎么一回事。从那时起，吴贵发就唠叨上了："你很笨咧！只能挣到一点点钱。"接下来是："为什么你不可以做，你不做怎么会有很多钱。"最后干脆直言不讳："我欠很多钱，拜托了，明天开始你就做吧，我是不在意喽！"尽管这样，邓茹琳还是不提供性按摩，更不做皮肉生意。尽管吴贵发很赖，但还不是那种暴躁的人，少有在家里大吵大闹的时候，所以邓茹琳还能忍耐，自己和女儿节约一些，日子还能过得下去，也就行了。

吴贵发对陈萍的态度从一开始就比较温和，在他看来，家里有这么一个漂亮的女孩比娶了邓茹琳还愉快，特别是陈萍还能担起大部分家务。刚开始"父女"之间还显得别别扭扭，经过张岚的调剂，通过打牌下棋，他们之间相对随便了一些。吴贵发经常找陈萍说说话，表示一下关心，时常还会主动帮点小忙，其目的是想找机会偷窥发育中的少女，或是有意无意地碰一碰少女的细皮嫩肉。经常在陈萍午休的时候吴贵发忍不住去拧门，但每回门都是反锁着的。他想用钥匙去开，又怕惊醒陈萍，于是就站在凳子上从门上的小窗窥视少女的睡态。陈萍毕竟还是孩子，看不出吴贵发色迷迷的眼神，错以为吴贵发对她挺好，把他当成了长辈看待。一度陈萍还觉得自己挺幸福，有母亲的疼爱，继父也还行，特别还有张岚对她的呵护，李阿姨时常也想着她。有这么多人的关怀，对这个从小失去父爱的女孩来说，非常满足。

只是近段时间为秦阿柄的事与张岚闹出不愉快。那回张岚在校内同她说悄悄话，让老师抓住，罚他们俩公益劳动，陈萍觉得很没面子。在她的印象里坏孩子才会被罚，而今自己也成了坏孩子，都是张岚害的！听了陈萍一通抱怨之后，张岚咧嘴一笑："有什么呀！回头我把你们班长也送去劳动改造一回。"

陈萍以为张岚不过玩笑话一句，没想到张岚真的把秦阿柄弄去做公益劳动。

这天上学，张岚看到秦阿柄在前面，于是用手在路边一辆自行车的链子上抹了一把，然后追上秦阿柄拍拍他肩膀同他寒暄几句，这样悄悄地把油污抹在了秦阿柄的肩上。等秦阿柄走进校门，马上就被值勤老师抓住，记下班级姓名被罚周末劳动，理由是衣着不整洁。秦阿柄知道是张岚搞的鬼，但没有揭发他，不然张岚至少有三次劳动的机会。陈萍知道这事儿后批评了张岚。张岚心里不痛快，你不是护着他吗，我越要治他。

陈萍班上的部分同学约好周末去海边 barbecue，就是烧烤，陈萍邀张岚同行。张岚带着钟生送他的摄像机给大家照相，等照片洗出来送到班上传阅，其他人的形象都挺光辉，只有秦阿柄，张张都是怪模样。班上的同学争抢着看秦阿柄的相片，一个个笑不拢口，阿柄却一脸的坦然，自嘲道："我才发现自己有表演天才，将来我可以去演电影。"秦阿柄这话是用英语讲出来的，陈萍没有听得太明白，她把秦阿柄的话对张岚模仿了一遍，张岚气得眼珠子差点掉出来，"等着吧，下回有你好看的。"陈萍劝张岚别再跟秦阿柄过不去，可张岚怎么会听呢。

学校离图书馆不远，只要下午没有活动，张岚常和陈萍同去图书馆看书。这里有桌椅可以写作业，有空调很舒服，累了可以翻翻图书杂志，又能上网猎奇。秦阿柄家就住图书馆后山坡边的那栋楼，所以冤家时常在此"聚首"。

那日在图书馆，张岚悄悄把一本图书馆的书塞进秦阿柄的书包,之后佯称有事先走,陈萍收拾起东西同张岚一道出门。秦阿柄见陈萍要走,胡乱把书本装进书包跟出来,走到门口警报器响起来,被图书馆的管理人员拉进办公柜台。陈萍在门外向里张望,没明白怎么回事,被张岚一把拽着往楼下跑。

到了楼下张岚开怀大笑:"解气,真够解气的!看他以后还敢不敢缠着你不放。"

陈萍顿时明白了又是张岚的恶作剧,回身要去帮秦阿柄说情,被张岚拉住,二人原地拉扯起来。

就在他们争得面红耳赤的时候,秦阿柄一副委屈的样子从门口出来,看到他们,绕了一个弯想躲开。看到他从来挂在脸上的微笑消失了,张岚高兴,心想他以后不敢再对陈萍有非分之心了。看到这种样子,陈萍更觉秦阿柄可怜、张岚过分,所以挣脱了张岚的手,迎上去安慰秦阿柄。

"他们开始的时候不相信,认为是我偷书,要把这个事情告诉学校。我一再求情,他们检查过去的记录没有我,这一次原谅我,但是我被记录下来了。"秦阿柄说起来还心有余悸。

"我去帮你证明不是你干的。"陈萍拉着秦阿柄往回走。

张岚抢上前挡住,"想告发我是不是?"

"我不会告发你,但要证明不是秦阿柄偷书。"陈萍拨开张岚,却被秦阿柄拉住。

"不需要,你讲他们也是不会相信。事情已经过去,我只是难过一点而已。"秦阿柄的话让陈萍留住了步子。

张岚搂着陈萍的肩道:"得了,咱们走吧!这哥们儿扛得住。"

陈萍推开张岚的手臂,拉上秦阿柄就走。

"怎么个意思,不跟我玩了?"张岚没料到陈萍会这样。

陈萍不知道说什么,况且说不过张岚,只顾催着秦阿柄走。

张岚见自己修理秦阿柄反倒把陈萍推到秦阿柄那边,心里懊悔,却又说不出口,同时也气陈萍不给他面子。

陈萍送秦阿柄回家。尽管陈萍说不出让他宽心的话语，但秦阿柄很快便高兴起来，因为他看到了陈萍更多的美德。

　　其实这个事件中受伤害最大的是陈萍。当她送走了秦阿柄之后，便后悔自己这样对待张岚。她到处找张岚，甚至连他家都去了，还是没找到人。陈萍心里别提有多难过，她知道让张岚伤心了，此刻她只想见到张岚，听他骂几句心里也能舒服一些。她哪里知道，张岚又去了图书馆，找工作人员解释刚才的恶作剧，让他们销掉秦阿柄的不良记录。张岚那张嘴，把工作人员说得高高兴兴的，也就不追究他的错误。好事儿办完了，张岚决定不把这情况告诉秦阿柄，否则秦阿柄以后不怕他，那可不行！陈萍不是向着他吗，暂时也不告诉她。

　　陈萍这时坐在张岚常去的球场边掉眼泪。天就要黑下来，陈萍怀着一颗忐忑不安的心乘上地铁回到杨厝港。回到家，见吴贵发一脸的不高兴，以为是自己回来晚造成的，赶快去厨房做饭。她哪里知道，就在今天，吴贵发一连收到两张法院的传票，一份是他前妻催要孩子的抚养费，一份是房地产中介公司催要预付款和赔款。吴贵发一人在家转着圈生气，正找不到发泄的对象，于是把气出在了陈萍的身上。

　　吴贵发走进厨房，对着正在理菜的陈萍大声道："为什么只有青菜，青菜！为什么没有肉！"

　　第一次见吴贵发发这么大脾气，陈萍有点害怕，便如实道出："我没有钱买肉。"

　　谁想陈萍的回答正撞在吴贵发的痛处，吴贵发吼了起来："没有钱，没有钱！让你妈妈多多赚，你懂不懂？"说着，吴贵发抓起桌子上的芹菜撅断扔进垃圾桶里，一伸手又把陈萍理好的豆角扬了一地。发完威，吴贵发转身回厅，留下陈萍坐在厨房里悄悄抹眼泪。

　　邓茹琳回来的时候，吴贵发出去吃饭没在，听陈萍说完事情的经过,邓茹琳含着眼泪把豆角和芹菜捡起来开始做饭。母女二人在凄凉的心情下草草吃过晚饭。

晚上,陈萍在自己的屋里看书,听到隔壁吴贵发和她母亲在吵嘴,而且越吵声越大,只听到邓茹琳带着哭腔说:“世上怎么会有你这样的男人,竟然会逼着自己的老婆去做那种事!”

“可是我们没有钱,没有钱,懂不懂!”这是吴贵发的声音。

“饿死我也不会去的!”邓茹琳的声音更大了。

过了一会儿,吴贵发的声音缓和一点:“第一次你不敢讲,我可以找人给你。做过一次以后就会懂得没有关系啦。”

“吴贵发,你是个畜生!”邓茹琳的吼声在发抖,随后是脚步声,邓茹琳推开陈萍的门冲进来,一把拉起陈萍就向外走。

虽然陈萍并不知道到底发生了什么,但能使一向温和的母亲那样气愤,事情一定很严重。站在清冷的大街上,陈萍的声音有些发抖:“妈,我们能去哪儿?”

“去找你李阿姨,我们只有她一个亲人了。”邓茹琳带着陈萍投奔了李佑君。

第一眼见到邓茹琳,李佑君和张岚差点没能认出她来。邓茹琳一头扑到李佑君的肩头哭了起来。为了不影响孩子,两个女人到楼下细说,屋里只剩张岚和陈萍。陈萍还在为下午的事情难过,静静地等着张岚骂她。张岚看出陈萍的内疚,心想我也得好好治治你,省得以后胳膊肘子还会往外拐,于是装作看书不理她。张岚越是这样,陈萍越是难过,终于忍不住轻声道:“张岚哥,你还恨我是不是?”

张岚瞟了一眼陈萍,没吭声,又埋头看书。

陈萍如坐针毡。

觉得差不多了,张岚这才抬头看一眼陈萍,说道:“瞧见了吧,新加坡净些什么人,再跟秦阿柄接触,也有你哭的时候。”

张岚拿她妈说事儿,陈萍听着不太高兴,于是辩解道:“可秦阿柄和吴贵发不一样。"

张岚见陈萍还替秦阿柄说话,气又上来了:"得,得,得,你算是有了靠山,以后别理我!"

陈萍的眼泪顿时洒了下来,"张岚哥,你别这样好不好?"

陈萍是个爱哭的女孩,张岚习以为常了,心想,眼泪可以把脑子洗清楚一点,看看是秦阿柄重要还是我重要。

过了一会儿,陈萍轻声请求道:"明天还得上学,你能不能陪我回去拿书包,还有校服。"

"用得着我了,是不是? 这会儿怎么想不到秦阿柄呢?"

话一出口张岚便觉得说重了。再看陈萍,哭着跑走。张岚起身,犹豫了一下,人就跑没影了。张岚找到钥匙,锁好门,到楼下去找他妈,想把钥匙交给母亲,然后自己过去接陈萍。可楼前楼后,包括他们散步常去的公园都找遍了,也不见李佑君和邓茹琳的影子,张岚只有回家,这回是他内疚。

张岚在家左等右等,一个也等不回来,时钟指到十二点,觉得困得不行,于是放下床垫,自己躺下睡觉。夜里两点多钟,李佑君和邓茹琳才回来,见只有张岚一人,于是把他打醒,问他陈萍的去向。张岚揉着眼睛道:"回去取书包和校服,没准儿不过来了。"

陈萍回到家,吴贵发还像往常一样坐在那里看电视,见她回来,友好地望着她笑笑,就像什么事儿也没发生似的。

陈萍收拾好东西,坐在那里犹豫是走还是不走。想起张岚说的话那么气人,又想到李佑君那里只有一间屋,不好住,于是她决定留下来。

"你妈妈为什么没有回?"吴贵发在外面大声问。

陈萍没理吴贵发,心想:是他气走妈妈的,这下也让他尝尝没人给他做饭的滋味。陈萍并不知道问题的严重性。

吴贵发走到门口,探头往里张望。

陈萍拿着睡衣、睡裤准备去洗澡,吴贵发堵在门口追问:"我有问你妈妈为什么没有回。"

"被你气走不会回来了。明天我也不回来给你做饭。我们去李阿姨家住。"陈萍本想说吴贵发几句替她妈解解气,可她说不出什么有力的话,反倒像汇报情况。

吴贵发坐回沙发看电视,陈萍洗完澡回屋,穿着贴身的短衣短裤更显少女妩媚的身段,吴贵发觉得美不胜收。陈萍睡下后,吴贵发望着屏幕发呆,电视里演些什么他根本不知道,强大的吸引力诱他时常要瞟一眼陈萍卧室的门。过了不知多少时间,吴贵发走到门边,拧了拧把手,是锁着的。他找来钥匙,犹豫了一下,最终还是轻轻地把钥匙插进了门锁,"嗒"的一下,声音挺大,连吴贵发都吓了一跳。等了一会儿没有动静,吴贵发轻轻拧开门,蹑手蹑脚走到床边,黑暗中他只能看到陈萍熟睡中的轮廓,其他的什么也看不清。少女芬芳的体香让吴贵发难以抑制内心的冲动,于是他把罪恶的手伸向了花季中的女孩。

陈萍被粗鲁放肆的抓摸惊醒,拼命地挣扎,但怎么能敌得过男性成人的力气。吴贵发按住陈萍,一把将她的睡裤扯了下去,就在吴贵发要扑上来千钧一发的时刻,陈萍大喊道:"张岚哥会杀了你!"

就像一句咒语,吴贵发一下定在那里,随后倒退两步,倚在桌边愣神,大气也没敢出一声。陈萍一把提起裤子逃了出去,光着脚跑了很远、很远,直到跑不动了为止。

一辆奔驰牌出租车停在陈萍的身边。"小姑娘,要不要我帮助你。"司机用华语和英语重复着同一句话。

陈萍一个劲摇头:"No,no,我没有钱,没有钱。"

司机感觉情况不对,于是问:"要不要去警察局?"

"不,不,我不去警察局,我要去找我哥,我要去找张岚哥。"说完,陈萍蹲到地上,泣不成声。

出租司机下来,扶着陈萍坐进车子,这辆洁白的奔驰车一直开到李佑君的楼下，好心的司机还不放心，一直送到门口。

此时邓茹琳正和李佑君准备一块儿回去找陈萍，听到女儿的哭叫声，邓茹琳第一个冲出来。陈萍扑在母亲的怀里放声痛哭。那司机认为小女孩已经没有危险了，便悄悄离去。

陈萍被扶进屋里，畏缩在床头一个劲儿地哭，哭声把张岚惊醒。邓茹琳和李佑君问她怎么回事，陈萍也只是哭个不停，一双脚鲜血淋淋，地上、席子上留下一串血印。

张岚咬着牙站在旁边，过了一会儿转到厅里，然后就要出门。李佑君警觉地追出去把张岚抱住，从他的后腰间拔出一把菜刀。

"别拦着，我找丫算账！"张岚挣开母亲冲了出去，李佑君扑上去死死抱住张岚的腿，眼看就要被他挣脱，李佑君大声呼喊邓茹琳，是邻居们出来帮她把张岚拖回屋里。李佑君锁好门、藏好钥匙，再看邓家母女，一个像受伤的小猫，缩成一团瑟瑟发抖，一个像失魂的疯子，坐在地上哀鸣，用头撞击床架，惨相催人泪下。

李佑君用毛巾被把陈萍裹紧，找来药品为陈萍清理脚底的伤口。

吴贵发知道自己犯了亵渎妇女和虐待儿童两条罪，哪一条都有可能坐牢受鞭刑，急得他团团转。他在电话机旁找到李佑君的号码和地址，于是拨通了李佑君的手机："Hallo，密斯李，我没有做……没有做，我……"

不等吴贵发吞吞吐吐地解释，李佑君在电话那头打断他："你还是自己去警察局自首吧。"说完就把电话挂断。

吴贵发心想，落到这帮中国人精的手里，自己不会有好下场；只有去同他们谈判，把房子卖掉赔她们一些钱才有可能 OK。吴贵发必须赶在报警之前找到他们。

找到李佑君家的时候，天已大亮。不明真相的邻居开门把吴贵发放进来，向他指示李佑君住的屋门，吴贵发上前敲门。

李佑君开门见是吴贵发，一下惊呆了。张岚抬头看到吴贵发，真是仇人相见分外眼红，霍地从椅子上蹦起。李佑君知道不妙，撞上门自己紧紧顶在后面，大声喊道："吴贵发，快跑！快点跑！"

张岚一把扯开李佑君，开门冲出去。吴贵发先是没明白怎么回事，看到张岚敏捷地拨门冲出来，转身再想跑已经来不及，刚刚提起拳头，脸上、肚子已经挨了几下重拳，扑通倒地。张岚骑在吴贵发身上挥拳便打。吴贵发的劲儿也不小，掀开张岚爬起来就往外跑。张岚从后面搂住吴贵发，将他摔倒在地，用肘弯卡住他的脖子，死死按在地上。吴贵发挣扎着，喘不了气，脸涨成猪肝的颜色，瞪着眼，张大嘴，舌头也吐了出来。李佑君怎么也扳不开张岚的手，眼看就要弄出人命，急中生智，抓起菜板砸在张岚的头上。张岚眼前一黑，躺倒在地。吴贵发趴在地上，捯了一阵气，咳出一摊血水，爬到门边，扶着铁门站起身，跟跟跄跄逃走。

邻居的小两口帮忙把张岚抬回屋放到他的地铺上躺好。李佑君跪在张岚旁边痛哭流涕，陈萍睁开眼看到张岚这个样子，爬下床扑在他身上跟着哭。

过了一阵儿张岚睁开眼，轻声问："吴贵发死了没有？"

李佑君擦掉眼泪，用手抚摸张岚的脸，嘶哑道："没有，他跑了。"

张岚支撑着想坐起，感到头痛难忍，又倒了下去。

李佑君带着哭腔道："对不起，妈打重了，把你打成这样。妈就你一个儿子，杀人是要偿命的。"

"妈，我是您生的，打死也不会还手。"

给张岚涂了些消炎粉，再把陈萍扶上床，李佑君才发现邓茹琳不见了。四下没有找到她，李佑君又开始担心起邓茹琳。两个受伤的孩子让她无法分身，于是她分别打电话给邵彦和陈东前求援。

这时手机响起，吴贵发的声音："不可以报警。我没有做，只是摸到而已。张岚差一点点杀死我，也是会坐牢……"一阵咳嗽后电话断了。李佑君想回拨过去询问邓茹琳，却发现吴贵发是从公用电话打来的,没有来电显示。

邵彦和冯小蓉一起来了,紧接着陈东前和刘妍丽赶到,李佑君安排他们分头去找邓茹琳,自己在家守护孩子。

从第一眼看到女儿受伤的样子起,邓茹琳便有一种天塌下来的感觉,她的脑子里一片空白,灵魂像被抽去,只有悲切、懊悔,嘴里不停重复的只有同一句话:"萍儿她爸,是我害了她。"后来发生的事情,乃至张岚与吴贵发的生死搏斗发出的巨大声响都没有把她从崩溃的边缘拉回来。她坐在女儿旁边,却又不敢碰她一下,生怕女儿会化成一阵青烟飘走。她不停地以头击床,直撞得血痕斑斑。

就在陈萍扑在昏倒的张岚身上哭的时候,她突然感到了一种莫大的安慰,她感到女儿终生有了依托,也感到了自己的多余。还有什么放心不下呢? 女儿在这样的人家才可能会有幸福,自己不但没能保护她,反而把她送进了虎口。这样的母亲已经是多余的了,活着只能给女儿带来更大的痛苦。她后悔自己没有勇气早点去死,到这种时候死也干净不了。想到这里,邓茹琳晃晃悠悠地站起来,跌跌撞撞地走出门,竟没有回眸一下,她不忍目睹女儿瘦弱受伤的样子。邓茹琳失神地走在街上,沿着地铁桥下的路往回走,已经没有痛苦,没有悲伤,没有思绪,更没有热的感觉。邓茹琳慢慢地走回了家,从柜子深处找出那个黑木盒,抱在怀里又慢慢地走上街头,一直向海边走去。

这里是一个美丽的内海湾,一道堤坝将她与粗犷的大海隔开形成一个巨大的水库,水面永远是这样清亮、宁静。岸边是茂密的原始森林,只有最靠里面一侧没有树木,地铁轨道在岸边经过,乘车的人经过这里永远都会心旷神怡。

邓茹琳跨过铁轨,来到岸边,将黑木盒放下,自己蹲在地上,拼命地用手挖地。这里是片乱石岗,草都不生的地方,邓茹琳奇迹般地在地上挖出了一个坑,手上血肉和泥土混成一体。邓茹琳把木盒放进坑内,用土把它盖起,堆成了一个像坟一样的土包,然后趴在地上对着新坟频频磕头,嚎啕大哭:"萍儿她爸,你都看到了吧,吴贵发脏了我的身子,还脏了咱闺女的身子,是我害了她,我害了她啊,啊啊!活着没脸见萍儿,死了我也没脸见你啊,啊,啊!你就在这儿吧,别再跟着我了,我走了,我要去地狱,去地狱也洗不清我的罪过!"

疾驰的列车把邓茹琳的哭诉带走,飘散在熙熙攘攘的城市上空,没有留下一丝声气。邓茹琳一步一步走向海里,水面荡起浅浅的涟漪,直到整个人都没进水中,那些涟漪渐渐散开,很快水面又恢复了往常的平静。

一个人的生命就这样消失,在人海里荡起一丝涟漪之后就再也找不到一点点曾经存在的痕迹。

27

　　李佑君慈爱的双手抚平了陈萍的创伤,却没能抚平
自己内心的矛盾。一方面她特别怜爱陈萍,一方面又担
心两个孩子整日在一起会引出感情风波。

　　邓茹琳死后,李佑君收留了无依无靠的陈萍。

　　在李佑君无微不至的关怀下,加上张岚的呵护,陈萍很快就从
失去母亲的痛苦中摆脱出来,欢声和笑语重新回到这个可怜的女
孩身上。

　　三人还是住在一间屋里,张岚睡在床上,陈萍和李佑君睡在地
铺上。夜里,李佑君总是抚摸着陈萍,像哄婴儿一样拍着她睡着,
然后在她的梦中送给她一个吻。

　　陈萍更是乖巧讨人喜欢,功课之余把这个家收拾得井井有条,
李佑君下班回到家时总有可口的饭菜以及两个孩子灿烂的笑脸迎
接她。

　　李佑君慈爱的双手抚平了陈萍的创伤,却没能抚平自己内心
的矛盾。一方面她特别怜爱陈萍,一方面又担心两个孩子整日在
一起引出感情风波;她的儿子聪明绝顶,要是谈上恋爱哪还有心学
习,这可是一辈子的事,不能开玩笑。所以,李佑君同邵彦商量好
了,合适的时候就把陈萍送到她那边。本来说好了,邵彦常来看看

陈萍,李佑君也多带她到邵彦那里玩玩,可她们两人都忙,这件事就这么搁下来了。

几个月过去,新的学期里张岚的成绩直线上升,按照张岚的话说,理科门门盖全年级的帽,就连最弱的英语也从尾巴梢爬到了后脊梁。在张岚和班上同学的帮助下,陈萍的成绩也上升到中等水平。看着两个孩子的进步,李佑君由衷地欢喜,这样,送走陈萍的想法也淡了下来。

这天晚上下班,李佑君刚一进门就兴奋地喊起来:"孩子们,告诉你们一个好消息,你爸就要来新加坡了!"李佑君难以抑制心中喜悦,说话的声音仿佛跳跃的音符。

"真的呀,太好了,太好了!"陈萍高兴得拍手直跳。"叔叔最好了,上回他来的时候老是和我抢着做饭,尽管他一点也不会做。叔叔可喜欢我了,他说他这辈子要是有一个像我这样的女儿就好了。"

"我爸什么时候到?"张岚追问。

"新加坡这边联系好了,在国大的磁记录研究所做访问学者,只要那边自然科学基金项目验收完就来。"

张岚坐到饭桌边,若有所思道:"太好了,我爸来我就有事儿干了。把我爸对付我的招儿全学会,把我们张家独门剑谱发扬光大,回头去了美国找克林顿那哥们儿比唇枪论舌剑。"

李佑君会心地笑了。

如果没有发生第二天的那件事,这个新组成的家庭也许会继续下去,陈萍不会再次受到感情的冲击。

那天是个星期六,李佑君只有半天的班,往常她总是要到四五点才能到家,这天因为去南洋理工大办完事就直接回了家。进家门,还在换鞋,就听到张岚和陈萍在屋里说话。

张岚说:"不知道我可不可以对你说了?"

陈萍说:"不,不要说。其实我从来都懂你的心,一点一滴都在我心里。"

张岚说："不,我还是要说:你是可爱的天使,上帝派你来,就是为了还我那根取出的肋骨,让我们不再分离,永远地、完整地生活在一起。"

陈萍说："只是我们现在还小……"

张岚说："不,不要对我说'还小',爱情是没有年龄之分的! 你看,我也会像绅士一样向你请求。"

听了这些话,李佑君的心都提到了嗓子眼处,走到自家的门口时,看到张岚单腿跪在陈萍的面前,像电影中求婚的绅士。李佑君再也无法克制自己的情绪,对着屋里的二人大声呵斥:"你们两个干什么呢? 小小年纪居然说这种不要脸的话!"

张岚从地上站起身,对陈萍咧嘴一笑:"看来效果不错,连我妈都当真了。"

李佑君被说愣了,陈萍忙解释:"我们在排练华语话剧。"

"净是些不三不四的台词!"李佑君还是不高兴。

张岚说："老师给的! 有本事您帮我们写一段更感人的。"

"老师给了三个剧本,张岚哥选的这一段。"陈萍实话实说。

"你怎么就学不会撒谎呢! 又没叫你说假话!"张岚对陈萍狠狠地瞪眼。

"换! 换别的台词。"李佑君命令道。

"不换,我们好不容易才背下来。再说就这段有感觉,换别的说不定连校内比赛都出不去,更别说全国拿奖了。"张岚一定要选这段的目的连陈萍也不知道,他想借此气一下秦阿柄,那小子还不死心,有事没事老缠着陈萍!

李佑君不再说话,但张岚"有感觉"三个字让她不寒而栗。

接下来几天,李佑君认真观察二人的举止,越看越觉得不对劲,于是有一天晚饭后单独带陈萍去散步,李佑君突然问:"你有没有恋爱?"

"没有呀!"

"张岚有没有?"

"不会有吧?我没看到过他同哪个女生要好。阿姨您问这个干吗?"

陈萍惊讶的语气让李佑君放心。这就好,趁他们还没发展到那一步,赶紧把他们分开,等到他们"有感觉",再想拆散他们可不容易。李佑君这样想着,思索着该怎样对陈萍说。

"萍儿,阿姨有件事儿想和你商量。你叔叔马上就要来。他来了,咱们这个家可住不下。"李佑君慢慢说出想好的台词。

陈萍愣住了,停下脚步。李佑君拉着陈萍的手,牵着她坐到路边的椅子上。

"阿姨不是不喜欢你。不管走到哪里,萍儿都是阿姨的好闺女。只不过家里人多了住不下,就是花钱多租一间屋也没办法安排。邵阿姨待人可好了,我想让你住她那边。阿姨和叔叔会常去看你的。"

话音刚落,陈萍扑通一下跪在地上,紧紧抓住李佑君的手哭着哀求:"阿姨,您别赶我走好吗?我听话。"

看到陈萍这个样子,李佑君心似刀绞,将她拉起来搂在怀里,大颗大颗的眼泪掉了下来,滴在陈萍的脸上。

陈萍用她纤细的手替李佑君擦拭眼泪,"阿姨您别难过,我听您的话,我去邵阿姨家,您别哭了行不行。"

张岚听说母亲要送走陈萍,顿时急了,他安慰陈萍:"别怕,有我在,我妈不敢对你怎么样!"

张岚了解他妈的脾气,什么事儿只要是她决定了的,很难改变。再也不会干绝食那种傻事儿,省得糟践自个儿的身子骨,这回我得让她难受!就在张岚想主意的时候,李佑君下班回来,见张岚一人坐在屋里,陈萍还在忙着摆饭。李佑君叫了几次,张岚都没有理会,她便猜到怎么一回事儿。

"阿姨,是我不好,忍不住告诉他了。"陈萍战战兢兢道。

李佑君温和地拍拍陈萍的肩膀,"迟早也会知道。"

过了一阵,张岚走出来,坐到饭桌旁边,拿起筷子却不动手。"妈,我想跟您说件事儿。"

李佑君见张岚这次不是暴跳如雷,心想这孩子是长大了,越来越摸不透,什么想法可以不露于言表,这样更危险,没准对陈萍有了那种意思我也看不出来,所以更不能留她在身边。

"说吧,说完了早点儿吃饭。"

"发现我这人特缺锻炼,啥事儿都不会干。所以我决定锻炼自个儿,过两天离开这个家独立生活。每个月给我五百大洋,我找人搭房,房租能省对半,不够我自个儿打点儿小工。现在不锻炼,回头去了美国两眼一摸黑,哭都来不及! 反正呢家里有陈萍,还能帮您,有我没我无所谓。要是您嫌陈萍碍事儿,她也可以出去锻炼,每月五百够不够你们自己商量。"

这一军可把李佑君将得乱了方阵。张岚得意地吃起饭,李佑君愣了半天没动筷。

晚饭后,李佑君单独叫张岚出去散步。

"张岚,你别逼妈妈好不好?"

"怎么敢逼您呢? 上回使出绝食的绝招在您这儿都变成了臭招,我哪敢再跟您较真!"

"那你怎么会冷不丁想出去住。"

"我想锻炼自己错了吗?"

这一问,李佑君变得哑口无言,于是只有挑明了说:"妈妈忘了告诉你,邵阿姨要接陈萍去她那里住。"

"您想听听我的看法吗?"

"说吧。"

"这事儿办得缺德!"

张岚的话让李佑君跳了起来。"怎么在跟你妈说话!"

"坐着说的,是您站起来的。"张岚阴阳怪气道。

张岚的话又把李佑君气回了路边的椅子上坐定,她后悔没能控制住情绪,让张岚激过来又激过去。平了平怒气,李佑君用不紧不慢的语气说道:"你邵阿姨她人多好,你妈可比不了人家。她把所有的积蓄都带到新加坡,无偿地帮助有困难的陪读妈妈,人家的爱心多好,你又不是没见过她。"

"教会孤儿院嬷嬷的爱心最好,为什么全世界的父母不把孩子都送给她们呢?"

张岚的嘴厉害,李佑君知道不是他的对手,于是以长者的口吻说道:"这件事儿我已经决定了,有意见你可以保留。"

"至于我那事儿,您也可以保留您的意见。"张岚威胁。

李佑君无奈地摇头,心想这件事看来没那么简单,好在他爸就要来了,到时让张明贤对付他,只有他爸治他是一套套的,真是一物降一物,而他爸又拿她李佑君没办法。想到这儿,李佑君笑了,这事就等他来了再说吧。

两周后,张明贤来到新加坡,一家人团圆的兴奋劲儿不必多说,陈萍也沉浸在共同的欢乐之中。就陈萍的问题,李佑君想找丈夫谈,但张明贤初到新单位,忙于入手新工作,李佑君暂时没提这事儿。这段时间,四人挤在一间屋,张岚夜里睡在厅里,陈萍睡床上,二位教授睡地上,生活尽管简单,却还和谐愉快。

又是一个周末,两个孩子去参加全岛中学生话剧比赛,李佑君觉得陈萍的问题不能再拖,于是把自己的想法告诉了丈夫。张明贤听了后吃一惊:"这么好的孩子送给别人,你舍得,我可不干!"

"我们做家长的不能感情用事。陈萍这孩子确实不错,我比你还舍不得她走。但不行,万一他们谈上恋爱,后果不堪设想。我看他们俩的关系就剩一层窗户纸了,一捅就破。就说他们选的话剧台词,已经是个不好的苗头了。"

"我看了他们排练的话剧,还行!"张明贤点了一枝烟。

李佑君起身把门打开，抱怨道："你烟越抽越多，肺怎么受得了！"回身坐下继续刚才的话题，"老师给了三段台词，别的他不选，专挑这段酸了吧唧的，还说就这段有感觉。你说这是不是危险的信号？"

张明贤坐在小凳上，把地上的烟灰缸拿起来端在手里，靠在了墙上。"是偏早了点儿，但他们要恋爱也无可厚非。"

"你怎么就那么糊涂呢！恋爱必然耽误学习，这可是孩子一辈子的事儿！"

"你打算让他一辈子把光棍？"张明贤反驳。

李佑君没有正面回答，换个方向说："白天就他们在家，万一有了身体上的接触，那可就一发不可收拾。"

"这才需要我们做父母的正确引导。"张明贤把烟头掐灭。

"这事儿给人的感觉不好，有乘人之危收童养媳之嫌。"

"只要我们把她当成自己的孩子看待，给她提供好的教育环境，把她培养成人，别人爱说什么无所谓。这孩子很可怜，至少我们可以保证她不再受伤害。"张明贤严肃地说。

"问题就在这里，你能保证他们俩不会相互伤害？不管从哪个方面来说，让他们从小这样生活在一起都不是好事。如果将来他们能走到一起，会因为相互太过于了解而失去深层次的吸引力。或许两人本不合适，却因为这段生活把二人凑合在一起，让他们痛苦一辈子，于心何忍？如果是一相情愿，更有可能引出悲剧性的结果。不管怎么说，把他们分开，让他们自然发展，对俩孩子都是负责的态度。不是说把陈萍送到邵彦那边儿我们就不管她了，她的生活费用和教育费用肯定是由我们来负担才行，否则在邵彦那里都说不过去！要是自私的话，把她留在身边，我们得到了她的感情，对我来说又有个帮手，何乐不为呢？"

听了李佑君的一席话，张明贤不再争辩，他理解妻子的良苦用心。"你说服我了。"张明贤笑一笑，点点头。

"可张岚那关不好过。"于是李佑君把张岚如何威胁她的经过说了一遍,张明贤听了竟开心地笑起来。

"你笑什么?"李佑君不满地责问。

"这小子长大了,学会旁敲侧击,不再是一棵愣头葱!"

听到张明贤由衷地赞扬他儿子,李佑君也跟着笑起来。张明贤从小凳子上站起来,把李佑君从椅子上抱起来,放在床上,正准备与妻子亲热一番,却被她推开。从妻子的目光中张明贤读出了她的顾虑,他笑笑道:"还早,他们这会儿还回不来。"说完起身去把门反锁起来。

李佑君迅速脱光衣裤躺在床上,并催促丈夫抓紧时间。这是张明贤到新加坡后二人第一次有机会像样地做爱,却还是不能尽兴,草草收场。

穿好衣服后,张明贤将李佑君揽在怀里,一边抚摸着一边同她讨论两个孩子的问题,可李佑君始终把注意力放在听门外的动静,专心不下来。张明贤深深地叹了一口气,无奈地摇摇头,放开妻子,打开房门,面对面摆好两把椅子,请李佑君落座。二人正襟危坐,这才得以认真讨论起来。

张岚和陈萍参加话剧比赛,只得了三等奖,除了一个小奖品外,每人各得一张大众书局二十元的购书卷。回到家,张岚把奖品往床上一扔,靠在床头,一脸的不高兴。陈萍坐到张岚的脚边,抱歉道:"都怪我,一紧张就结巴。"

"有你什么事,那帮子评委有眼无珠不识泰山。"张岚气愤难平。

坐在小桌前的张明贤开口道:"什么事儿总把责任往别人身上推,说不过去! 总结一下经验教训有好处。"

"得一等奖的也有结巴的,所以我想不通呢。"张岚争辩。

"我觉得主要问题出在你们的选题上。要是选另外那两段叙述校园生活的台词可能好一些,因为它们和你们的生活更贴近,才可能表现出真实的感情。你们对爱情没有切身的体会,偏要选这段戏,在成人评委那里很难引起共鸣,要是得了高分才是怪事!"

张明贤合情合理的分析让张岚信服:"您净会使马后炮,怎么不早说呢?"张岚回手将了他爸一军。

"早说你们才不会接受,吃一堑长一智。"张明贤笑笑道。

"眼瞅我们踩地雷也不吱一声,不够意思!"

张明贤拍着张岚的肩膀道:"你爸不可能一辈子当你的工兵吧?"

张岚做个鬼脸,说:"有好的建议我会考虑的。"

张明贤把椅子转过来,对着二人坐好,说道:"现在我就有个好的建议,想在家庭会议上讨论。"说完,起身去厨房把正在做饭的李佑君叫进来,二人落座。张明贤郑重的态度让所有人都严肃起来。"我和你妈讨论过,一致决定收养陈萍做我们的女儿,与你一视同仁,让她受最好的教育,不知道你对此有什么意见。"

开始,张岚还当是什么重大决策需要讨论,听父亲这么一说,一副不以为然的态度道:"既成事实的事儿,用不着立字为证吧?噢,我明白了,你们是不是想让陈萍改口叫你们'爸爸'、'妈妈'?这事儿你们应该跟她商量,跟我不挨边儿!"

陈萍被张明贤的话语感动,两行热泪已经洒落下来。突然她跪到张明贤和李佑君面前,泪眼中她看到了张明贤那张慈祥的面庞,真想喊一声"爸爸"这个久违的称呼,嘴角动了几次,还是没能喊出声来。李佑君将陈萍拉到怀里,一边抚摸陈萍的秀发,一边用目光提示张明贤进一步说出他们的决定。

张明贤咬了咬牙,一字一句地讲起来:"我们作这样的决定是很慎重的,因为这不是儿戏,说出的话是要负责任的。张岚你要想好,有了妹妹,她上大学也需要很大的投入,所以你到时得多打很多工才行。我们算过,你妈现在每月六千新币,我只有三千,一年存不下八万,而美国大学每人一年的学费就得五万多新币,所以我们必须节约每一个铜板。"停顿了一会儿，张明贤继续道，"房东已经对我们提出非议，张岚睡在厅里给隔壁的造成不便，总之，现在这种安排肯定不是长久之计。本来我们打算租两居室，而你邵阿姨建议让你们中的一个到她那里去住，我们也觉得这样挺好，能省就省一点，将来你念大学时可以轻松一些。"

"好啊，我去邵阿姨家住就是了。"张岚抢先表态。

"我和你妈认真研究过这个问题，最先是想让你住到邵阿姨那边的。但是考虑来考虑去，总觉得这样不恰当。"张明贤垂着头说着，抬头看一眼坐在李佑君怀里的陈萍，只见她睁大眼紧张地盯着他，张明贤又把头垂了下去，久久没有说话。

李佑君觉得这样的冷场不应该继续，所以她接过张明贤的话说道："最主要的是张岚是个大男孩儿，和邵阿姨住在一间屋里不方便。更何况你从小被惯坏了，什么事儿都不会干。你去邵阿姨家纯粹是个大麻烦，而萍儿这孩子比你懂事得多。我们不能对不起你邵阿姨，你们说是不是这个道理？"

陈萍挣开李佑君的手，跪在地上仰视她，颤巍巍地求道："我不上大学，毕业后我去打工挣钱给哥哥读书。妈，别赶我走行不行？"

李佑君强忍着内心的痛苦，把陈萍拉起来，搂在怀中，泪水像断了线的珠子滚落在陈萍的身上。张明贤从来洒脱的表情也变得严峻。张岚在床前小小的空地上来回踱步，最终停下，郑重地宣布道："听着，美国我不去了，就在新加坡读国大，便宜得多，这样我们一家就不用分开了。"

陈萍痴痴地望着一个劲落泪的李佑君，伸出微微颤抖的手替她摘下眼镜，替她擦泪。"是我不好，又让您伤心。我听话，我去，我去邵阿姨家。您别哭了好不好？"

李佑君嘶哑的声音道："谢谢你把我当成你的母亲！我会对得起你叫我这声'妈'，再苦再难我也要把你培养成人。好多事情你们现在还不能理解，总有一天你们会明白我为什么一定要这样安排。"

陈萍似懂非懂地点头。

就这样,陈萍被邵彦接去,李佑君夫妇三天两头都要去探望她。陈萍悄悄地哭了三夜,寄人篱下的感觉始终挥之不去。

28

项昆的话让谭玉颖毛骨悚然,她盯着眼前这个由流氓转变成恶棍的魔鬼,全然不知该如何应对,不知不觉地,她开始发抖。

京北看守所的高墙锁住了阴森,一道足以抵御装甲车的大铁门紧闭,昭示着它的壁垒森严。大门中的一道小门带着刺耳的尖叫声被拉开了一道缝,项昆身着西装,一副邋遢的样子从门缝里挤了出来,他身后的门咣的一声又被重重地撞上。项昆眯缝着眼抬头看看蓝天白日,裹紧衣服,匆匆地离去。

自从黑子黄色光盘的生意走上正轨,项昆不但倾囊投资,而且插手买卖,东窗事发,项昆也被抓了进去。好在黑子大包大揽了罪责,项昆被关了半个多月,终于得以释放,然而这个时候他已是两手空空。

回到住所的时候,天已经黑了下来。这是项昆从成都回到北京后新租的一处两居室,比起当初的小黑屋强多了。刚进门,便看到桌子上的纸条,是房东催要房租。项昆把纸条撕碎扔在地上,一头倒在满是灰尘的沙发上。恐惧过去了,内心一片麻木,唯一让他不安的是这个能够用来栖身的处所也不能久留。他想到了汪萍,想到了白给她几十万的票子;他又想起了谭玉颖,同时也想到了白给她的五十万。突然，一个念头闪过了他的脑海。

项昆马上给谭玉颖家打了个电话，是她母亲接的。项昆自称是谭玉颖外地来的朋友想见她一面，却被对方听出了声音。谭母警告项昆不要纠缠她的女儿，说她已经有未婚夫了，说完就把电话挂断。项昆望着话筒冷笑道："让你也像汪萍那样跳一回楼！"

随后两天，项昆戴着一副墨镜在谭玉颖家的楼下蹲点，一直没有见到她的影子。第三天，终于看到她提着水果回家。项昆没有惊动她，依然耐心地等着她再次现身。大约是午饭后，谭玉颖挽着一位身材魁梧的男青年从门洞里出来，走出院门打的离去，项昆拦了一辆出租车跟踪。谭玉颖乘坐的车子在一个新建的小区外停了下来，二人亲亲热热地走进小区。项昆与他们保持一定距离，一直跟踪到二人开门入屋，确定了他们的新居位置，才转身下楼。

大约又等了半个多小时，谭玉颖的男友夹着公文包出来，匆匆赶往车站，乘公共汽车去上班。查明其男朋去向后，项昆这才放心地上楼，敲响了房门。

谭玉颖从门上的猫眼里看清了来人，心里紧张，语气却镇定。"你来干什么？我们已经两清，谁也不欠谁的。"

"那是你的感觉，不想听听我的感受吗？难道不想知道汪萍的下场吗？"

尽管隔着防盗铁门，项昆的话句句砸在谭玉颖的心上，但她很快又稳住阵脚。"就我一人在家，不方便。有事儿等我先生回来再说。"

谭玉颖还是那么自以为是，认为抬出她的男友就能把胆小的项昆吓回去。她哪里知道，这一年项昆从黑子那里学了不少本事，包括那些他过去认为是流氓黑话的比喻，这会儿一不留神也会脱口而出；看守所里走过一趟，他已经变成了彻底的"无产阶级"，大无畏的精神油然而生。

"放心吧，我这人从来不跟别人抢二锅头。实在不愿意开，隔着门说也行，我在看守所里练出来的，站着交代罪行三天三夜不腰疼。"

谭玉颖这才意识到项昆已今非昔比。为了拖延时间想对策，她对着门外说道："等会儿，我穿好衣服再说。"

项昆不耐烦地答道："有什么呀！拔了毛的母鸡都一个样儿。几句话，说完就走。"

谭玉颖颤颤悠悠地打开门让项昆进去，下意识地裹紧睡袍，尽量不露出紧身衣裤。

项昆大大咧咧地走进厅里，四下环顾这套两居室的新房。"没有五十万拿不下来。"项昆一边欣赏着室内装饰一边评说。

"什么事儿快说！"谭玉颖裹着睡袍靠在墙边。

"年初的时候我去成都找汪萍，正赶上她结婚，我把过去的事情一说，她就从四楼上跳了下去。"项昆走到窗边向下看了看，道，"够巧的，你这儿也是四楼。"

项昆的话让谭玉颖毛骨悚然，她盯着眼前这个由流氓转变成恶棍的魔鬼，全然不知该如何应对，不知不觉地，她开始发抖。

"别怕，我不会再干那种傻事儿。我只是觉得咱们上次那笔买卖太不公平，我打听了一下，一个处女的市价不超过五千块，而你一要就是五十万，我不成冤大头了？看在你还陪了我一年多的份儿上，给你二十万，另外三十万你得想办法还我，不然……"项昆有意不把话说完，留下回味的空间。

再看谭玉颖，已经是体若筛糠，要不是靠在墙上的缘故一定会站立不稳。

见她这副样子，项昆觉得解气。一年来他常常后悔，当初为什么没聘黑子当他的法律顾问，否则不至于让谭玉颖这个小丫头片子把自己毁了。想到黑子还不知道要蹲多少年的大牢，他心中难过，一个能人竟落得了这样的下场！

项昆觉得已经初步达到目的，没必要再跟她啰嗦下去，于是摸出事先写好手机号码的纸条放在茶几上，对谭玉颖道："想通了就给我打电话。不用怕，我现在改好了，不会动你一手指头。五十万，比你漂亮的女人我能买到一个团。"说完，项昆看也不看谭玉颖一眼，自己开门走了。

等他离去，谭玉颖再也支撑不住坐到了地上。不知过了多少时间，谭玉颖从地上爬起，回到床上，用被子把自己裹得严严实实，不时还要打个寒战。谭玉颖担心到手的幸福会被夺去，更担心这一辈子也摆脱不了魔鬼的纠缠。尽管她没有像汪萍那样去做处女膜整形手术，但她没有勇气把过去的一切告诉自己的爱人。她只是简单地告诉他恋爱过，这个时代的初恋以牺牲初夜为代价是公众可以接受的结果。她的男友告诉她自己也恋爱过，于是他们谁也不去过问对方的过去，他们在乎的是共同的未来。男友对她挺好，她曾想把自己的过去如实地告诉他，但她不能冒这个险，因为她实在不想失去他。项昆的现身，对幸福中的她无疑是个致命的打击。

谭玉颖怀着对未来的恐惧裹在被子里，可被子再厚也挡不住从内心涌出的寒流。

终于等到了男友下班，谭玉颖一脸憔悴的样子把他吓了一跳。在男友的关切询问下，谭玉颖战战兢兢、语无伦次地把一切告诉了他。

听完谭玉颖的血泪诉说，她男友把牙咬得咯咯直响，目光中透出杀气。

"我知道你不会原谅我，你要是想走就走吧，不用解释什么，也不用安慰我什么。"谭玉颖平静地说完最后的告白，可内心的绝望让她闭上眼睛，她不忍目睹爱人离她而去的场面。

谭玉颖感到自己被一双粗壮有力的手托起，被他紧紧地搂在怀里。一向不爱落泪的谭玉颖竟抱住自己的爱人放声痛哭。她知道自己闯过了此生最难的一关，她感激爱人的宽宏大量。

待谭玉颖发泄完毕，男友温和的声音说道："你该早点告诉我。你知不知道，好几次我们差点分手？"

谭玉颖擦干泪水，不解地望着爱人摇头。

"其实我早就有猜疑，弄不明白你怎么会有那么多钱，怀疑你过去做过那种事儿。不知道还记不记得，有几次你买了贵重物品回来我都无端地发火，要不是你大量不跟我吵，要不是你对我这么好，我可能早就离开你了。"

听了男友的话，谭玉颖惊讶得瞪了大眼。

"行了，小心眼珠子爆了！我跟你说过，痛苦由两个人分担可以减半，快乐由两个人分享可以加倍。以后请你相信我，难过的时候不要一人扛，否则要男人有什么用？"

谭玉颖用吻回报了爱人的深情厚谊。

第二天，项昆接到谭玉颖打来的电话，约他下午三点去丰台花园的小湖南边等她。项昆如期而至，却发现这是一个很小的公园，园内很少有人游玩，指定的地方更是空无一人。突然，一个高大的身影出现在项昆面前，他一眼认出就是谭玉颖的男朋友。项昆一阵慌张，正想逃走，却被来人拦住去路。就在二人贴近当儿，来人一个黑虎掏心，动作非常隐蔽，项昆一捂肚子倒在地上。项昆蜷着身子在地上打了一阵滚，忍过那阵剧痛，爬起来就想跑。来人健步跟进，一个扫堂腿又把项昆重重地放倒在地。项昆从地上爬起来，抓了一块砖头劈头盖脸砸向眼前的大汉。大汉敏捷地拧腰闪过砖头，一回肘打在项昆的后脑部，让他眼冒金星。不等他站稳，来人一个甩胯下压，重重地把项昆坐到地下，这一连贯的摔打，项昆受用不住，瘫软在地。

"胆敢敲诈，走，派出所说话！"随着一声吼，谭玉颖的男友抓着项昆的头发将他提起，拉着便走。

这时，谭玉颖从花坛后面转出来，走到男友面前。"让他滚吧，以后还敢找茬儿再收拾他。"谭玉颖不想把事情搞复杂，因为她也担心自己有勒索之嫌。

大汉松开了手,项昆狠狠盯了一眼不无得意的谭玉颖,趔趔趄趄地逃走了。

从谭玉颖那里没有要回一分钱,自己挨了一顿臭揍,项昆越想越憋气。这面房租催得急,万般无奈,项昆想到了身在新加坡的前妻邵彦,不管怎么说他们有一个共同的儿子,看在东东的分上,邵彦也该不会眼睁睁地看着他饿死吧?于是项昆变卖了值钱的东西,花了一千八百块钱买了张机票去了新加坡。

找到陈东前,打听到邵彦的下落,项昆照直去了乌节路,寻见"中国火锅城"的招牌,项昆大摇大摆地走了进去。

侍应生安排他在单人的位置上坐定,问他吃点什么,项昆眼都不抬一下,开口要见邵老板。这时邵彦带人外出采购,而冯小蓉没事儿一般不来,当班的组长见来人口气不小,摸不清来路,于是吩咐人端来茶点招待项昆。

一直等到下午四点多钟,邵彦开着皮卡采购回来,吩咐后堂的人卸货入库,自己来到大堂,一眼看到坐在墙边的项昆,心里咯噔一下,很快镇静下来。

不等邵彦在他的对面坐定,项昆阴阳怪气道:"邵总,别来无恙?生意做得不错嘛。"

"你怎么找到这里来的?"邵彦问。

"陈东前告诉我的。"

"你来干什么?"

"讨口饭吃。在国内搞盗版碟批发,让公安的抓了,现在我是一无所有。想到你这人好心眼儿,不认识的人你都可以管吃管住,我们夫妻一场,不至于扔下我不管吧?"

从项昆的举止、眼神到说话的口吻,邵彦意识到了项昆的变化,她明白眼前的这个人不会像以前那么好对付。

邵彦想了一阵,开口道:"这样吧,武吉巴督分店缺一个搬运工，我和我的合作伙伴商量一下，你先去那边儿上班，同时你自己去找更好的工作。只要你找到工作，随时可以辞职。"

"你看我像那种干粗活的人吗？"项昆不屑一顾地回答。

"那我就没办法了，你另谋高就吧。"

"我这人要求不高，有吃有住的就行。"

项昆的赖皮劲儿让邵彦生气，正在找词儿想数落他几句，手机响起来，陈萍焦急的声音道："邵阿姨，您快回来，东东生病了！我从幼儿园接他回来就吐了两次。"

"我马上就到。"邵彦放下电话对项昆说："东东病了，我得回去。你的事儿自个儿解决，找我没用！"

听到东东生病的消息，项昆竟无动于衷，邵彦带着愤恨匆匆离去。

接下的几天，项昆天天赖在火锅城，不管顾客有多少，总是占着一个位子不让。不管陈东前及冯小蓉如何劝说他去找工作，项昆的架势就像债主赖着要钱似的，冯小蓉几次想给点钱打发他走都被邵彦拦住了。陈东前一个劲儿地道歉，声明他以为项昆是来看东东的，所以才告诉了他火锅城的地址。

从陈萍那里听说了项昆的事儿，张岚一下来了精神头。"那孙子是害死你妈的罪魁祸首，看我怎么收拾他！"张岚这样说着，放弃了当天下午的课外活动，拉着陈萍准备去找项昆。

"五点我还得去接东东。"陈萍犹豫道。

"来得及！"不由分说，张岚拉着她就往 MRT 走。

张岚和陈萍赶到火锅店的时候大约是四点多钟，正是客人不多的时候，偌大的堂里只有项昆占着一张桌子，陈东前无精打采地坐在他的对面。冯小蓉看到张岚就像见了主心骨，高兴地迎上去，小声说道："揍他一顿，出什么事儿我负责！"

"别伤着孩子了。"邵彦连忙去拦张岚。

张岚笑笑，把书包递给邵彦，自己只身向里走。见到张岚快步走来,陈东前紧张地站了起来。项昆不知怎么回事,也站起身向后张望。

张岚走近,顺手拉了一把椅子在项昆的桌边坐下。"我是这个店的清道夫,专门负责清理像你这样的垃圾。你是想自己滚蛋呢,还是给我一个表演的机会,你自个儿决定。"张岚一边说,一边拿起可乐瓶,给自己倒了一杯,一饮而尽。

"张岚,这回下手轻着点儿。别像揍吴贵发那样,一下就想把人弄死。"陈东前这样提醒道。

"吴贵发号称是马来西亚国家队出来的,禁折腾。这哥们儿就跟豆腐捏的似的,我会量力而行的。"

"你最好等我把你妈叫来了再动手,要不然我们谁也管不住你,回头弄出人命来怎么办?"陈东前说得非常认真。

"没准儿!一想到是他害死的邓阿姨,我真想掐死他。只不过跟这种人玩儿命不值当!"

项昆本来没有把穿学生装的张岚放在眼里,可听他们二人你一句、我一句净是要自己命的话,心里开始打鼓。摸了摸还在隐隐作痛的后脑勺,项昆心慌不止。张岚突然站起来,吓得项昆倒退了两步。

张岚嘿嘿一笑道:"别紧张,我没传说中的那么厉害。"说着,张岚一把抓住项昆的手腕,拉着往外走。项昆想挣脱,可腕子就像被铁钳夹住一般,由不得他反抗,被拽着走出店门。

冯小蓉提着张岚的书包追出门。"张岚,到店外千万不要打人,否则让警察抓去惹出麻烦。"

"放心吧,这哥们儿挺配合的,我也不会亏待他的。"张岚接了书包,拽着项昆走下台阶,走到路边伸手拦车。项昆见张岚还不放手,紧张地问:"你想干什么?"

"帮忙帮到底,你不是没钱吃饭、没地儿住吗?我给你找一个地方,有吃有住,说不定还能要到一笔钱。放心吧,我不会打你的!"

一辆的士停在二人身边,张岚推着项昆上车,项昆拼命挣脱。司机想不明白眼前这一幕是怎么回事,倒是陈东前赶来挥手让司机把车开走,然后劝张岚放开项昆。

"嘿!这哥们儿太胆小了。我好心想帮他,却吓成这样!您没忘吧,吴贵发还欠着咱们两个半月五千大洋的房租钱没还,我想带这位项哥们儿去要钱,要着了全归他。要不到,至少也有个住的地方。"

陈东前正头疼,怕接下来项昆没地儿去会赖在他那儿,听张岚想出了这么一招,马上应和着要跟着一起去。于是,项昆稀里糊涂被二人弄上了另一辆出租车,三人直奔杨厝港吴贵发的公寓。

敲开了吴贵发的门,见是张岚站在面前,吴贵发倒吸了一口冷气:"我会叫警察的!"

"别怕,今天不是来打你的。你还欠着我们五千块的房租没还,找你还钱!"张岚的话让吴贵发安定了一些。

"我没有钱还。很多人的钱我没有还,一定是还不了的。"

"还不了钱,这房子的使用权还属于我们。正好,我有一哥们儿从中国来,没地方住,我把他安排在这里。"张岚把项昆拉近铁栅栏门,介绍给吴贵发认识。

"我的屋子要卖掉还钱,没有几多时间可以住。"

"能住多久就住多久吧,剩下的你就算成钱给这位。"然后张岚对项昆说:"上次差点把他掐死,我在这儿他肯定不敢开门。你就留在这里,要不要得到钱就看你的本事了。"说完,张岚拉着陈东前往电梯口走去。

按照陈东前的话说,张岚小子满肚子的坏水。张岚的本意是让两只坏狼去掐一掐,最好是一只把另一只咬死,剩下一只拉去枪毙,于是两只都被消灭。没想到二人狼狈为奸,两只狼放在一起竟成了狼群,破坏力乘方增长。

吴贵发果真卖了房子，还完钱后手上还有一大笔，于是在项昆的唆使下，二人张罗着模仿"中国火锅城"开一家"中华火锅城"。店址选在人流密集的大巴窑，招牌和装饰完全照搬冯小蓉和邵彦的设计，就连莲花锅也是尽量拷贝冯小蓉的设计。找了一个二流的厨师在中国火锅城去见习吃了几次，于是连火锅汤名也沿用了中国火锅城的叫法。刚一开张，不少不明真相的食客以为是中国火锅城新开张的分店，一时间生意火爆。但很快就有食客不满菜肴的质量，投诉到了总店邵彦她们那里。冯小蓉、邵彦和刘妍丽等人几次前去交涉无果，只好登出广告正名，却不时有老顾客来电投诉、抱怨。冯小蓉想要起诉他们，咨询了律师以后便放弃了法律手段，因为她们的设计和菜名没有申请过品牌保护。大家担心吴贵发、项昆的手法会把她们刚开创的事业拖下水，却想不出任何有效的对付办法。

　　一个周末的中午，张岚一人来到大巴窑"中华火锅城"。吴贵发见到张岚进门，连忙跑到后面去叫项昆。见人高马大的吴贵发吓成这个样子，项昆对这位传说中的少年再添几分怕意，他吩咐手下去应付张岚，自己不敢近前。

　　张岚开口要了十人的大锅、十人的菜量。等侍应生把菜上齐，张岚一股脑儿把菜全倒进了锅里，用漏勺大力搅拌走来。张岚怪异的动作引起全堂食客的注意，大家纷纷转头注视他的下一步举动。

　　"女士们、先生们，我告诉你们，这是一间模仿中国火锅城的黑店！这里的汤料是回收别人吃过的又端出来给你们吃，汤里什么都有，不信我捞给你们看看。"说完，张岚用漏勺从一个个格子里往外捞东西，摊在桌上让大家看，围观的人越来越多。捞着捞着，张岚从捞出的汤料和菜中翻出了一只煮熟的蟑螂，顿时引起一阵骚乱，有人忍不住吐了一地。面对众人的愤怒，吴贵发和项昆再也不能躲在后面不出来，于是二人一齐出来声明是张岚有意把蟑螂放到汤里的。

张岚站到了椅子上大声说道："这样吧,大家都别吃了,我们一起来捞,看看你们的锅里都有哪些小动物。"

果然,在张岚的号召下,所有食客都开始在各自的锅里捞汤料摊在桌上仔细研究。很快有人在自己的锅里找到了苍蝇,众人再次哗然。

"你们谁有手机,给警察局和报社打电话,让警察和记者马上来。再叫上些人跟我一起到后面把厨师看住,别让他们跑掉。回头警察来了,把他们带到警察局一问就知道,给你们吃的汤料大半是回收的。"张岚从椅子上跳下来,率领一群人挤向后堂。

吴贵发和项昆见这样下去他们的生意就要毁于一旦,双双冲上去与张岚抓扯起来。胆小的新加坡人没有见过这种阵势,全都后撤数米远,纷纷摸出手机报警,前线上只留张岚一人与两个汉子对峙。

"你们俩都是我手下败将,不想挨揍的就闪开!"张岚一声吼喝退了项昆,吴贵发却急了眼。如果让张岚得逞,他十几万新币的投资就会花成泡影,吴贵发这回是拼了身家性命与张岚搏斗,前几下过招让大意的张岚吃了亏,差点被吴贵发打倒。被打急眼的张岚重扑上前,抬脚踢在吴贵发的小肚子上,接着是一通老拳将他打翻在地,然后骑在吴贵发身上又是一通拳头。站在一边的项昆吓得腿发抖,终于鼓起勇气从后面扯住张岚的胳膊,同时吴贵发使足气力掀开张岚。张岚被项昆拉着倒退了几步,项昆却脚下不稳倒在了地上。张岚正要再次冲上去,吴贵发情急之下抓起一个碗,舀起滚烫的火锅汤泼向张岚。张岚敏捷地闪身躲开,那碗滚开的汤浇在了正从地上爬起的项昆身上。项昆惨叫一声再次倒地,吴贵发顿时傻了眼。张岚从厨房里把厨师和帮手叫出来,交给围观的群众,自己大摇大摆地走出店门,坐在台阶上等来了警车。

吴贵发和项昆因涉嫌违犯卫生法被指控,除了被重罚外,勒令停业。损失惨重的吴贵发本想去印尼,却因官司没完不能离开新加坡。项昆没钱住院,敷了药之后便回到他和吴贵发合租的房子里养伤。吴贵发舍不得花钱让项昆去医院换药,随便给他买了些烫伤的药膏让他自己涂敷,引起大面积感染,项昆开始发烧,想找吴贵发要点钱去医院看病,却一连几天也不见他的踪影。高烧中的项昆一阵昏迷,一阵清醒,几次想站起来走出房门,几次都晕倒过去。他已经感到,自己的生命快要走到尽头。就在他只剩下最后一丝气力的时候,项昆爬到了电话机旁,拨通了邵彦的手机,只说了一句"快来救我",电话便滑落到地,人已昏死过去。等他再次醒来的时候,项昆发现自己躺在医院的病床上,护士小姐告诉他两天前一位姓邵的女士把他送到这里,可两天内这位女士再没来过一次。

　　等项昆病好出院的时候,邵彦委托陈东前送来了一张回中国的机票,里面夹着一张纸条,邵彦娟秀的字迹写道:"做好人难,做坏人也难。希望你能做一个不好不坏的人。"

29

　　那次的交杯酒像一个深深的烙印刻在了陈萍的心上。从那一刻起,她突然意识到自己已经成长为一个女人,并且自己在爱一个人,这种爱已经弥漫了她的整个世界。

　　陈友和死后,李佑君接替他生前的职位,成为公司的技术总监。公司现在的规模来比陈友和在的时候扩大了一倍还多,所以,李佑君的工作量比以往重不少,从新员工的培训到各个组的协调,都需要她考虑。李佑君的英文比陈友和强得多,所以很多过去是钟生自己的美国公干,现在也由她接替,因此李佑君几乎成了公司的灵魂。钟生对她的依赖越来越强,他觉得打拼了一生有了今日的辉煌非常知足,加上年近六十,也想轻松轻松。李佑君这人像陈友和一样诚实可靠,专业能力不比陈友和差,管理能力不比他钟生差,这样的人不依靠还有谁可以依靠? 所以钟生慢慢地把自己的担子也移交出去,在员工的心目中,李佑君的话一言九鼎,分量不在钟生之下。当然李佑君的月薪从四千涨到六千,不久又从六千涨到九千,而且年底的时候其他员工的花红是两个半月的工资,只有李佑君一人拿到了四个月的花红,一次性三万六的奖金。钟生戏称多一个半月的花红是张岚帮她挣的。

张明贤作为访问学者，每月的薪水只有三千新币。其实他的水平要想在新加坡国立大学谋一个副教授乃至教授的职位并不困难。但张明贤有他自己的事业追求，他的目标是中科院院士，这在他看来是不会太远的事情。让他完全放弃在国内奋斗了几十年的事业那是无法接受的背弃，就像他不会背弃家庭一样，他也不会轻易背弃自己的事业。他之所以来新加坡，从表面上说是为了学术交流和提高，而实质上他是为了保全这个家。陈友和事件对他的刺激很大，太多跨国分离的家庭最终走向婚变让他不寒而栗，更何况他本人是一个非常具有人格魅力的人，不乏崇拜他的年轻女士向他投桃，抵御报李的冲动让他费神，他认为不值得。以往他坚信真正的情爱可以超越时空障碍，但现实让他感到了时空的可畏。所以他来到了新加坡，但心系国内的事业。

尽管李佑君跻身高收入者的行列，但他们的生活仍然还是那样简单，几近清苦。张明贤怕热，他们换了一处有空调的房，每月的房租多一百新币，一家三口仍然挤在不足十二平方米的小屋里。由于不便，夫妻间的性生活少到了不能再少的地步。几次亲热都差一点让张岚撞上，于是改在夜深人静时悄悄做爱，而张岚在地铺上翻一个身，二人就像弹簧一样弹开，实难尽兴！张明贤提出换两居室的房子，李佑君还没来得及反对，不谙世事的张岚却是一脸的不解："换两居室干什么？一家人挤一块儿多亲热！没事儿还能跟我爸斗斗嘴皮子，哪点儿不好？"张岚的话让夫妻二人对视一笑，换房的事儿就不再提了。

尽管李佑君一家生活非常简朴，但每个月都要给陈萍送去五百元的生活费。邵彦推辞不过，便以陈萍的名义开了一个银行户头，把张家送来的钱存下，以备日后陈萍读书之用。

张明贤夫妇每个周日都会去看望陈萍，或是接她回家，或带她和张岚去海边玩。尽管陈萍只有那次叫了她一声"妈"，但李佑君真真切切地把她当成自己的女儿来疼爱。可陈萍毕竟还是孩子，不可能明白大人们的良苦用心，很长一段时间不能从被嫌弃的心理中解脱出来。好在有张岚天天去找她，每天把她送到地铁站，而每次走进车站与张岚分手都会让她难过。她不知道这就是爱，只知道同张岚在一起就会觉得踏实，听他说话，说什么都无关紧要，只要有他的声音、他的影子，她就不会害怕。放学后她的任务是顺路接东东回家，但她对邵彦和东东始终建立不起来那种相互依存的感情。陈萍时常故意惹邵彦生气，但每回邵彦都会谅解她，只有一次邵彦对陈萍发过脾气。

周末，东东不上幼儿园，而周末又是邵彦最忙的时候，因此她安排一位没有工作的陪读妈妈把东东接到联络所帮她带两天孩子。有次那位陪读妈妈有事，临时找不到人，星期六陈萍不上学，邵彦就把东东托付给她。想到家里两个都是孩子，邵彦不放心，抽空开车回家看一趟，给他们送午饭回去。当她走进家门，东东竟扑在邵彦的怀里哭着说姐姐打他。想到从小到大自己没有打过一次孩子，邵彦一时情绪失控对陈萍发了一通脾气。陈萍没有辩解，而是径直往外走，邵彦抱着东东想拉都拉不住。等邵彦的气消了之后才意识到问题的严重性，赶忙给李佑君、陈东前打电话，可谁也没有见到陈萍。所有人忙了一下午四处找不到陈萍，最后李佑君不得不去球场找张岚，想问问他陈萍可能去的地方。

正在酣战的张岚抱住足球，十几个小伙子全都围了上来。

"人多力量大，发动你的同学帮忙找吧。"李佑君这样建议。

张岚思量了一会儿，把球扔在地上。"别急，应该就在附近。"说完，张岚向着最近的一座组屋走去，平时陈萍总是坐在一楼的椅子上看他们踢球。果然，绕到椅子正面，张岚找到了猫腰坐在那里的陈萍。看到张岚，陈萍抽泣起来。

李佑君赶来搂住陈萍，替她擦泪。

"我没有打东东，是他诬赖我的。"陈萍哭诉着。

"好孩子，阿姨相信你。"

"我想我妈,别人都有妈,就我没有。"说完,陈萍扑在李佑君的怀里大声哭了起来。

李佑君鼻子一酸,眼泪跟着掉下来。

张岚站在一旁,没听清陈萍嘟囔了些什么,尽管他很想知道发生了什么事,但他不愿意自己的同学看到他的家人抹眼泪,所以迎着跟来的同学,把他们叫回球场继续比赛。

原来,东东整个上午缠着陈萍要她陪他玩,陈萍被缠烦了,不理他,自己进屋看书。东东跟进来抢书,把书都撕坏了,陈萍生气地推开他,东东一屁股坐到地上要赖。陈萍没有理他,东东越发不高兴。过了一会儿邵彦回家,东东委屈的哭诉引起了这场不必要的麻烦。

从那以后,邵彦特别注意对待陈萍的态度,处处小心翼翼,这样就越发地感觉累心,但她从来不会对外人表露出来。她已经学会了单身淑女的生活方式,把苦水咽到肺腑的最深处,用平静的表情把受伤的心盖得严严实实。多少回邵彦在深夜里用被子捂紧头哭泣,自叹命苦,有苦无处诉。做女人难,做淑女更难,而最难的是做一个单身淑女,她们的内心世界与外在表象永远不会平衡。这个世界造就出的道德体系并不公平,绅士们聚在一起,酒过三巡,一个个原形毕露,便可肆无忌惮地公开讨论各自的寻花体会;而女人不行,不但不能谈,而且不能为,否则就会沦落为让男人嗤之以鼻却不可或缺的娼妓。在绅士们看来花几个小钱就能排遣的生理问题,对单身女士来说就成为了精神折磨。难怪,这是一个男人的世界。

陈萍的问题还没有解决好,刘妍丽再添新乱。

八个月来,刘妍丽把分店打理得井井有条,利润额不在总店之下。为此,刘妍丽得到了冯小蓉和邵彦的赏识,工资从一千八提到两千二,从两千二又提到了两千五,春节花红给了她两个月的工资。精明的刘妍丽算到了红火生意背后的利润,由此让她得出了一个结论，在新加坡想发财，餐饮是条路。于是刘妍丽不顾陈东前的阻拦，决意辞去火锅城分店的经理，接手附近小贩中心的一个饮食摊位，给付了五千元的顶手费。尽管陈东前在这过程中一直强烈反对，但刘妍丽真的接手了食摊，他还是前来帮忙。根据刘妍丽的意思，重新更换招牌，由原来主营福建米粉改为主营北京水饺加什锦快餐。很快，刘妍丽的生意便正式开张，开始几天的生意说得过去，至少能把成本收回。可之后的买卖越来越差劲，有时一天卖不出一半的快餐，吃热饺子的人也越来越少。每天从早到晚在食摊上苦苦守候十四五个小时，准备的菜料越来越少，最后还是卖不完。

"我就纳闷儿！别人的破鸡饭难吃得要死，居然还卖得呼哧带喘的，我这儿的东西货真价实，竟然没人搭理！这叫什么事儿呀！"本想大干一场的刘妍丽变得愤愤不平。

"萝卜白菜，各有所爱。这儿的北方人少，有几个好你那口？收摊吧，越早顶出手，损失越小。早听我的，也不至于落这么一个结果。"陈东前再次进谏。

"我就不信那个邪！明天你帮我做个牌子，写上'北京炸酱面，吃了忘不掉'。换几个品种，我就不信没人吃。"

陈东前见刘妍丽还不死心，自己又说不服她，只有从命。

又是半个月过去，刘妍丽的生意一点没有起色。简单地一算，一个月下来连租金带费用，损失不下两千块。终于，刘妍丽也接受了失败的事实，连忙在报纸上打出摊位顶出的广告，一连打了三次，最终才以三千元的低价顶出，里外里，整个过程损失不下五千。几个月来，刘妍丽当经理存下的一点积蓄白白扔掉一半。

"兜里有几个子儿就想蹦跶蹦跶，没摔死就算不错了。"陈东前这样评论。

实际上，刘妍丽最大的损失应该是失去了一份好工作。事已至此，没脸去求邵彦回去工作，因为她的辞职给邵彦带来的麻烦不小，听陈东前说，很长一段时间邵彦每天要两头跑，这会儿才招了一个 BBA 毕业生当分店的经理,刘妍丽就是想回去也没她的位置了。

在家闲呆了一个月,即便有陈东前的帮忙,也没有找到一个让刘妍丽满意的工作。最终不得已,刘妍丽去了义顺工业区的一家工厂上班。这家工厂给惠普公司配套生产打印机电路板,刘妍丽作为检验工不用穿着别扭的太空服坐在生产线上,但工作却一样的简单乏味。每一块从生产线上下来的电路板在她这里进行检测,把几个插头插在板上对应的插座内,观察面前的灯,如果有红灯亮了便是废品。工作看似轻松,可连续不停地拔插十几个小时,一天下来腰酸背疼、筋疲力尽。

新加坡法定的工作时间是每周四十四个小时,也就是五天半的工作时间,超出四十四小时计为加班,加班工资是正常班的两倍以上。一般工人的工资都很低,只有四五百块,所以大量的加班才能获得多一点的收入。刘妍丽的基本工资才四百八,每天干上十二小时,周末全都搭上,一个月下来也只有一千多一点的收入。为了生存,刘妍丽只有咬着牙干下去。

刘妍丽没日没夜地干活,苦的却是女儿刘虹。由于工作时间长,刘妍丽很难照顾得了女儿的生活。每天一大早起来做完一天的饭菜,自己匆匆吃过并带上午饭,离家的时候叫醒刘虹,直到晚上八点来钟才能回家。不满九岁的刘虹这么小就得学会照顾自己,吃完早饭去赶校车,上午在学校加餐,放学回家后按照她妈的指示洗个澡,把换下的校服泡在盆里,然后写作业,下楼找同伴玩一阵儿,或者在家看电视。一直要等到晚上八点多刘妍丽才下班回家,这期间刘虹时常饿得肚子咕咕叫,经常是望着房东和同住的另外一家人香香地吃晚饭,小孩子一个人悄悄地咽口水。最初房东太太和隔壁的阿姨看她可怜,会拨一小碗给她吃。可时间长了,别人的同情心渐渐消失,小刘虹只有眼巴巴地看着人家吃香喝辣,更可气的是这个时候大人们要看电视新闻,刘虹连可以用来分心的少儿节目也看不成了。

有一次，刘虹实在忍不住，趁着房东出去散步的机会，悄悄打开三家人共用的冰箱，偷吃了一点别人的剩菜。有了第一次成功的经验，第二次、第三次也没被人发现，这样刘虹的胆子越来越大。不久，隔壁两家人发现了异常，为了能抓住现行，两家人设计了一个圈套。晚饭后他们大声招呼着一同去散步，出门的时候只是把铁栅栏门的锁头挂在锁眼里并没有锁紧，出门后四人闪身在门后从窗外悄悄向厅里张望。刘虹以为大人们全都离开了，转进厨房，打开冰箱，翻出两样自己喜欢的食物。房东太太悄悄拿掉门上的锁，四个人蹑手蹑脚地穿过客厅来到厨房，发现冰箱门大开着，刘虹蹲在地上正吃得津津有味。

被当场抓住后，刘虹知道自己闯了祸，在恐惧与不安中等到了母亲下班回家。刘妍丽刚进家门，两家人争先恐后地告状，刘妍丽一气之下冲进自家屋里，连打带掐，刘虹连哭带叫求饶不止。打累了，刘妍丽坐到椅子上喘气，刘虹坐在地上哭泣。

门被推开了，房东太太和另一家女人推门进来劝架："不要打了，不要打了，说说她就行了。"

刘妍丽的气直顶脑门，心说，刚才打得欢实的时候怎么不来劝一劝，这会儿分明是来煽风点火看热闹，急了我连你们一块儿打。刘妍丽瞪着发红的眼霍地站了起来，吓得两个女人忙不迭地退了出去。

不等她坐稳，门又被打开，刘妍丽抬脚把门踹了回去。咚的一下，哎哟一声，接着是苹果滚落一地，陈东前像一片儿纸似的从门缝里闪身进来。

"看样子来得不是时候，差点儿连我一起揍。"陈东前没顾得上捡苹果，蹲下身去安慰还在哭的刘虹。

"怎么惹你妈生这么大的气？都赖我没早来一步，要不然我也能替你扛几下。"看到刘虹身上被刘妍丽掐得青一块、紫一块的，陈东前更是心疼。"有本事留着劲儿掐日本鬼子去,咱们跟她可没有历史冤仇,哪儿犯得着往死里打?"

陈东前的话没把刘虹劝住,刘妍丽却哭了起来,此刻她的心情不比刘虹好受,酸甜苦辣一并涌来。

陈东前站在屋中央,这边看看,那边看看,一时不知先劝哪一个好。

陈东前曾多次提出让刘妍丽母女搬到他那里去住,这样也能省不少房钱。刘妍丽不愿意,在她没有最终接纳陈东前之前,她不愿意给人留下任何话柄。接下来的一段时间,陈东前每天下午五六点钟的时候都要来接刘虹出去吃晚饭,周末两天爷儿俩相约在巴刹吃饭。别看刘虹人小,饭量比陈东前大,要不是他前段时间帮一个朋友设计安装卡厅的电路多挣了些钱,刘虹这口饭他还真的供不起。

晚上的时候,陈东前把刘妍丽叫出去公园里散步。每次在这种时候陈东前特别地想刘妍丽能像情人一样挎着他的胳膊,可每回刘妍丽挎不了两分钟就会不自觉地放开。陈东前再作要求的时候,刘妍丽就会讽刺他:"人家还以为我挽着病人出来放风!"可今天不知是怎么了,刘妍丽自觉自愿地挎着他走了很长一段的路也没放手,让他心里一阵阵地感动。

"搬到我那儿住吧,这样我省得跑来跑去的。"话刚出口,陈东前自己都感到有点得寸进尺。

"咱们去办结婚手续吧,办好了就搬过去。请不请客是你的事儿,反正我又不是头一回,无所谓。"

陈东前几乎不能相信自己的耳朵,"姑奶奶,不是逗我玩吧?"陈东前使劲儿拍了几下脑门,以证实不是做梦。

"有什么法子,几个房钱对我们娘儿俩都不是小数。"

陈东前停下脚步认真道:"你可想好了,现在后悔还来得及。我可不是乘人之危的那种人!"

"得了吧你，得了便宜还卖乖！"

就这样，二人你一句、我一句，像斗嘴一样讨论起日后的安排。

刘妍丽和陈东前登记结婚，她们母女住到了陈东前那里。婚宴是邵彦帮着操办的，尽管还是同来的这么几家人，却难得在一起这样热闹。刘虹学着父母的样子一定要同张岚喝交杯酒，张岚连忙推辞："不成，不成，你太小了，够不着，交不成杯。"

刘虹拖了一把椅子，解鞋带打算站上去，张岚见她这么费劲，干脆把刘虹抱起同她交杯，在一旁观望的陈萍反倒脸红起来。喝完酒，刘虹搂着张岚的脖子亲个没完，口口声声地喊道："我们也结婚了！"二人的表演引来阵阵的欢笑。

放下刘虹，张岚非得让自己的父母也喝交杯酒，张明贤笑骂他捣乱，张岚硬要把父母拉到一起，"当初您跟我妈交杯我没看见，今儿个您二位不让我开开眼不算完！"

张明贤干脆倒了四杯酒，让李佑君、陈萍和张岚每人端一杯，一家四口一同交杯饮酒。八只胳膊挽在一起，张家四人的表演博得阵阵喝彩，邵彦更是激动得热泪盈眶。

那次的交杯酒像一个深深的烙印刻在了陈萍的心上。当她一只手挽着张岚的胳膊，一只手挽着李佑君的胳膊时，她已经激动到了极点。张岚的手臂不经意间触及到自己已经发育的乳房时，一股强烈的电流点燃了她周身的血液。从那一刻起，她突然意识到自己是一个女人，自己在爱一个人，这种爱已经弥漫了她的整个世界。也就是从那时起，她会不自觉地与张岚保持一定的距离，倒是张岚还是那么随便。每回张岚牵了她的手都会让她心跳加快，这是以前从来没有过的感觉。

这天，陈萍收到了秦阿柄写给他的一封情书，这是她收到的第一封情书，中英文参半，字字句句热情洋溢。陈萍悄悄地把这封书信读了N遍，最后得出一个结论：是一篇好作文，只可惜不是出于张岚之手。她把秦阿柄的信撕掉，可一个上午也无法集中精力听课。

放学时她第一个冲出教室,她怕秦阿柄找她说话,她不知道该怎么回答秦阿柄,她确实不想伤他的心。陈萍在张岚的教室门口等着他下课,远远看到秦阿柄瘦高的身影时隐时现,让她心慌不止。

张岚搭着一个哥们儿的肩从教室里走出来,看到陈萍,咧嘴一笑,放开同学,拍拍陈萍的肩膀说道:"走吧,跟我们一块打乒乓球去。"

陈萍拉住张岚站着不走,低着头,红着脸。张岚的几个男同学看到这个情景,一个个坏笑着向他们挥手道别。张岚觉得她今天怪怪的,只好对同伴们做了个鬼脸,留下陪陈萍。

路上,张岚和陈萍在一个阴凉下找到座位。"咋的了?瞧你脸红的!"

陈萍把秦阿柄给她情书的事告诉了他。

"当真让人给煮了!这臭小子,不要脸!回头我治他。"

"别,我不想你治他。我已经把他的信撕了。"

"那不行,欺负到咱家人头上来了,得脸了!"

"张岚哥,我求你了,秦阿柄真的不坏。我不理他就是了。"

张岚想了想,道:"好吧,这回我不让他哭就是了。"

沉吟了片刻,陈萍涨红了脸问:"那你呢?"

陈萍的本意是想试探张岚对她有没有那种感觉,可张岚没有领会到她的意思。

"我可没你那么好欺负!谁要是胆敢送我那种酸吧拉叽的东西,早晨升旗的时候把它挂旗杆上,让全校师生卧倒一片!"

在感情问题上,张岚没有陈萍那么细腻,因为他的志趣爱好太广。但秦阿柄给陈萍写情书让张岚耿耿于怀。

暑假前,学校举行了一个由国会议员颁奖的庆功会,表彰本学期成绩优秀的学生。张岚作为唯一一位四门功课取得全年级第一的学生,受到了校长的专门表扬。当张岚亮相在主席台上的时候,全校师生给予他长时间的热烈掌声。张岚得到了四张奖状、四张奖券。中四年级的奖品颁发完后,该中三年级的学生上台领奖。张岚发现秦阿柄也在获奖名单之列,于是他灵机一动,扯了一条报纸撕成尾巴的样子,在秦阿柄上台之前悄悄地粘在了他的腰带上。当秦阿柄走上领奖台,飘飘然一穗纸缨引起全场哄笑。秦阿柄慌乱无措的样子再度引来嘲笑。校长抢上前取掉了秦阿柄身后的纸缨,牵着受惊的秦阿柄来到台中央接受议员的授奖。当秦阿柄走下台的时候,所有人的目光都跟着他走,让他感到无地自容。

会后,张岚被请到学校总办公室,当他走进里间校长办公室时,他看见陈萍低着头站在里面。

"你的妹妹告诉是你干的,要不要承认?"校长问张岚。

"嘿嘿,开个玩笑,活跃一下会场气氛。"张岚拿出看家的本领想蒙混过关,可校长严肃的态度让他无用武之地。一通批评之后,张岚被安排在随后的散学典礼上向秦阿柄公开道歉。

"有意思,刚刚开完我的表彰大会,接着就是我的批斗大会。全世界找不出第二个像我这么矛盾的人了。"当张岚道完歉回到台下的时候这样对他们班的同学戏言,全然没有悔过之意。

其实,最让张岚生气的是陈萍会去告发他。

散会后,毕业班回教室,老师要安排 O 水准会考的假期辅导。陈萍忐忑不安,只身一人站在校门口等着张岚散学。

刚才校长到他们班调查那条纸缨的时候,别人都不知道是什么人干的,只有陈萍能够肯定是张岚所为。看到秦阿柄从来没有那么委屈的样子,陈萍终于鼓起勇气告发了张岚。从张岚气愤的目光中,陈萍意识到这下真的得罪了他,她为张岚难过,为秦阿柄难过,更为自己难过。每回张岚收拾秦阿柄,受伤最重的从来是陈萍,张岚是个意气用事的人,根本意识不到这点。

陈萍看到张岚和他的同学走来,紧张得把头埋得低低的。走到校门,有一个同学使坏把张岚往陈萍那边推,张岚给了那个同学一脚,自己转身走开,不打算理陈萍。

"张岚哥。"陈萍怯生生地叫了一声。

张岚停下脚步,回头冷嘲热讽道:"跑那么快去告我干什么?只要校长问一声,我马上就会挺身而出去自首。看来你一点也不了解我。"说完转身就走,走了几步又回身补了一句,"以后别管我叫哥了,我最恨别人出买我!"

听了这话,陈萍顿时泪如泉涌,张岚却大步流星地追赶他的那帮哥们儿去了。

在远处悄悄注视这一切的秦阿柄赶来安慰陈萍,却被她推了一个趔趄,陈萍哭着跑开了。

从这以后,张岚不再去找陈萍,见了面也不说话。

接下来是张岚最后冲刺的半年,毕业会考是每一个学生的大事,学校开始安排大量的补习。课外补习是教育部严令禁止的,但每个学校为了追求在国内的排名,基本上都要搞补习,只不过冠以"自愿辅导"的名称,似乎也就合法化了。

除了剑桥 O 水准会考外,张岚还报名参加美国的 SAT 大学入学考试。为了弥补英文科目的不足,张明贤以重金聘请一位澳籍教师给两个孩子辅导英文科目。这位名叫 Margaret Lange 的女士大约有四十多岁,长期从事英文教学工作,经验很丰富。张岚和陈萍每周两次去老师家补习。Margaret 被告知二人是兄妹,但发现他们之间从不说话,于是好奇地问是怎么回事。陈萍被问得瞠目结舌,不知道如何回答。张岚用英语告诉老师,在中国兄妹长到一定的年龄之后是不准说话的,要一直保持到妹妹嫁了人以后才可以开戒。张岚的戏言让老师大呼"crazy",陈萍却伤心不止。

本来陈萍为纸缨事件感到内疚,张岚一直不理她已经够她难受的了,想不到他对她一点没有那种感觉,竟口口声声要把她嫁出去!

小女子的心或许永远不是大男人所能理解的,陈萍这样感叹。从此他们二人的冷战进一步加剧。

30

男人大悲、大喜的时候都会跟烟酒过不去,以至于烟
酒产量占 GDP 的比例居高不下。因惑中的陈东前重操
戒掉了十多年的陋习,开始寻求烟酒的麻醉作用。

刘妍丽和陈东前结婚后反而口角不断,根本原因在于生活的
拮据。

当地球转进两千零二年的时空轨道,新加坡的经济越发不景
气。工作职位越来越少,陈东前的劳务介绍业务完全没了市场,租
房中介的业务也少得可怜。过去房东想出租房子总是委托中介人
代办,可现在兜里的大洋少了,房东们也就不怕麻烦到处张贴广
告,为的是能省下那点中介费用。年初的时候,陈东前还接了个卡
厅布线的电工活路,以后哪怕是这种小活也揽不到,一家人基本上
就靠刘妍丽一个月千儿八百的收入维生。到了六月份,刘妍丽因
婚姻关系申请的 PR(永久居民)还没批下来,每个月还得交纳两百
四的工作准证费用以及刘虹一百多的学费,累死累活干了一个月,
到了月底还是揭不开锅,这种情况下别指望人的脾气能好得了。

冯小蓉和邵彦在淡滨尼再开一间分店,因为有了前两次的装
修经验,陈东前大胆地将装修工程承接了下来,由他组织施工。本
来有望挣到万把新币,可是为了提前完成工程,加上他的经验不

足,最后结算下来,差不多是白白忙乎了二十几天。为此,夫妻俩吵了一架,三天没说话。

从陈东前内心来说,他十分感激冯小蓉和邵彦给他这个工程。为了回报她们的信任,他不但严格要求质量,而且一心就想提前完成工期。新加坡的店面租金贵得很,能提前完工可以给邵彦她们节约多少钱!在这种指导思想下,陈东前安排了两班人马,日夜施工,原计划一个半月的装修,二十二天便交付使用,然而工事费用却大大超出预算。冯小蓉和邵彦满意了,刘妍丽却是满腹牢骚。

就在刘妍丽和陈东前的冷战进入第四天的晚上,邵彦登门造访,不但给陈东前带来五千新币的支票,而且还来聘请刘妍丽去当分店的经理。

"经理一职就像雪中送炭,咱可当仁不让!这钱嘛你还是收回去吧,给朋友办事儿讲求个地道。"陈东前推让道。

"你帮我们省下的租金都不止这些,更不用说多产生的效益了。"邵彦说什么都要把奖金留下。

邵彦真的是雪中送炭,她的到来让刘妍丽既感动又羞愧。等邵彦一走,二人竟完全忘记前嫌,兴奋地相拥亲吻,一旁的刘虹赶紧捂上眼睛。

看来经济基础一样能决定夫妻间的上层建筑。

这个世界男人养活女人是天经地义的,而男人要是靠女人养活就会伤及雄性粗糙的颜面。陈东前自认为是个大男人,可他整日无所事事,只有买菜、做饭、洗衣服这些妇道人家的事儿等着他干,哪怕是跟着音乐的节奏摇动炒菜匙也不能减轻沦落为家庭主夫的痛苦。没工作的男人苦啊!即便老婆不嫌弃,自个儿照着镜子也没个人样儿。

陈东前这位从前替别人找工作的职业介绍人现在却不能给自己找到一个合适的工作,按他自己的话说,是历史拿他开涮!前些天,李佑君所在的公司招聘两名电气工程师,她第一个通知了陈东前,可应聘的多达七十余人,经过初试,到达她手里的五位候选人。当中没有他陈东前。看来后门只有一条缝,陈东前没能挤得过来就怪不到谁了。

更让陈东前痛苦的是长此以往不能重振夫纲,不能把刘妍丽解脱出来,他想要个孩子的梦想何年何月才能实现?陈东前掐着手指头一算,自己和刘妍丽的年龄三十有四,这会儿不赶快成就大业,晚了就算能怀上也不再是优良品种。当他把顾虑跟刘妍丽一说,老婆大人叫了起来:"生孩子的瘾我可过够了,要是不怕肚子疼,有本事你怀!"

"废话,我要能怀得了也用不着这么低三下四地求你帮忙!"陈东前靠在床头一脸的不高兴。

"我不干活,现成这三口人的嘴都得闲置,肚子里的孩子更没机会出来见见天日!"刘妍丽瞥了陈东前一眼继续挖苦道,"我还盼着你出息的一天,我用不着去做工,天天在家给你趴窝养孩子,一打儿、两打儿我也不嫌多,你要养得起呀!"

刘妍丽的话让他无言以对,可是想要孩子的愿望像癌细胞一样在他的体内以几何级数增长。于是他想出了个损招,把所有的安全套都剪了个小口,让希望的种子从那些小洞眼里溜进希望的田野。经过几次观察,他发现千军万马还是被困小小的橡胶套,于是他不断扩大希望之窗,以便更多的部队冲出重围。这日,房事过后刘妍丽察觉到了异常,她把一盒待用的安全套翻出来一看便跟陈东前急了。"混蛋!想害死我是不是?"刘妍丽一阵吼叫。

"嘿嘿,久攻不下才想出了木马计。"陈东前嬉皮笑脸道。

"要是怀上了看我怎么收拾你!"刘妍丽说着把一盒安全套摔在陈东前的脸上。

"怀上了就要呗,总不能把我们的孩子扼杀在摇篮里吧?"

"放你的臭狗屁!有本事先把工作找到。每月能挣回四千块,马上我就辞职在家给你养孩子。挣不到这个数你就别做梦了!"说着刘妍丽抬脚把陈东前端下床，"滚，滚，滚，以后不准上我的床！"

陈东前怏怏地抱着枕头到厅里扔在沙发上倒下。走廊的路灯透进窗户，照得厅挺亮。虽然厅内的摆设与从前一样没有什么改变，而墙上那些可以昭示生意兴隆的花花绿绿的纸条全都没了，只剩斑斑撕不干净的纸条残根依稀在目。看着墙上那些残根，想到一个多月来连一个想租房的电话也没有，陈东前心里生气，于是从沙发上起来，打开木门，把门上贴的那张印有"新加坡环球地产劳务中介公司"字样的白纸一把撕下，捏成一团扔到墙角，再次倒在沙发上。这一夜，陈东前几乎没有合眼。工作找不到，生意没了谱，想传宗接代吧，又让老婆端出了门，陈某人这是怎么在活呢？

男人大悲、大喜的时候都会跟烟酒过不去，以至于烟酒产量占GDP的比例居高不下。困惑中的陈东前重操戒掉了十多年的陋习，开始寻求烟酒的麻醉作用。麻醉中的人总要误事，几次晚上下班回家看到醉醺醺的陈东前躺在沙发上，而刘虹却饿着肚子盼着母亲回家给她弄饭吃，刘妍丽气不打一处来，少不了口角之争。最终被骂急了的陈东前借着酒劲儿吼叫道："是老子把你们办成了PR，这房子也是老子买的，高兴喝点酒又怎么着！要是看不惯就别住这儿，我一人还安静点！"

陈东前的话把伤心的刘妍丽送出了家门，她带着刘虹直奔李佑君家。

李佑君夫妇正准备睡觉，听刘妍丽含着眼泪把事情的经过说完，张明贤望着她笑了笑，劝道："酒后乱言，你也当真！等着吧，要不了多会儿他就会来给你们道歉。"

坐在台灯下看书的张岚重重地把书合上，挺身站了起来。"谁敢欺负咱们，我饶不了他。刘阿姨，您等着，我去收拾陈叔叔！"

李佑君正要制止，被张明贤劝住。"让他去吧。"

张岚刚刚跨出门，刘妍丽马上追了出去，喊道："回来！有你什么事儿？你小子起什么哄！"就连刘虹也跟着追了出去。

张明贤两口子对视一笑。

刘妍丽刚把张岚按回椅子,陈东前低着头像个犯了错误的小学生怯生生地走进来。"我错了,我不该说那些混账的话。当着张大哥和李姐的面我向你保证,以后不会再说那话了。"

刘妍丽正准备拿架子说说陈东前,看到张岚再次一合书本站了起来,连忙上前制止:"没你什么事儿,你小子敢胡来我先跟你急!"

张岚咧嘴一笑:"我上茅房您也管?放心吧,我这人从不干涉别国内政。"张岚说着挤出房门。

刘妍丽不好意思地对着李佑君笑一笑,拉着陈东前和刘虹往外走。

"打搅了!人民内部矛盾我们自己解决。"陈东前只留下这么一句话便被刘妍丽拉出了门。

李佑君和张明贤捂着嘴笑个不停。

第二天,李佑君分别给邵彦和冯小蓉打电话,把陈东前的情况说了一下,让她们去劝劝他,免得这样下去影响家庭和睦。邵彦同冯小蓉商量了一下,决定给陈东前设一个岗位,负责三个店各种电器、家具和器皿的维修,工资暂定八百,主要目的是让陈东前有点正经事可做。

邵彦打电话通知陈东前,却被他一口回绝了。陈东前明白她们是为了照顾他,身为五尺半长的大老爷们儿不能靠别人的施舍过日子,陈东前是这样回答邵彦的。

念在陈东前是个热心肠的人,帮过她不少的忙,冯小蓉亲自去劝他接受她们的安排。在小食摊上冯小蓉找到了陈东前。

"你怎么还喝酒,喝完了回家又要打架。"冯小蓉伸手把陈东前手中的啤酒罐抢了过去。

"最后痛快一回,以后不喝了。"陈东前信誓旦旦道。

冯小蓉把剩下的半罐啤酒倒进旁边的下水道,然后劝他去火锅城上班。

"谢了，冯姐，你们的好意我陈某人心领了。就你们那点儿修修补补的活儿根本用不着一个专职工人。有事儿叫一声，我陈东前义无反顾，一分钱也不会要你们的。你们照顾妍丽让她回去工作我已经够感激的，再给你们添麻烦我会有精神负担。"陈东前说得恳切。

"我们的摊子越铺越大，好多事情都需要有个可靠的人帮忙。你去上班不会让你没事干的。我知道这么少的工资委屈你，可什么事情都得从头来，以后工作多了，你能独当一面的时候不会不给你加薪的。"冯小蓉继续开导他。

"冯姐，你这话像抽我的嘴巴，我感激还来不及呢，怎么可能嫌工资低？再怎么我都不愿意让人同情，我想凭着本事干点儿让人瞧得起的事儿。咳，你要是个男人就能理解了。"借着酒劲儿，陈东前显得有些激动。

"那你觉得干什么好呢？总不能什么都不干吧？"

"当然想干事！可没有本钱啥事儿也干不成！"

"你想干什么，说说看。"冯小蓉鼓励他说出自己的想法。

陈东前摆弄着自己喝过的几个空啤酒罐，思考了一阵儿，说："我学的是重型车辆电气，来新加坡也是做这方面的工作。后来经济不景气，大公司不是倒闭就是搬到中国去了，再要找到专业对口的工作实在难。这方面的人才差不多流失光了，以至于新加坡本地的重型车辆很难找到维修的人。像那些工程车辆，一般的修车行根本修不了。我考虑过，开一间特种车辆电路修理铺，不愁没业务可做，只是我投不起这个资。"

冯小蓉认真地听完他的想法，然后问："起步要多少？"

"各种工具和设备买齐了，加上厂房租金，得十万八万。"

冯小蓉沉吟片刻，抬头道："你先搞一个市场调查报告，如果可行的话我来参股，差多少钱由我出。"

听了这话,陈东前睁大眼问:"当真?不是说着玩吧?"

冯小蓉把刚才倒掉的那个空酒罐推到陈东前面前,认真道:"我又没喝酒,说话算数。但是市场调查报告不到位,我肯定不会拿钱打水漂。"

就这样,二人又讨论了一阵儿,冯小蓉才离去。

在冯小蓉的支持下,陈东前创办了一家特种车辆电路维修私人有限公司,冯小蓉作为大股东,一切都在她的策划下进行。这回他们没有做媒体广告,而是委托一间广告公司搞企业形象设计,有针对性地把印制豪华的宣传册子寄往相关单位,得到的市场反响果然热烈。第一个合同是军方六十辆坦克的电路维修,一个始料不及的大单,光这一个单子就能收回全部投资。

突如其来的合同让冯小蓉和陈东前措手不及,最大的问题是找不到这个专业的人才,尽管在中英文报上登出招兵买马的广告,但一个对口的人员也没有挖掘出来。陈东前带着四个普通电工当助手投入到繁重的坦克维修工作之中。因为只有他一个人上得了手,工作进度十分缓慢,干了一个月,才修好九辆坦克,眼瞅着合同期一天天地逼近,陈东前没日没夜地干,半个多月没离开过基地,没回过家。

合同是白纸黑字写出来的,如果不能按期完成不但拿不到钱,而且还要赔给军方一定数量的违约金。第一笔生意要是出了问题,以后还怎么干呢?不但陈东前着急,冯小蓉也急,但急有什么用,眉毛都烧光了,火还着着,要是有个地缝,陈东前保证会钻进去。

这年的十月天气比往年都热,基地的绿草地上整整齐齐地停着几十辆草绿色的坦克,白炽的日光下四处可见热气升腾。维修大棚里停着几辆待修的坦克,尽管几架喷雾风扇不停地在喷洒水雾,大棚里还是像个巨大的蒸笼,坦克里的滋味可想而知。原本不透风的驾驶舱再配上一盏二百瓦的照明灯,不出一刻钟,整个人便像水池里捞出来似的。结婚后陈东前养胖的十几斤肉在这一个月里丢光了不算，另外还赔了好几斤出去，现在的他更像根麻秆！终于，陈东前支持不住，晕倒在坦克车内。助手们把几乎裸体的他拖出驾驶舱，军车送他到医院。当他醒来的时候，第一眼看到的是泪流满面的刘妍丽。

冯小蓉和邵彦顾不上周末生意繁忙守在病床边，李佑君和张明贤得知情况也赶到医院看望陈东前。见到这么多的人在关心他，陈东前眼眶一热，却装作无所谓的样子望着众人咧嘴笑笑，道："没事儿，我这人命大着呢，剩下这点儿油再熬半个世纪也干不了。"

刘妍丽摸着陈东前干瘦如柴的手臂心疼地说："不能再这么玩儿命。刚才冯姐发了话，这个合同咱不做了，大不了赔他们些钱。"

"那不行！我这十好几斤肉白扔了不算还得赔上好几万，再有钱也不能用这种办法减肥。"陈东前边说边要起身。

冯小蓉俯身将陈东前按回床上，说道："你就是累死也不可能完成，还不如干脆不要干了。"

"那不行，头回合作就让我弄砸了，怎么对得住冯姐对我的信任？"陈东前坚持坐了起来。

刘妍丽抢先说："不能怪你，打了那么多广告都招不到人！"

"到这个时候，不指着挣钱，也不能赔钱。我多修出来几辆，没准儿不用赔人家违约金，至少可以少赔点儿。"陈东前说着就想下床，被刘妍丽拦住。

"要是能跟项昆联系上就好了，他是这个专业的，又是这边儿的 PR，过来就能工作。"邵彦这样建议。

"起先我想到过他的，只是担心把他弄来了给你添乱。"陈东前回答。

"我救过他的命，不说图报也不至于捣乱。现在是救急的时候，顾不了那么多了。"邵彦道。

"我看这个办法可行，我们这么多人，怕他什么，张岚一个人就能把他制服。给他一个正经的工作做，也是在帮他，不会有问题的。"冯小蓉积极响应。

"我打电话问问他。"陈东前摸出手机查出项昆的号码拨了起来，等了一会儿对众人道："没开机，回头我再打。加他一个说不定能抢得出来。"

一旁的张明贤开口问："坦克的电路我学得会吗？"

"您这话说的！电工看不懂坦克的电路图不足为奇，您是电路专家，这点儿小玩意儿到了您那儿就跟两片黄瓜炒盘菜似的，太简单了！"

"那好，明天我去请工休假帮你，今天你先给我讲讲坦克的电路原理，争取尽快熟悉。"张明贤认真地说道。

"敢情，有张大哥助阵，天塌下来了也能顶回去！"陈东前兴奋得手舞足蹈，随后他望着李佑君说："李姐，您就一百个放心吧，张大哥只管分析故障原因，脏活累活有我们几个，轮不到咱大哥动手。"

李佑君含笑望着丈夫道："一身的力气没处使，不让他干活能把他憋死。"然后转向陈东前继续道："这段时间张岚准备考试，挺关键的，只有周末抽点时间我也去帮点小忙。"

"那不成，"陈东前叫了起来，"装甲基地是纯粹的男性工作环境，您去不合适。"

"重活儿干不了，帮你们分析分析电路我应该能行。"李佑君坚持道。

"不是说您不行，是不合适。您想想看，这么热的天儿，我们几个差不多回到了原始社会。您要是去，为了文明我们得多受多少罪！"

陈东前的话让在场的人相视而笑。笑声是轻松的，看来陈东前没有什么大碍，而且棘手的问题经过讨论也找到了解决的办法，大家的心情自然也就好了起来。

第二天下午，张明贤带着一些简单的物品住进了装甲基地，五天后，项昆也到了基地，另外又增加了四个电工当助手，一伙人热火朝天地干了起来。

张明贤不仅干活是把好手，而且具备统帅的才能。他把待修坦克的故障进行了分类，同类故障制定一个修理流程，专业性强的工作由陈东前、项昆和他本人负责，一般性的工作尽量由电工完成，这样一来最大限度上发挥了每个人的作用。仅用了二十来天，大部分的坦克全都修好，只剩下问题比较复杂的三辆须集中精力抢修。张明贤让陈东前留下两个能干的电工当助手，其余的给他们结算工资，工事费用也比预算节约了许多。

合同期到的时候，除了两个专用牵引电机还没有从美国寄到，有两辆坦克不能发动，所有的维修工作全部结束。验收时，陈东前向军方证明了换上好的牵引电机坦克就能正常工作，负责验收的中校非常痛快地在验收报告上签了字，另一位军官把一张九万六千块的支票递给了陈东前。

陈东前拿支票的手在发抖，神愣愣地看着支票上的数字竟忘记了说一个"谢"字。

皮肤黝黑的马来族中校拍着陈东前的肩膀，用标准的新式英语对陈东前说："You worked well la, the next chance is yours too."

陈东前听说下次的活儿还给他干，激动地张开双臂去拥抱中校。中校是个职业军人，不习惯这种突如其来的形体语言，下意识地一个擒拿动作把陈东前胳臂拧到背后，随后理解了陈东前的友好意图，这才放开他，主动地与他拥抱一下，互道了一声"thanks"。

就这样，陈东前开创了一份属于自己的事业，项昆作为工程师受雇于他的公司。接下来的业务不断，陈东前不免有些得意，而最让他得意的是刘妍丽同意他回床睡觉，并且同意他干事儿的时候不用橡胶套，可埋头苦干了好几个月也没播上种子。自己去医院检查过几回都没问题,陈东前拉着刘妍丽要去医院体检,被老婆臭骂了一通:"有病啊你!放着刘虹这么大个样品你看不见,没那本事还怪到我头上来了!其实没什么奇怪的,物种不同压根就怀不上孩子,你连这也不懂吗?尖嘴猴腮的,还没进化成人呢!"

从那以后,陈东前成了健身房的常客。

31

> 张岚发现,情书中赞美他的用语比奖状上那些呆板的词汇生动太多,于是他把那些情书收藏起来,有朝一日挂出来,比奖状耐人寻味!

中四最后一个学期,张岚非常用功,他放弃了所有的课外活动,也少有与同学踢球。张岚对 O 水准毕业会考胸有成竹,但 SAT,也就是美国的高考他没有把握。他知道,要想 O 水准直接进大学,除非 SAT 能考出很好的成绩,否则他只有再读两年初级学院,A 水准后再考。SAT 主要考英文和数理逻辑,英文试卷是给英语为母语的学生设计的,其难度远远超过托福、雅思;数学和物理的内容很多还没学过,可以自学,但要想考高分也并非易事。

这个学期,张岚从来没有去找过陈萍,偶尔碰见了也当没看见,他父母时常带陈萍出去游玩他从不参加,理由现成:要看书。其实并不是张岚真的那么记仇,他是不好意思主动去讲和,这辈子也没那么低三下四过,更何况这学期忙,没有女孩在耳边叽叽喳喳说这说那,心要静得多。

陈萍不敢主动找张岚说话,怕被他奚落。多少次她悄悄地跟着他,发现张岚一放学就去义顺初院附近的阅读中心看书;多少次陈萍从门外悄悄地张望,想起从前他们的快乐时光,心里生出许多惆怅。拥有的时候总是那么不在意,失去后才觉得失落难耐。

　　秦阿柄经常找她说话,陈萍不想理他,心里怨他生出这些是非,可又觉得不该伤害他,所以总是不冷不热地应付过去。阿柄想让她高兴,总要说一些他认为有趣的事情给她听,可每次都会让陈萍想起张岚式的幽默,相形之下,秦阿柄的幽默更显平淡无味。陈萍明明白白地知道自己深深地爱着张岚,但她却不敢想象张岚会爱她。张岚那么优秀,自己有什么值得他爱的呢?陈萍常常这样问自己,越发地不能自信。当初他对我那么好,其实不过是一种同情,同情弱者是大男人的本性,根本不是出于爱。想起自己的身世,陈萍更觉自卑,虽然李阿姨和张叔叔对自己特别好,口口声声把她当女儿看待,可为什么不能容她住在家里?邵阿姨也对自己不错,可她一天到晚总是忙,忙完外面又忙家里的东东,很少顾得上与自己谈心,她会了解多少自己的内心?说来说去,只有张岚最了解她的感觉,可因为自己的小不忍,竟然连兄妹的情分也断了。嘻,能有这么一个哥哥是自己的福分,都怪自己不知道珍惜。

　　陈萍放学后经常到以前常去的那座组屋楼下,侧身坐在椅子上,回忆着观看张岚踢球的快乐情景。可现在的球场上已经没有了那个矫健的身影。记得张岚每次踢了一个好球都会得意地向她打一个响指,而她也会给他鼓掌加油。不知多少次,陈萍来到这里,侧身坐着看球场上踢球的男孩发呆,终于有一天,一个熟悉的身影进入了她的视线,是他,真的是张岚哥!陈萍心跳不止。就在他的伙伴在草地上摆石头当球门、分队的时候,张岚像从前一样自顾颠球。十五、二十,陈萍默默地帮张岚数着。张岚还是那么娴熟地用脚、用膝颠球不让球落到地上。当颠到三十下的时候,张岚像从前一样,打了个响指,朝远处组屋下的椅子方向张望一下,依稀一个少女的头影让他停止了动作,任球砸在他的肩上滚落一旁。就在张岚想看清椅子上的人是不是陈萍的时候,陈萍缩下身躲在靠背后面,紧张地从缝隙间张望。张岚再看却只是一只椅子的背景,以为是自己看走了眼,这才加入了比赛的行列。

这场球张岚踢得心不在焉,时常向着椅子的方向张望一阵,却再也没有看到陈萍的影子,心里凭空产生出失落的感觉。日子过得真快,SAT刚考完,来不及放松,过几天就要会考,考完试就算毕业了,与陈萍不再同校读书,以后更难有见面的机会!该跟她讲和了,可事情闹到这个份儿上,怎么开口呢? 张岚一边踢球一边想心事,陈萍的影子在他心中挥之不去。

陈萍躲在高背的椅子后面看张岚踢球,见他时常朝着她的方向张望,让她紧张又感动,她感受到了张岚在期盼着她。如果他知道我在椅子背后,会来找我吗? 陈萍在心里不断地问自己,几次下决心把头抬起来,可最终还是没有这个勇气。

十一月开始的那个星期,张岚他们毕业班进入了紧张的会考。每天一场,大小一共十六场考试,按张岚的说法,就像得了慢性肠胃炎似的,不如一口气拉光了解气! 每天毕业班的学生比别人晚一个多小时到校考试,考完了又比低年级的早一个多小时离校,所以张岚和陈萍一直没有见面的机会。

李佑君对张岚的O水准会考更为重视,尽管O水准成绩不影响美国的大学录取,但考上美国名牌大学的可能性非常小,而会考成绩关系着能不能考上新加坡最好的初院——莱佛士初级学院。只要上了莱初,将来考上美国名牌大学的可能性很大,而这就是李佑君带着张岚来新加坡的最终目的。李佑君不赞成张岚参加SAT的考试,想他全心备战会考,可他不听,而且把主要精力放在SAT,李佑君犟不过他,张明贤又不帮她说话,她只有干着急的份儿。SAT刚考完就是O水准考试,张岚产生了一点厌考的情绪,这让李佑君非常担心,偏巧这段时间张明贤去基地修坦克,李佑君只好放下繁忙的工作,请假在家督促张岚准备功课。

李佑君越是催得紧,张岚越是烦她,到后来干脆就不复习,考完试回家就玩电脑游戏。不管母亲怎么教育,他只当什么也没听见，气得李佑君拧着他的耳朵问他听没听见她说话，张岚咧着嘴叫起来："轻点儿好不好，别把我的防火墙弄坏了！"

李佑君不解地问："什么防火墙？"

"这您都不懂？电脑白学了！耳朵装了防火墙，好听的进得去，不爱听的挡住，所以您就省点儿劲吧！"张岚一副玩世不恭的态度。

"少来这套，今天你要是不给我认真看书，非得跟你急不可。"李佑君严厉道。

无可奈何，张岚拿起了课本，可精力就是集中不下去，于是找了个借口，跑到图书馆上网收 E-mail。打开信箱一看，又有一封让他感觉有点肉麻的邮件，说是情书也不为过，来自于班上公认的华族女生中最漂亮的那位。张岚不无得意地笑笑，把信件转移到一个专门的文件夹。好家伙，这个专门用来收藏情书的文件夹中已经有了七封来自不同女生的书信，加上用纸写给他的，一共有二十一封。张岚计划到他有了自己独立的屋子时，把电脑里的情书打印出来，跟着那些手写的情书一起，用相框把它们装裱起来，用它们装饰一面墙，用奖状装饰另一面墙，这些足以证明他的光辉历程。

收到情书最多的那段时间是今年的上半年，他作为篮球队队长带领校队在全岛中学比赛中夺得了第二名的好成绩。张岚出色的表演打动了不少女生的芳心，于是接二连三地收到了十三封情书。开始的时候，张岚感觉很不自在，有几封他拿给陈萍看了之后便随手扔掉了。后来他发现那些情书中赞美他的用语比奖状上那些呆板的词汇生动得多，于是他把那些情书收藏起来，有朝一日挂出来，比奖状耐人寻味！

最近又有情书不断投来，主要来自本班的华族女生。大概是因为行将毕业，女生们按捺不住想对她们心目中的青春偶像表白一番。

每次收到情书,张岚都会不自觉地想起陈萍。记得他们没有吵翻之前,有一次张岚把收到的一封情书拿给陈萍看,她边读边感叹道:"这人的英语多棒呀,我就写不出这么漂亮的话。把它送给我好吗?留着当范文。"陈萍有她自己的小心思,不想让别的女孩的情书留在张岚手中。

　　"怎么个意思?你也想给什么人写情书不成?"张岚不想把这份"奖状"上交,于是这样挖苦陈萍。

　　陈萍臊得满脸通红,连忙把情书塞还张岚。"你这人真坏,我才不会写这种东西!"陈萍只知道为自己开脱。

　　"你留着吧,留着当范文,保不齐哪天用得上它。只不过这里头的赞美之词只配给我,给别人不合适,得改改词,照抄肯定不行。"张岚一边说一边把那封情书往陈萍的手里塞,陈萍就像躲避毛毛虫一般挥着手跑掉了。张岚这才自得地把情书收好,心想,还是我自己留着当奖状挂才有意义。

　　张岚坐在电脑前回忆着往事,心中一阵失落,似乎自己在期盼着什么。此刻他很想能与陈萍言归于好,都怪自己小心眼,鸡毛蒜皮的小事儿也值得跟她翻脸!我张大圣人这辈子还没给谁低头认过错,这次就开一回先例认个错便是了,给自家人认错没有什么丢脸的。

　　张岚呆坐在图书馆的电脑前,有一个小时没有动一下鼠标。

　　第二天,考完高等数学二试,张岚没有回家,而是在校门外闲逛。中三也已经进入了期末考试,所以没等多久,低年级的学生陆续出来。当张岚看到陈萍的身影从楼边闪出,心跳快得让他感觉难受。他不敢正眼去看陈萍。

　　开始的时候陈萍没有看到张岚,是走在她身后的秦阿柄提醒了她:"看,你哥哥在那里,好像是在等你。"

　　陈萍紧张得涨红了脸,把头埋得很低,慢慢地走向校门。她在期盼着张岚熟悉的声音,她多么想走到张岚的面前,像从前那样任他牵自己的手；她怕自己会受不了，会哭出声来。

陈萍慢慢地从张岚的面前走过，离他很近很近，可张岚张着嘴竟发不出一丝声音，想好的台词忘到了九霄云外。

秦阿柄走在陈萍的身边，看一眼张岚，再看一眼陈萍，他明白了二人的尴尬。他想开口说点什么，让他们都不会难堪，可就是想不出合适的话。

张岚呆呆地目送陈萍和秦阿柄走过，心里真不是滋味。臭小子，每回都是他捣乱。张岚这样在心里骂着秦阿柄，眼睁睁地看着他们二人的身影远去，并且看到秦阿柄时常凑近陈萍说话，好像是有意在气他。张岚哪里知道，秦阿柄是在劝陈萍回去跟张岚和好，而这时的陈萍好像停止了思维，秦阿柄的话她一句也没有听到。

陈萍高挑的倩影在拐弯处消失，一种从未有过的酸楚袭上张岚心头。

张岚失魂落魄地走在回家的路上。路过球场时，一只足球滚到他的脚边，远处的男孩们向他示意帮忙把球踢过去。张岚使足气力，一脚抽射，好像要把肚子里的气发泄在皮球上。球在空中划过一道弧线，正正打在一个过路女孩的腰上。女孩一个趔趄蹲到了地上，张岚赶忙跑过去道歉。这是一位有着印度血统的女生，从校服可以断定与张岚同在一个学校读书。

张岚蹲下身询问她的伤情，那女生脸上挂着泪水向张岚友好地笑一笑，表示没有多大关系。当她努力站起身时，却因疼痛差点跌倒。张岚一把扶住了她，用英语说带她去医院看医生，说完了又用华语补上一句："活见鬼，倒霉事儿全让我赶上了！"

没想到女生听懂了他的话，竟然用华语答道："没有关系，不要骂你自己，过些时候就好了。"望着目瞪口呆的张岚，女生解释："我的妈咪是华人，daddy是印度人，所以我可以讲一点点华文。我也可以讲一点点印度文，so，我会讲三种语言。"

"幸亏没用华语骂你，要不然你用三种语言回敬我，吃不了，没带书包又兜不走,今儿个我别想回家了。"张岚扶着女生坐到组屋下的长椅上,这样打趣道。

女孩笑了,笑的样子非常好看。

"我知道你的名字,你叫张岚,是 Four A 班的。我叫 Amy,是 Four B 班。"女生自我介绍。

"你是我们隔壁班的?我怎么没印象。"

张岚的话冲口而出,再看那位女生有点不高兴,张岚咧咧嘴,知道自己失言,只好等着女孩骂他几句。

"我可是学校有名的美女,所有的男孩子都喜欢我,我有很多男孩子写给我的情书,then, I collect them all."女孩没有责备张岚,而是一点也不含蓄地介绍自己。

听了 Amy 的话,张岚觉得好笑,居然世界上还有一位爱好收藏情书的人啊,可算找到一个志同道合的人了!认真地端详一下眼前的女生,这才发现的确是一个美女,大眼睛,高鼻梁,弯弯的长睫毛向上翘着,嘴的轮廓最为动人,可以说既有西方美女的亮丽,又有东方美女的秀丽,而且还有印度女孩双腿修长的特点,除了皮肤稍微黑了一点,其他方面无可挑剔。

Amy 见张岚在审视自己,不但没有不好意思,反而高兴起来。"我很美噢,是不是?"Amy 直言不讳地问道,"你喜不喜欢我?我们可不可以做好朋友?"

Amy 的直率让一向率直的张岚无言以对。

"没有关系,你不好意思讲,也可以给我打电话,这是我 hand phone number,还有我家的地址,你可以给我写信。"Amy 边说边从文具袋中取出笔和纸写了起来。

张岚站在一旁心中暗想,好一个情书收藏家,想从我这儿骗一份情书,没门!不行,我得让她为我的收藏集作点贡献。想到这里,张岚接过 Amy 递给他的纸条,把没字的一半撕下来,要过她手中的笔,把自己的 E－mail 地址写了下来,递给 Amy。

"我的手机号就一位数——0,最好记了;我家的地址是随时间变化的函数,没个准儿;只有我的 E-mail 地址是常量。"

听着张岚式的幽默,Amy 笑得特别地甜美。"I love you,我一直都喜欢你,只是没有机会同你说话而已。以后我们就是好朋友了。"Amy 摇晃着站起来,不自觉地扶住自己的腰。

张岚伸手将她扶稳,Amy 便挽住张岚的胳膊,二人有说有笑地往 Amy 家的方向走去。

陈萍在地铁站告别了秦阿柄,觉得空虚难耐,于是又踅身回去寻找张岚。突然她发现一个漂亮的女孩挽着张岚朝自己的方向走来,陈萍惊呆了。原来张岚在校门口不是等自己,而是等这个女孩,怪不得自己走得离他那么近他也不招呼一声,张岚哥有女朋友了!陈萍的心从半空中一下跌落海底,她说不清此刻是心痛还是心酸。

张岚无意间发现了欲哭无泪的陈萍,心跟着沉入了海底。他想推开 Amy 的手,又怕她站不稳倒下。她怎么会在这儿? 肯定是送秦阿柄回家才回来,张岚心里猜想着。我靠,这回自己就是跳进太平洋也解释不清! 今儿个是什么日子,邪性事儿赶一块儿了! 张岚正想大声招呼陈萍,却见陈萍转身跑开了。Amy 没有发现异常,还是不停地用中英参半的话讲着 happy 的故事。

"我的妈咪 always 叫我阿咪,sometimes call me 猫咪。我的 daddy 叫我 darling……"Amy 絮絮地讲着她的家事,张岚一个字也没听进去。

第二天考完最后一场试,张岚又在校门外等候陈萍。陈萍发现了张岚,拖着秦阿柄的胳膊远远地绕开他,头也不回地离去。张岚目送他们的背影消失在马路的拐弯处,叹了口气,嘀咕了一句:"看来解释都是多余的。"然后无精打采地往图书馆的方向走去。

在网上,张岚果然收到了 Amy 写来的热情洋溢的情书,最后的落款居然没有征求他的意见便标称"yours girl friend"。张岚心里好笑,小声骂了一句:"得,让口香糖粘上了。"

　　会考过后,张岚班上的同学不分家庭条件好坏,都在寻找打工的机会。张岚带领一伙哥们儿,循着报纸广告的地址去一间糖果公司应聘临时工,Amy 缠着张岚同去,于是一行六人浩浩荡荡地杀向地处三巴旺的工业园区。

　　说是糖果公司,其实并不生产糖果,而是从中国进口大箱整包装的各类糖果,然后分装成印有该公司商标的小包装在全岛的超市销售。公司没有厂房,一切工序都在一间很大的库房里完成。

　　老板看到一群朝气蓬勃的小伙子,满口答应留用五个男孩,任务是搬运货物、开箱这些粗活儿;至于 Amy 呢,很抱歉,管包装的女工已经排满了,没有她的位置。

　　听了老板的话,Amy 把嘴撅了起来,另外四个男孩一同望着张岚,等着他拿主意。张岚冲着老板乐一乐,然后转身来到货堆跟前,一下抱起三个箱子,健步走回老板面前轻轻放下。

　　"看见了吧,我们这些人一个顶仨,就是她不做什么,你也有赚的。再说,有她在这里,我们一个个干劲倍增,她一个人可以顶很多人用。"张岚大气不喘地用英语说完这些话,然后示意最壮的马来族同学去试一试。那位体重一百二十公斤的大个子同学过去抱了四个箱子放到老板面前,然后抖了抖肩膀,声称要不是太高了,他抱五箱就跟玩儿似的。

　　老板被他们的表演打动了,于是也接纳了 Amy。Amy 兴奋地拥抱住张岚,在他的脸上接连吻了几下。由于用力过大,腰伤还没有好,Amy 差一点摔倒。张岚一把将她抱住,Amy 又趁机搂住张岚的脖子亲吻起来。四个男生在一旁起哄,老板也跟着拍手叫好,张岚直弄得一个大红脸。

　　时间过得很快,转眼就要过春节了。张岚同 Amy 等人每天早晨约齐了一起去上工,晚上六点下工,每天要干八九个小时。他们的工资是以每小时四新币计算,所以每个月他们加上奖励都能拿上一千元。Amy 的母亲要回山东过年,想带她一同回中国,可 Amy 同张岚在一起非常快乐,说什么也不跟母亲同行。越是临近春节,生产任务就越重,张岚他们常常要加班到晚上十点钟。尽管干的是单调的活路,可是几个年轻人有说有笑,倒也不觉得很苦,只是一天下来觉得很疲倦,最大的快乐就是回家睡觉。通过这段时间的锻炼,几个年轻人共同的感受是要好好地学习,否则一辈子干杂活肯定不会快乐的。

的确如此,别人千万次的说教不如自己的一次体验。发达国家的家长,不论贫富,都会要求他们的孩子打工锻炼,这比单纯的溺爱包含着更为丰富的爱的成分。

Amy 到处声称张岚是她的男朋友,这话终于传到了李佑君的耳朵里,在她的要求下,夫妇二人准备找张岚谈话。

礼拜天一家人都不上工,张岚一觉睡到中午。吃过午饭,李佑君郑重地把张岚叫进屋,把房门关好。张岚被父母怪异的行动搞得莫名其妙,以为发生了什么重大的事情,结果听母亲一问,张岚一下笑了起来。

"不就一个 Amy 吗,把你们吓成这样!实话跟您说,另外还有二十一个 Amy 在追我,够得上洪水猛兽了吧?"

听了张岚的话,张明贤禁不住大声笑起来:"好小子,本事不小啊!"

李佑君瞪了他一眼,严肃道:"你这个当爸的也没个正经样!"然后转向张岚继续审问:"老实说,有没有跟她谈恋爱?"

"恋爱倒是谈不上,只不过她老说自己是我的女朋友。开始是听着别扭,后来习惯也就没事儿了。的确她是我的朋友,谁让她是个女的呢,选错了性别又不赖她。"

"少跟我贫嘴,我问你是不是和她谈恋爱?"李佑君追问。

"我说过了,没谈!"张岚的回答很坚定。

"是不是经常在一起?"李佑君又问。

"每天都在一起做工,有时也单独聊聊。"

"都聊些什么?"

"国家机密,无可奉告。"

"有没有过身体接触?"李佑君进一步审问。

"当然有了,她一高兴就抱着我的脑袋亲。好在我的脸皮比较厚,那点口水还不至于影响我的皮肤健康。"

"除此之外,还有没有别的?"

张岚想了想,认真地回答道:"她老爱拽着我的胳膊走路,没办法,她的腰是让我踢伤的,活该我给她当拐杖使唤。"

张明贤插话道:"我听明白了,是剃头挑子,一头热。"

"没错,还是老爸理解,我对她真的没有那种感觉。只不过Amy确实是个很可爱、很开朗的女孩,我们作为好朋友没什么不可以的。"张岚的眼神里流露出对父亲的敬佩。

"有没有你对人家有感觉的女孩?"李佑君一针见血。

"有,只不过人家有男朋友了。"张岚答得很干脆。

张明贤忍不住又笑了,李佑君总算舒了口气。接着李佑君抬出大道理对儿子进行苦口婆心的教育,张岚不耐烦地打断母亲:"我耳朵里装的防火墙又启动了,您就打住吧!"

李佑君转过脸求助丈夫,张明贤却挥挥手喊了声:"退堂!"

临近春节的时候,张岚收到了普林斯顿大学的录取通知书。意外的惊喜让全家人沉浸在巨大的欢乐之中。普林斯顿大学在美国排名前十,能被录取是相当不容易的,更何况张岚才是 O 水准毕业。一片庆贺声中,张岚急急忙忙地收拾行装,准备回国去申请美国的签证。

喜悦之余,张岚想起了陈萍。两个月来,不但没有见过她一回,连她的消息也少有听到。想到第二天就要走了,一走不知道何日才得相会,一丝淡淡的伤怀让他按捺不住想见她。晚饭后,张岚在公用电话旁转悠好大一阵儿,想了半天不知道话该从何说起,于是他拨通了秦阿柄家的电话。

在约定的地点,张岚等来了秦阿柄。尽管秦阿柄长壮了些,但与张岚相比明显单薄许多。张岚友好地拍拍秦阿柄的肩膀,却让阿柄感到紧张,他不知道张岚约他出来到底有什么事情,以往张岚的态度不能不让他生畏。

"其实你这人挺好的,有那么点宰相的风度。过去有所冒犯,相信你不会记在心上。"张岚的态度让秦阿柄轻松了些。

"我是很佩服你的,很想同你做好朋友,只是你总想办法修理我,我总是怕怕的。"秦阿柄如实地说出自己的感觉。

张岚不好意思地笑笑,道:"别记仇,不过是些玩笑。我们中国有句古话,不打不相识。从今往后,咱们交个朋友,我这人对朋友绝对够意思,不信你等着瞧吧。"

张岚说完这番话,把手伸向秦阿柄。秦阿柄犹豫了一下,还是把手伸了出来,与张岚友好地握握。

"明天我就走了,也许 N 年以后才能回来。"张岚的语气带有一丝感伤。

秦阿柄不解地问:"你要去哪里?"

"陈萍没有跟你说吗?我考上了美国普林斯顿大学,回国办签证。签得到就去美国,当然,要是签不到还得回来。"

秦阿柄发自内心地替张岚高兴,连声说道:"太好了,太好了,你很棒耶!"

"有件事儿我想拜托你。"张岚说到这儿沉吟良久,秦阿柄耐心地等待着他的下文。

张岚抬起头,郑重地对秦阿柄说:"陈萍是我的妹妹,我走了以后想请你帮忙照顾。如果我没看错的话,你应该是个正人君子,相信你不会欺负她的。"

秦阿柄被张岚真诚的话语所打动,郑重其事地答应道:"你放心,我会关心她的。她的功课不太好,我会帮助她的。"

张岚默默地点点头,但还是心事重重的样子。

第二天,陈萍从秦阿柄那里得知张岚当天就要离开新加坡,顾不上向老师请假,径直地冲向樟宜机场。

李佑君和张明贤在玻璃墙外目送张岚通过海关,消失在人群之中。当张明贤的目光从远处收回来的时候,发现妻子的眼泪不停地往下掉,于是搂住她的肩膀安慰道:"坏小子走了,以后没人跟你作对。"

"没人气我了,可心全空了。"李佑君依然伤情。

"这不,还有我在这儿呢。"张明贤把李佑君搂得更紧。

"要不了多久你也要回国接课题,你们都走了,我真的受不了。"

"这回是新中合作课题,多半时间我可以在这边儿。"张明贤边说边拥着李佑君回身,离开这个让她伤感的地方。

就在张明贤夫妇动身离开的时候,陈萍匆匆赶到。一眼没有看到张岚,陈萍焦急地询问:"张岚哥呢? 还没走吧?"

"进去了。对不起,想着你要上学所以没有让你来送。"张明贤放开李佑君,对陈萍解释道。

陈萍睁大眼望向进港处,从表情上看得出她在极力控制自己的失落情绪。李佑君上前搂住陈萍,抚摸着她的肩膀,说道:"好闺女,你哥走了,要是愿意的话搬回来住吧。"

这番话让陈萍再也抑制不住悲伤,伏在李佑君的肩头失声哭了起来。

此刻李佑君反而觉得踏实许多,这时她才想起还有一个陈萍的存在,并且她觉得自己亏欠陈萍很多,她想以后补上。

32

　　临睡前,张岚把收藏的情书集扔出了窗外,春天的风把一页页的纸抛上了天空,多余的牵挂随风飘逝,留下的是一份金子般殷实的情感。

　　灾难用于鉴定人性,如同烈火用来鉴别真金,这是上帝用来探查人类的实验手段。在灾难面前,人们才会放弃各种伪装和谎言,真实地显现出本来的面目。

　　继中国的广州出现非典之后,新加坡成了 SARS 的重灾区,学校停课,商家停业,人人自危;电视新闻被 SARS 的报道占去多半,总理吴作栋在电视讲话中号召国人团结起来,共同抗击 SARS 的来袭。国家大有危在旦夕的感觉。

　　尽管天还是那么蓝,乌云时聚时散,但来无影、去无踪的病毒接连不断地把人送去彼岸。

　　在这场灾难中受冲击最大的是旅游业和餐饮业。只在一夜间,中国火锅城从座无虚席一下变得门可罗雀,营业额不及原来的十分之一。面对不断的亏损,冯小蓉要求停业,在她看来,这场旷日持久的灾难会不断地加重,最终走向世界的末日。现在她只想保住既得利益,带上钱,躲回平静的老家福建。

　　冯小蓉的提议受到邵彦的坚决反对,因为这样一来,几十位陪读妈妈一夜间就会失去生活的来源,这无疑是雪上加霜,邵彦做不出这种事。为此,冯小蓉与邵彦争吵过多次。冯小蓉要求抽出自己在火锅城的股份,邵彦不同意:"这两年早就收回了你的投资,而且还净赚不少;股份不仅是用来分红的,而且也要用来共同承担风险,不是想撤就撤的。"

"别忘了,我也有一半股份在里面,为什么就要听你的,陪着你去送死。你想赌,就用你的钱去赌,我不奉陪!"

两人越吵越厉害,最后上升到相互的人格指责。最终邵彦让了步,同意把现有的二十六万流动资金分一半让冯小蓉带走。

"三个店的有形资产和无形资产加一块儿不低于百万,这么便宜你就想一人独占,没那么容易!"冯小蓉有点得寸进尺。

"你这人怎么不讲道理! 要是依着你停业,那些固定资产和预交的租金全都收不回来,顶多你也就分一半流动资金。我看你是有点儿贪得无厌!"邵彦气得手发抖。

"那是两回事,要是停业我可以承担损失,而你想一人独占,就得把我的那份还出来!"

冯小蓉的无理要求在法律上却合理。接下来她不再与邵彦直接接触,而是通过她的律师代言。万般无奈,邵彦同冯小蓉签下了协定,以二十二万的现金换来了冯小蓉的所有股份。冯小蓉卖掉了她的法拉力,带着徐翰匆匆地逃回了福建。

火锅城面临着空前的危机,流动资金严重不足,让邵彦难以为继。两年来,火锅城给邵彦带来了不小的收益,可是一方面她要维系陪读妈妈联络所的开支,并且时常资助一些特别困难的陪读妈妈,所以她手上不过几万新币的积蓄,放到这么大的场合下简直是杯水车薪,顶不了多大的作用。

由于顾客很少,邵彦安排各店的员工隔日上班,这样也能减少路上感染病毒的机会,只是员工的工资并不减。普通招待员的月薪本来就只有八百块,再减,人家还怎么生活。邵彦是个好心肠的人，她也意识到了再这样下去，不久自己也会两手空空，火锅城倒闭了，这么大帮人又该怎么办呢？邵彦真的着急，不光为自己，也为自己身边的一群人。

月底，邵彦拿出了全部积蓄，这才把六十几人的工资一个不少地打到了她们各自的银行卡上。其实员工们都知道所发生的一切，一度人心浮动，不少人私下里在猜测以后的工资会不会有着落。钱如数进到每个人的账户，这让很多人感动得热泪盈眶。大家被邵彦的崇高境界打动，自发地为邵彦捐款，这个两百，那个三百，刘妍丽不仅捐出当月两千元的月薪，而且另外多取了三千捐给邵彦。当刘妍丽等员工代表把所捐的两万八的现金交到邵彦手中的时候，邵彦被感动得落下泪来。员工代表们表示，所有人都同意减薪，直到生意恢复正常。

得知了邵彦的情况，那天晚上，张明贤夫妇带上他们的全部积蓄，把十六万新币的支票送到邵彦的家里。邵彦说什么也不接受："这是给张岚准备上学的费用，这些钱去美国读书远远不够。你们的状况我不是不知道，比谁都节约，不但要负担张岚，还想着给陈萍攒学费，我绝不会要你们一分钱！"

在一旁照看东东的陈萍也上前按住张明贤的手，焦急地说："张岚哥好不容易考上了名牌大学，没钱读书怎么行呢！"

张明贤笑笑，推开陈萍的手，把支票放在桌上。"告诉你们一个好消息，两国合作课题已经申请下来了，我可以两边拿工资，加上科研提成，每个月有一万二三，加上佑君的九千，这些稳定的收入都够张岚读书用的，以后没有什么压力了。"

"我不是不知道，刚去美国要不少钱。"邵彦把支票塞回李佑君的挎包里。

"去美国的签证很难签到，这回北京也开始闹 SARS，签证就更难批了。张岚都已经作好回新加坡的准备，莱佛士初院录取了他，入学手续我们帮他办好了。"

听了张明贤的话,陈萍兴奋起来,情不自禁地叫道:"太好了,张岚哥回来又能见到他了!"话刚出口,又觉得不对劲,于是嘀咕了一句:"还是不回来,去美国读书好点。"

邵彦好像是看懂了陈萍的心思,抿着嘴笑起来。李佑君把弄皱的支票理好放回桌上,说道:"能帮你渡过难关就好,真希望SARS早点儿过去,要不然这点儿钱也管不了用。"

"就算我们入的股,不要你还。"张明贤补充道。

"这个时候还谈什么入股,别人撤都来不及。你们的心意我领了,但这钱我绝对不会用的,支票留在这儿我也会把它撕了。"邵彦的态度十分坚决。

看到她这般坚定,张明贤坐在椅子里蹙眉思考一阵,然后开口说道:"与其等死,不如放手拼一把。其实火锅是看得到的高温消毒,在这个时候更显它的优越性。只要改进一下大堂的通风,做好消毒工作,对进店的顾客进行体温测量,完全可以保证不会传染SARS。把宣传策划搞好,各大媒体上多做点广告,不是没可能起死回生。"

张明贤的话让邵彦进入沉思,最终开口道:"我已经没有能力拼一下,但绝对不能用你们的钱做赌注。"

张明贤笑了,笑得很爽朗:"小邵同志,现在不是你想不想拼的问题,那么多的陪读妈妈等着你救活这个企业,多少张嘴要靠着这个火锅城吃饭!你不会扔下那么多人不管吧?"

张明贤的话句句说到邵彦的心坎上,可她还是犹豫不决道:"这么大的事儿我从来没有策划过,能行吗?"

"没问题,找个有经验的广告策划公司,让陈东前过来帮忙改造通风设备,反正他最近没事儿可干。至于我呢,实在是抽不出身来,出点馊主意还行。"张明贤这样鼓励她。

夫妇二人在邵彦家又坐了一会儿,李佑君重申如果张岚不回新加坡,想把陈萍接过去住的想法,邵彦虽然舍不得,但还是同意了。陈萍本来就很温顺，大人们决定的事情少有参言。

SARS在新加坡肆虐，确证病人的数量不断攀升，死亡人数不断增加，白色恐怖笼罩着整个岛国。大量陪读妈妈的丈夫在这个时候从中国赶到新加坡，共同重复的一句话是："要死一家人死一块儿。"陪读妈妈联络所本来就拥挤，加上六七位丈夫先后赶到，更是挤作一团，要是发生SARS感染，后果不堪设想。邵彦另外又租了一套住房，把联络所里的十家人分散开来。

不幸的事情终于发生了，过度劳累的邵彦发现自己的体温不正常，一测三十八度五，把她吓得半死。她马上想到的是东东和陈萍。戴上口罩给他们一测，陈萍也在发烧，感到不舒服，只是一直没吭声，好在东东的体温正常。邵彦不由分说把东东推出房门，由内反锁起来。可怜的东东被母亲异常的粗暴行动吓坏了，一个劲儿地敲门，声声叫着妈妈，嚎啕大哭。邵彦和陈萍二人在屋内瑟瑟发抖，如临世界末日。

终于，邵彦恢复了一点理智，拿起手机给陈东前打电话，求他帮忙照看东东。

陈东前带着项昆和另外两个工人正在刘妍丽负责的那个店改造通风设备，接完邵彦的电话先是吓傻了眼，明白过来是怎么回事时，顾不上洗掉手上的油污，匆匆就要离去。一旁感觉不对劲的刘妍丽拉住他询问发生了什么事。

"不好，邵彦和陈萍发烧了，怕是染上了SARS。她要我赶紧把东东接出来。"陈东前的声音都在发抖。

"天哪！这怎么能去呢！"刘妍丽叫了起来。"赶紧拨999，他们知道怎么处理这事儿，你去了别把你也染上。"说到这里，刘妍丽一眼看到注意他们说话的项昆，接着说道："要去也该他去，那是他的亲生儿子，他不管，谁管？"

其实项昆已经听明白了怎么回事，听到刘妍丽指着要他去，早已吓破了胆，一个劲儿地摆手道："不，不，不，我不去，打电话，打

999就是了。"

陈东前看到项昆一副孬种的样子，骂了一句"怕死鬼"，然后挺直身板，阔步走向店门，动作就像电影中就义前的英雄人物，只是身子骨过于单薄。

刘妍丽冲上去死死抱住陈东前。争执中，陈东前的手机响起来，是张明贤来电询问工程的进度，并且说打电话给邵彦不知为什么一直不接。

刘妍丽一把抢过电话，把邵彦的情况告诉了张明贤，并且推说陈东前这会儿抽不开身，问他能不能帮忙接一下东东。刘妍丽的语气显得很轻松，仿佛只是要对方帮点小忙。

"行了，张大哥去了，没你什么事儿，该干什么干你的去！"刘妍丽命令蹲到地上的陈东前，可他没动，心里不是个滋味。

张明贤赶到邵彦家，并通知了SARS热线。全副武装的医护人员赶来，把邵彦和陈萍送往陈笃生医院。留下的工作人员把屋子严格地消毒一遍，给张明贤和东东开出了隔离令，要他们不能出这套房子，并且让他通知隔壁的住户，回来以后就地隔离，明天他们还来检查。

张明贤一边哄着哭闹不停的东东，一边给李佑君打电话。电话那边的李佑君哭出了声，张明贤电话里、电话外地安慰着妻子和东东，搞得手忙脚乱。

接下来的几天，有人按时给他们及隔壁的人家送饭。每天他们要给指定的地方打电话，汇报体温状况。好在这套住房里的人再没有谁有发烧迹象，邵彦和陈萍也被排除是SARS感染，病好之后得以回家。一场虚惊过去了，所有人这才舒了口气。

隔离期间，张明贤从电视中得知北京的情况一天比一天严重，让他担心起在京的家人。他每天都要给张岚及自己和李佑君的父母打电话，一遍又一遍地重复着注意事项，特别叮嘱张岚不准出门，并让自己的父母一定要管住他。开始的时候他母亲不想让他着急，没有告张岚的状，最后实在憋不住，这才说出张岚老去找他过去的同学，他们两个老的实在是管不了他。张明贤在电话里找到张岚，从来没有那么严厉地批评了他。张岚嘴上接受了，可根本没把张明贤的话当回事。既然爷爷、奶奶管着他，干脆就住到了姥姥家。姥姥从小就爱替他护短，老爸敢对爷爷、奶奶指手画脚，对姥姥可就没那个胆儿了。张岚给自己选择了自由，同时为自己种下了祸根。

在张明贤的关注下，中国火锅城的广告在电视中播出。诱人的画面、可信的解说，终于唤醒了忍耐多时的人们那股馋劲儿，一夜间，三个分店一下恢复了以往的场面，订座电话接连不断。中国火锅城的成功给寒若冰雪的饮食业带来一线光明，各路记者纷纷赶来追踪报道，邵彦一下成了创造奇迹的英雄，火锅城的名声随之鹊起。

让人庆幸的是新加坡的 SARS 已经得到了控制，接连十多天没有新增病例。大家开始期盼世界卫生组织为新加坡摘帽，解除旅游警告。各行各业开始在恢复之中，信心和微笑又回到了岛国人民斯文的脸上。

就在新加坡逐渐摆脱白色阴影的时候，不幸的消息传来，张岚作为疑似病例被送进了刚刚建起的小汤山医院。与他来往的一个同学已经被确诊感染了非典，李佑君的父母也被隔离观察。不等听完电话，李佑君眼前一黑，晕倒在办公室里。的确，这个时候的人们神经已经非常脆弱，哪怕是听说认识的人染上 SARS 都会把心揪得紧紧的，更不用说听到至亲的家人被魔鬼缠身，再坚强的人都会受不了。

书记小姐分别通知了张明贤和钟生，张明贤最先赶到，李佑君已经苏醒。当她把噩耗般的消息说出来后，张明贤竟像一尊泥塑似的站在原地，什么话也说不出来。

钟生赶到公司的时候，发现二人都像木头人似的，一个站着，一个坐着,谁都不说话,连动也不动一下,空气仿佛被凝结住了。

最终是李佑君毫无表情地说出一句话:"对不起,我得回北京,我的儿子染上了 SARS。"

听到李佑君的话,钟生竟也像木头人一样呆在那里不动了。

一年多来,李佑君担起了公司的重担,钟生便极少来公司过问工作。李佑君突然要走,也不知道什么时候能够回来,一时让钟生无所适从。但他理解他们此刻的心情,二话没说,吩咐书记给他们订飞机票,自己重新坐回了原来他坐过位子上,气派不减当年。

陈萍得知张岚染病的消息后,不顾一切地冲向张明贤家,在楼下碰上了即将离开的二人。

"带我一起走吧,我也要回国去看张岚哥。"陈萍恳求着。

"好孩子,听话。你还得上学。"李佑君耐心地劝说她。

"不,我一定要去,我想见见他。"陈萍的语气很坚定。

张明贤放下手中的行李,把陈萍拉到一边,小声地告诉她:"阿姨已经很难过了,你别再给她添乱。你是个懂事儿的孩子,我们回去就行了。"

"不,我一定要去。"陈萍从来没有这样执拗过,一步不离地跟在他们身后。

马路边上,张明贤拦住了一辆出租车,当他们俩坐进汽车,陈萍把着车门不让关,说什么都要跟去。正在相持不下的时候,邵彦赶到,把陈萍拖开,车子才缓缓启动、离去。

陈萍连哭带闹地挣脱开邵彦,拼命地追赶汽车。邵彦哪里能追得上陈萍,眼看着她在拐弯处消失了。

宽体波音 777 能容纳三百多人,可机舱内只有寥寥无几的几个人。这个时候赶去北京的人大概都具备同归于尽的勇气。李佑君刚刚在座位上坐定,一个熟悉的身影出现在她的眼前。"陈萍!"李佑君惊讶地叫了起来。

陈萍穿过两个头等舱的走道,低着头向李佑君和张明贤走来。

来到他们的座位前,陈萍静静地等着挨骂。果然,李佑君从座椅中站起来,推着陈萍往外走。"下去! 赶紧下去还来得及。你这孩子怎么这么不懂事! 你想去北京找死啊!"

陈萍紧紧地抓住座椅靠背不放,李佑君招呼张明贤帮忙把陈萍赶下飞机。

陈萍带着哭腔说道:"你们大家对我好其实是可怜我,只有张岚真心对我,他要是死了,这个世上一个亲人也没有,我就去找我妈去。"

陈萍发自心底的声音把李佑君说愣了,她仿佛在哪里听到过这句话,猛然间她想起邓茹琳生前曾对自己这样说过。李佑君百感交集,一下抱紧了陈萍,二人哭成一团。

小汤山医院位于京北昌平境内,是一所临时组建的医院,设备简陋。医院四周是一片开阔地,到处都撒有石灰,不知是用来消毒还是用来渲染气氛;有警戒线围着,有守卫日夜巡逻,以防潘多拉的妖魔从这里扩散出去。

平时这里极少有人靠近,这日却来了三个人。岗亭里的守卫喝令他们不准靠近,三人在原地站住,望着被红砖高墙围起来的禁地,谁也没有说话,可他们的心里却无比沉重。一个小时、两个小时过去了,其中的中年男子好像是不堪心中的压力,坐到了路边。

第二天,还是这三人出现在那里。守卫认出了他们,不再对他们大吼大叫,任他们走得更近一些。岗哨换了两次,三人一直坐在那里。

"走吧,明贤,一天都没吃东西了。"中年妇女这样劝着她的丈夫。

"我相信父子之间会有一种感应,我的意念一定能够帮助他渡过难关的。"男子这样说道。

"我好像听到张岚哥的声音,他在跟我们说话了。"那位美貌少女眼中闪着光,天真地说道。

"其实我也不想离开,那是我心头肉的吗!可是我担心你们,要是再倒下一个,我怕支持不住了。"妇女解释道。

于是,他们又是无语坐着,坐了很久很久。

张岚,凭着他顽强的生命力,最终战胜了可怕的病毒。尽管他的血液测试呈阳性反应,但非典的典型性症状从他父母和陈萍赶回北京的那天起便彻底消失了,连医生也都感到费解。

冥冥之中是有那么一种力量存在,这种力量源自于亲情和爱情,在这股力量面前,撒旦也会退避三舍。

劳心总是比劳力耗费更多的能量,张岚康复出院,张明贤夫妇这才感到疲劳,从来没有过的疲惫感。看到了欢蹦乱跳的儿子回到身边,他们放心了,这才想起各自的事业,于是他们订了机票,匆匆地赶回了新加坡。

尽管这个时候北京也解除了旅游警告,但新加坡教育部规定去过疫区的外国学生需要重新办理学生准证,所以陈萍不能与张明贤他们同行,要等到办了新准证后才能回新加坡上学。在等待的这段日子里,陈萍与张岚同住在奶奶家。两位老人早就听说了陈萍的身世,见到她这般俊俏,又勤快,而且善解人意,可把他们乐坏了。

"白捡这么好一个孙女,真是我们张家的福气。"老头子笑眯了眼。

"你这个老糊涂,没瞧见他们俩多亲热,这可是打着灯笼没处找的好孙媳!"老太太比老爷子看问题更有深度。

老头恍然大悟,竟呵呵地笑个不停。

张岚带着陈萍走遍了北京的主要景点,陈萍从来没有这么快乐过,昆明湖泛舟、八达岭怀古、植物园赏花,这些无不给她留下深刻的印象;其实重要的是心仪之人在她身旁,否则再好的美景也如过眼烟云。唯一让陈萍感到不满足的是张岚不但没有搂过一次自己的肩膀,甚至连手都没有碰过她一下。这些日子,张岚变得客客气气,不像以前那么随便。

自从张岚对陈萍有了"那种感觉"之后,在他的眼中陈萍好像变了样,不再是可怜无助的小丫头,而变成一个不容侵犯的女神,不但自己不能侵犯,什么人胆敢动她一指头,他都会跟他玩儿命!可以在不经意间爱上一个人,而一旦爱上了就不能不经意。

那日,张岚和陈萍坐在香山鬼见愁上,山顶的风吹来丝丝凉意。陈萍告诉张岚她有点冷,期盼着张岚将她搂在怀里。张岚把外套给她披上,自己又坐回了旁边的石头上,离开她不远不近一段距离。

"每年十一月的时候来香山是最大的享受,满山的红叶好看极了!"张岚指着山坡继续道,"我最喜欢红叶的那种红,不张扬、不夸耀,一种淳朴的、自然的美;不与盆景争奇、不与鲜花斗艳,却能打动每一个人的心。"

陈萍闪着明亮的眼睛激动地说:"张岚哥,你说得真好,就像一首散文诗。"

"我哪有那文学水平,书上背下来的。只不过每一字、每一句都说到我心坎里去了。我看红叶的时候就是这种感觉。"

"我特别喜欢散文诗,特别能抒发感情。只是到了新加坡以后就很少读了。以后你看到好的散文诗介绍给我行吗?"

"没问题,回头我把这首诗抄给你。只是作者是写给她女朋友的,他把他的女朋友比作香山红叶,非常贴切。我就喜欢像红叶这种性格的女孩。"

听了张岚的话,陈萍的脸红了,红得像红叶那般好看。张岚看呆了,陈萍不敢正视他那热烈的目光。

世上最让人着急的是有情人之间谁也不敢开口说出心声,然而这却是一段美好的期待。张岚和陈萍朝夕相处,从来都有说不完的话,各自的心里怀着火山一般的热情,可谁也没有说出自己的感情。

就在这个时候,张岚奇迹般地得到了美国的签证。由于要求的报到时间已经过了,张岚匆匆地收拾好行装就要出发。

　　在临行前的那个晚上,张岚呆在陈萍的屋里,直到深夜两点多钟都不想离去。

　　"张岚哥,记着到了美国以后⋯⋯"

　　不等陈萍说完,张岚抢着说:"每天给你发个 E – mail。"

　　"你怎么知道我想说这一句的?"

　　"嘿,嘿,猜的。"

　　"张岚哥,学习要是忙的话⋯⋯"

　　"不必每天都写信,只要发'OK'两个字母就行了。"张岚又抢断了陈萍的话。

　　"怎么又让你猜着我就想说这句话的?"陈萍惊讶道。

　　"这回是蒙对的。"

　　"张岚哥,要是在美国⋯⋯"

　　"等等!"张岚再次打断,拿出两张纸递给陈萍一张。"你把后半句写出来,我把我猜的结果也写在纸上,看对不对得上。"

　　陈萍背过身在纸上写道:"要是在美国有女孩给你写情书还让我知道行吗?"张岚的纸上写着:"有人给你写情书就直接扔海里。"两人把纸条交换看过,对视笑了,他们同时想到了"心有灵犀"这个词语。

　　陈萍抬头看到墙上的钟已经指到了两点半,说道:"我真想让时间停下来。"

　　"好办,我把全世界的钟都用钉子钉住。"张岚笑答。

　　就这样二人依依不舍地说着话,可谁也没有提到自己的真实感情。

　　这天晚上临睡前,张岚把收藏的情书集扔出了窗外,春天的风把一页页的纸抛上了天空,多余的牵挂随风飘逝,留下的是一份金子般殷实的情感。

第二天,陈萍送张岚去机场,一路上二人很少说话,都在想着如何说出"我爱你"三个字。

行李车载着张岚的箱子,在国际厅里转来转去,时间一分一秒地向分离的时刻逼近,张岚憋红了脸,不知多少次努动嘴角想说出那三个字,可每次都是欲言又止。陈萍完全理解张岚此刻的心,一向干脆的他变得这般磨叽,肯定那三个字让他难以启齿。陈萍跟在张岚的身旁,陪着他推车在大厅里一圈圈地画圆,她想替他摆脱窘境,可少女的羞涩让她更难启齿。

时间无情地在挺进!

最后张岚深深地吸了一口气说道:"憋死我了!哪用得着非说不可呢?我们俩注定就那么回事儿。"说完在陈萍的脸上吻了一下,推着车,红着脸,头也不回地冲进入口。在即将消失的地方,张岚回头对满脸是泪的陈萍喊道:"我爱你!——"

浑厚的男声在大厅里回荡,两个灵魂终于完成了完美的结合,转瞬间又变成深深的思念。

还有什么比这少男少女间的第一次真情告白更纯美的呢?

我的叔父——阮永凯

穿行在熙来攘往的都市街头，感受着擦肩而过的匆忙节奏，心中涌起强烈的愿望——想说说本书的主要作者阮永凯，只为着生命中的感动。

阮永凯是我父母的挚友，从小我就把他当成叔父。

记忆中，每次叔父到我家来，都能给我们带来一份浓缩的快乐。他的阅历很广，他讲述的所见所闻总是那么生动感人，并且非常真实，正因为如此，才更富有时代气息和教育意义。

几年前，叔父全家旅居新加坡，但每年都会回国探亲。每次相聚的时候，我们都能从他那里听到很多有趣的故事，关于新加坡风土人情的、关于外国教育的，还有关于陪读妈妈的……近年来从他那里听到关于陪读妈妈的故事越来越多，并且越来越沉重，特别是讲到有众多的孤儿寡母在新加坡饱受磨难，我能感觉到他的内心也在经受煎熬。

有一件事给我留下了特别深刻的印象：

在一次飞往新加坡的航班上，他遇到一对初去新加坡的母女,叔父看到她们的兴奋劲儿,暗自为天真的母女捏一把汗——从她们的谈话中知道是被黑中介"引诱"出国的。因此好心善良的叔父告诉了这母女自己的手机号码,并送给她们一张电话卡,因为在新加坡没有卡就无法打电话。果然,母女二人被弃户外走投无路,半夜时分用叔父留下的电话卡拨通了求助电话。叔父和婶娘连夜把那母女接回自己家里,第二天帮着联系好中介人,才将她们送走。两个月后的一天,叔父接到那位陪读妈妈从机场打来的电话,得知她娘儿俩实在呆不下去了,马上就要回国。"她是一个自重的女人,没有给咱中国人丢脸!其实这种惨重损失完全是可以避免的,仅仅是因为不知实情……"记得当时叔父神色凝重地说了这番话。

2004年7月,叔父受驻新加坡中国大使馆的派遣回国做关于新、中两国教育比较的讲座,为此他提前返回重庆。我从电话里了解到,他这次回来还有一个重要目的,就是要在重庆设立一个办事处,开通一个网站,为国人提供有关新加坡教育的免费咨询服务。"国外的教育陷阱很多,设办事处的目的就是要阻止盲目的出国留学,特别是要阻止盲目的出国陪读。"叔父在电话里的声音显得慷慨激昂。

见到他人的时候,我和父母全都吓了一跳,这一年来他消瘦了太多!

那次见面,也是我第一次得知叔父在写一部关于陪读妈妈的长篇纪事文学作品。"这些年来我习惯把耳闻目睹的事情与感想记录在电脑里，当我把这些笔记分类整理之后蓦然发现，完全就是一部现成的小说！真真，你是大学中文系毕业的，帮叔叔看看，提提意见。"叔父把写成的那部分书稿交给我，并告诉我，他即将去成都同出版社洽谈出书的问题。

可是从那以后，一连很多天一直联系不上叔父，我们全家忧心忡忡，隐约预感会发生什么事儿，因为叔父从来不会不辞而别！

最终得到的消息如同晴天霹雳，把我们全家人的心掷到无底深渊——叔父已回老家北京住院，他患了晚期肝癌！

母亲与叔父通话的时候泣不成声，我不想加重他的悲伤，一把将电话抢了过来。

"叔叔，你一定会没事的！全中国的人都在等着你的办事处和网站。我可以辞掉工作给你当助手，你应该相信我的能力吧！"我想用我的坚定鼓励他的信心，只是泪水禁不住潸潸流淌。

"傻孩子，我已经没有本钱去干那种赔本的买卖了，更不能把你也赔进去……"

"书我看了，写得真好！"我不愿想象叔父心有余而力不足的无奈，于是转向另一话题，"只是目前稿子仅仅开了个好头，你应该坚持把它写完啊……"话没说完我却哽咽住了。

"有机会是想把它写完。可你叔叔已经变成医生砧板上的肉,以后的日子还不定由得了自己。"到了这个时候,叔父还不失往常的乐观和幽默。

"叔叔,好多未来的'陪读妈妈'正期盼着你的书呢,你可一定要写完这本书!"

一阵长久的沉默之后,电话里再次响起叔父沉稳的声音:"我知道你在团委特别忙,不过我还是有个想法,请你帮助我完成这部书,你能答应我吗?"

我含泪答应了叔父。以认真的参与来实践承诺,以倾心的投入与时间赛跑,在死神到来之前,让叔父能得以欣慰,感到自己的心血价有所值,看到自己的作品公之于世。

值得庆幸的是,叔父的肝移植手术很成功!不过听婶娘讲,手术开口的长度接近于他的腰围,可他手术后十几天便开始继续写作。听到这些,我的心酸楚而震颤!

患病的二百多个日日夜夜里,叔父用衰弱的身体经受着冗繁的化疗,并将泉涌的思绪、全力的心血倾注在《陪读妈妈》的字里行间、段落章回中,终于《陪读妈妈》收笔并成功面世。面对这一切,我敬慕意志的力量、信仰的伟大!

真是福兮祸之所伏吗？就在此书即将出版之际，却又传来不幸的消息：术后才九个月，叔父的肺上发现了多发性转移。对亲朋好友来说这无疑是个沉重的打击。可是叔父却淡然若定地告诉我："我要做一项实验，用毅力改良癌细胞。我正策划从新加坡骑自行车回北京，到时奇迹一定会发生！"

借用鲁迅先生的说法，这世上本没有奇迹，只是有人经历了其他人没有的经历，也便成了奇迹。

这部书的问世是个奇迹。而我相信我的叔父阮永凯，将会创造更加动人的奇迹。

李真真
2005 年 5 月 26 日

图书在版编目（CIP）数据

陪读妈妈/阮永凯，李真真著. –北京: 中国文联出版社，
2005.7

ISBN 7-5059-4987-X

Ⅰ.陪… Ⅱ.①阮…②李… Ⅲ.纪实文学 – 中国 – 当代 Ⅳ.I25

中国版本图书馆 CIP 数据核字(2005)第 064205 号

书　　名	陪读妈妈	
作　　者	阮永凯　李真真	
出　　版	中国文联出版社	
发　　行	中国文联出版社　发行部（010-65389152）	
地　　址	北京农展馆南里 10 号(100026)	
经　　销	全国新华书店	
责任编辑	李　烁	
责任校对	李　丹	
责任印制	李寒江	
印　　刷	北京隆昌伟业印刷有限公司	
开　　本	850 × 1168　1/32	
印　　张	11.875	
插　　页	2 页	
版　　次	2005 年 7 月第 1 版第 1 次印刷	
书　　号	ISBN 7-5059-4987-X	
定　　价	20.00 元	

您若想详细了解我社的出版物
请登陆我们出版社的网站 http://www.cflacp.com